史瑤、王嘉良、錢誠一、駱寒超◎著

茅盾研究八十年書系

錢振綱・鍾桂松◎主編

21

茅盾文藝美學思想論稿

花木蘭文化出版社

國家圖書館出版品預行編目資料

茅盾文藝美學思想論稿／史瑤、王嘉良、錢誠一、駱寒超 著
— 初版 — 新北市：花木蘭文化出版社，2014〔民 103〕
目 2+228 面；19×26 公分
（茅盾研究八十年書系；第 21 冊）
ISBN：978-986-322-711-3（精裝）
1. 沈德鴻　2. 學術思想　3. 文藝評論
820.908　　　　　　　　　　　　　　　　　103010301

中國茅盾研究會《茅盾研究八十年書系》編委會

主　　編：錢振綱　鍾桂松

副主編：許建輝　王中忱　李　玲

特邀顧問：

邵伯周　孫中田　莊鍾慶　丁爾綱　萬樹玉　李　岫

王嘉良　李廣德　翟德耀　李庶長　高利克　唐金海

ISBN-978-986-322-711-3

9 789863 227113

茅盾研究八十年書系
第二一冊

ISBN：978-986-322-711-3

茅盾文藝美學思想論稿

本書據杭州大學出版社 1991 年 3 月版重印

作　　者　史瑤、王嘉良、錢誠一、駱寒超
主　　編　錢振綱　鍾桂松
總 編 輯　杜潔祥
副總編輯　楊嘉樂
編　　輯　許郁翎
出　　版　花木蘭文化出版社
社　　長　高小娟
聯絡地址　235 新北市中和區中安街七二號十三樓
　　　　　電話：02-2923-1455／傳真：02-2923-1452
網　　址　http://www.huamulan.tw 信箱 hml 810518@gmail.com
印　　刷　普羅文化出版廣告事業
初　　版　2014 年 7 月
定　　價　60 冊（精裝）新台幣 120,000 元

茅盾文藝美學思想論稿

史瑤、王嘉良、錢誠一、駱寒超　著

作者簡介

史瑤（1928～2013），原名包維嶽，浙江東陽市人，浙江省社會科學院研究員。曾任中國茅盾研究會常務理事，浙江省茅盾研究會會長。著有《論茅盾的小說藝術》，主編《論茅盾的創作藝術》、《中國革命與茅盾的文學道路》等。

王嘉良，1942 年生，浙江紹興市上虞區人，浙江師範大學教授，中國茅盾研究會副會長。著有《茅盾小說論》、《藝術範型與審美品性——論茅盾的創作藝術與審美理論建構》等，2011年出版《王嘉良學術文集》（12 卷）。

錢誠一，1945 年生，浙江杭州市人，浙江大學城市學院教授。任中國茅盾研究會常務理事。著有《關於《蝕》三部曲的評價問題》、《茅盾的文藝批評主體論》等。

駱寒超，1935 年生，浙江諸暨市人，浙江大學教授，詩學研究專家。曾任浙江省茅盾研究會副會長，主編《論茅盾的創作藝術》等。2009 年出版《駱寒超詩學文集》（12 卷）。

提　　要

本書所論茅盾的文藝美學思想，並非是指從哲學美學的抽象命題或基本範疇出發營構的純美學體系，而是茅盾從我國新文學實踐中總結出來的一系列關於文藝基本問題的美學思考，涉及其對藝術美本質的揭示、對藝術審美創造活動的把握、藝術美與真實性、功利性的理解，及其文體美學觀、文藝批評觀等，這些命題雖各自獨立又互相聯繫，構成了茅盾的特色鮮明而又獨樹一幟的文藝美學思想體系。茅盾作為一位社會意識極強的現實主義作家，其對藝術美本質的認知，自然偏重在藝術的社會功能的認知上，強調了藝術美與主客觀的雙重關係，注重藝術美的真實性和功利性價值，突出藝術美的集中顯現是在於展示「真和美」。基於此，他審視藝術審美創造活動，便十分重視文學的「社會化」和「理性化」，既要求作家充分發揮創造者的主題創造精神，又需具備形象思維和邏輯思維兩種思維相結合的藝術思維結構。這一美學思想體系運用於文學批評實踐，使他把文藝批評看成是一種審美再創造，營構了一種注重「社會選擇」的批評模式；運用於對各種文學文體的觀照，則形成了其獨特的文體美學觀，產生了別具一格的小說美學、詩歌美學、戲劇美學、散文美學等。

目次

引論：茅盾的文化心理結構及其建構過程

　　茅盾的文藝美學思想，不是從哲學美學的抽象命題或基本範疇出發，「自上而下」地以思辨演繹營構起來的純美學體系，而是從我國新文學運動的具體實踐中，「自下而上」地歸納總結出來的一系列關於文藝基本問題的美學思考，並以其鮮明的特色和完整的構造而自成體系。它深深地植根於現代中國社會生活的現實土壤，受到民主革命運動特別是啓蒙救亡時代主題的深刻影響。但這種影響的閾限和程度，卻又爲茅盾的自身條件所制約，並在很大的程度上決定了他的文藝美學思想的理論成色和基本格局。離開茅盾的自身條件而僅從時代社會的影響著眼，就無法對他的理論個性作出眞切的說明。而集中體現茅盾自身條件的，就是他的文化心理結構。因此，在展開本書各章之前，有必要首先對茅盾的文化心理結構略加審察。

　　文化心理結構並不是主客體之間的某種靜態層隔，而是一種主體活動的功能結構。它由諸多相互關聯而又相互作用的層次和要素所組成，其中最主要的層次是：心理素質、價值體系和思維方式。我們對茅盾文化心理結構的檢視也將循此進行，並在把握其基本特點後，進而追溯它的建構過程。

（一）

　　在茅盾的文化心理結構中，心理素質這一層次顯示著他的人格理想、情感世界和意志結構方面的特徵。

　　茅盾少有大志。早在小學時代，他就誓言將來要「著作一種偉大的小說，成一名家」，並因而奮勉自勵，「以異日之文豪自期」。〔註 1〕這種具體形象理

〔註 1〕志堅《懷茅盾》，《文壇史料》，上海中華日報社 1944 年出版。

想，到中學時代發展爲更高遠的概括性理想。就讀湖州中學時，曾以《志在鴻鵠》爲題作文，借「鴻鵠高飛」自訴抱負。〔註2〕甚至還不無偏頗地認爲，一個中學生非有「吞下整個世界」的「氣魄」不可，「如果有誰不覺得整個世界是他的，那他就一定不是好中學生」。〔註3〕這種少年意氣，不是對個人名利地位的無限欲求，而是一種渴望建功立業兼濟天下的公民責任心和歷史使命感。更可貴的是，他那「熱血涂湧」的「狂氣」，〔註4〕非但沒有爲歲月的苦雨凄風浸蝕薰軟，反因投身時代的驚濤駭浪而更趨堅實。「五四」時期，接受馬克思主義和加入中國共產黨的人生抉擇，使他高遠的人格理想獲得了更爲切實崇高的時代內容，實現了新的昇華。他以挽救國家民族危亡、鏟除人民苦難的根源，進而解放全人類爲己任，並爲這偉大的理想而「追求奮鬥了一生」。〔註5〕

如此高遠的人格理想，必有與之相應的情感意志。透視茅盾的情感世界，可以發現三個顯著的特點：一是博大深厚。捷克漢學家嘎利克指出：「茅盾是一位政治的、社會的作家。『個人的區區小事』，是不能吸引住他的，只有那偉大的政治和社會問題才最使他激動不安。」〔註6〕確實，茅盾熱切關注的是時代風雲的變幻，深情繫念的是廣大人民的禍福，一代青年的沉浮。他從不爲個人的進退得失悲歡離合耿耿於懷，卻總是爲民族安危革命成敗憂慮感慨。他的情緒感受無不順應著人民大眾的喜怒哀樂，與他們同聲相應同氣相求。茅盾的情感內容，以其鮮明的時代性、廣闊的覆蓋面和強大的凝聚力顯示出博大與深厚。二是含蓄內蘊。茅盾博大深厚的情感內容，其存在方式卻是含蓄內蘊而非顯露外爍的。早就有人說過，茅盾「具備一個文藝家所必須具備的熱烈豐富的情懷，不過他不是外爍而是內蘊罷了」。〔註7〕「他

〔註2〕 分別見《我走過的道路》（上）第 77、68、78、14、51、64、89、114 頁，人民文學出版社 1981 年出版。

〔註3〕 《我的中學生時代及其後》，《印象‧感想‧回憶》，文化生活出版社 1936 年出版。

〔註4〕 《我的中學生時代及其後》，《印象‧感想‧回憶》，文化生活出版社 1936 年出版。

〔註5〕 《致中共中央》，《茅盾書信集》，文化藝術出版社 1988 年出版。

〔註6〕 嘎利克《茅盾的〈林家舖子〉及其短篇小說》，《茅盾研究》第 1 輯第 303 頁，文化藝術出版社 1984 年出版。

〔註7〕 東方曦《懷茅盾》，《作家筆會‧春秋文章》第 1 集，上海春秋雜誌社 1945 年出版。

的表面冷靜得就像一塊寒光閃閃的鋼鐵，而他的內心卻潛伏著無限的熱和力」。〔註8〕這內蘊的情熱自然也有直捷明快的抒發，甚至難以控遏的傾瀉，但其總體特徵卻並不表現爲外在的熱烈性而在含而不露、外冷全熱的蘊藉性。茅盾較少狂熱的吶喊和激越的呼號，誠如他自己說的那樣，「素來不善於痛哭流涕劍拔弩張的那一套志士氣概」。〔註9〕三是以理節情，茅盾既有博大深厚的情感，又有尖銳清明的理性，並且是「一位理智勝於情感的人」。〔註10〕在「情」、「理」關係上，他有一個牢不可破的信條：「離開了思想而言情緒，這情緒是沒有內容的；不問思想之如何而侈言情緒，這情緒是沒有價值的」。〔註11〕因而他總是自覺地用理性來檢驗、引導和調節情感及其展露情感，使自己的情感世界時時處於理性思維的嚴格規範之下，呈現出以理節情、理重於情的明顯特點。

高遠的人格理想和博大的情感世界，又決定了茅盾意志結構的堅定性、頑強性和獨立性特徵。從小學時代爲實現成一「文豪」的意願而奮發讀書用心作文，到「五四」時期確立共產主義理想並爲此矢志不渝奮鬥終生，以及對以理統情、自我品性修煉的一貫強調和身體力行，充分顯示出茅盾意志的堅定性。在人生追求的漫漫長途中，茅盾幾經坎坷屢遭危難，但始終堅持眞理自強不息。誠如他自己所說：「摸索而碰壁，跌倒了又爬起，迂迴而再進」。〔註12〕堅不可摧的理想信仰和永不銷歇的獻身激情，賦予他「處絕境而不灰，臨大難而不懼」，〔註13〕百折不撓堅韌不拔的頑強意志。而茅盾人生追求和獻身激情的理性自覺，更使他的意志具有不屈從任何外來壓力和影響的獨立自主性。他晚年回顧說，「自從離開家庭進入社會以來，我逐漸養成了這樣一種習慣，遇事好尋根究底，好獨立思考，不願意隨聲附和」。〔註14〕這種獨立自主的現代意識，使他即使對古聖時賢的主張，也必「先經過自己理性的審考」〔註15〕而決不一概盲從。因爲在他看來，「好古與趨時正是一件事底兩面，都

〔註8〕 黃果夫《記茅盾》，《人物種種》，「雜誌社」編輯部1943年出版。

〔註9〕 《從牯嶺到東京》，《小說月報》第19卷第10號，1928年10月。

〔註10〕 東方曦《懷茅盾》，《作家筆會・春秋文章》第1集，上海春秋雜誌社1945年出版。

〔註11〕 《從思想到技巧》，重慶《儲匯服務》第26期，1943年5月。

〔註12〕 《回顧》，重慶《新華日報》1945年6月24日。

〔註13〕 《學生與社會》，《學生雜誌》第4卷第12號，1917年12月。

〔註14〕 《我走過的道路》（中）第1頁，人民文學出版社1984年出版。

〔註15〕 《佩服與崇拜》，《時事新報・學燈》，1920年1月25日。

是忘了自己」。〔註16〕茅盾的一生經歷和言行表明，他不是隨波逐流的小草，而是獨立不倚的大樹。

理性心理傾向，清醒理智態度，內蘊情感方式，以及理想高遠、意志剛強、胸襟豁達、氣度恢宏的大家氣質，茅盾心理素質中這些最穩定的「基因」，構成了他心理性格的主要側面。

茅盾文化心理結構的又一層次是其價值體系。這裡所顯示的主要是他人生態度、道德要求和審美情趣方面的基本特點。

茅盾自小就對歷史上那些「挽時艱，振國威」、除暴安良、「廓清天下，出萬人於黑海之中」的英雄豪傑充滿敬仰之情，把他們當作自己的榜樣。〔註17〕包蘊在這種英雄崇拜中的「濟世」理想、獻身激情以及作為它們心理動因的社會責任心和歷史使命感，內在地決定了他的「入世」思想和參預意識，並外化為執著現實樂觀進取的人生態度。茅盾崇拜莊子但反對他「一切達觀，超出於形骸之外的出世主義」；〔註18〕敬重屈原、韜厂而否定他們「怨世自沉」的消極悲觀態度。〔註19〕在他看來，前者「最好不過造成一種不關社會痛癢，不同民生痛苦，樂天安命，聽其自然的廢物，下焉者且成為阿諛依違，苟且媚世的無恥小人」；〔註20〕而後者，沉江蹈海的悲壯之舉，雖或有「振俗發愚」的「警世」之效，但「輕棄有用之才，與波臣為伍」，則「大廈誰支？柱石孰撐？」茅盾認為，「大丈夫抱濟世之才，處有為之時，當待時而進，豈宜長老林泉，自樂其年？又豈宜悲忿自戕，鬱鬱而死哉？」縱使懷才不遇或無力回天，亦當「退守園林，或廣遊天下，以待天時」，而不該「怨忿悲鬱」，「棄絕國事」。〔註21〕茅盾積極進取的人生態度又具有兩個顯著特徵：一是執著現實，直視前途。他既不依戀感傷於「過去」，亦不冥想空誇著「未來」。而是冷靜、清醒、勇敢地「凝視現實，分析現實，揭破現實」。〔註22〕並表現出一種不計利鈍的堅執態度：「我們現在只知努力，有燈就點，不計光之遠近；眼

〔註16〕《獨創與因襲》，《時事新報》附刊《文學旬刊》，1922 年 3 月 11 日。
〔註17〕參見茅盾小學作文《富弼使契丹論》、《武侯治蜀王猛治秦論》等，《茅盾少年時代作文》，光明日報出版社 1984 年出版。
〔註18〕《莊子（選注本）緒言》，《莊子（選注本）》，商務印書館 1926 年出版。
〔註19〕《論陸靜山蹈海事》，《茅盾少年時代作文》。
〔註20〕《莊子（選注本）緒言》，《莊子（選注本）》，商務印書館 1926 年出版。
〔註21〕《論陸靜山蹈海事》，《茅盾少年時代作文》。
〔註22〕《寫在〈野薔薇〉的前面》，《野薔薇》，大江書舖 1929 年出版。

前有路就走，不問路之短長」。〔註23〕二是認眞細心，謹言愼行。茅盾直面人生積極進取，但從不狂熱盲動，「流於魯莽暴躁」。〔註24〕他一生謹言愼行，事事嚴謹頂眞，無論「在治學，治事，私生活，——各方面，都認眞而細心」，以爲這是一個革命家、藝術家應有的「德性」。〔註25〕

茅盾一貫講求「修身立德」，注重內向自省和品性修煉，善於培養自己的「浩然之氣」。但値得注意的是，第一，茅盾道德自律的目的，並非僅僅爲了把自己修養成德行高尙的君子，陶醉於人格的自我完滿和道德的自我完善，而主要是爲了以身作則，帶動他人推及整個社會。這可以從他的《學生與社會》一文中得到印證：「……故使學生而克守厥分，能驇人望，自足以轉移風化，而堅社會之信仰。反是，肆行妄作，不知自檢，授人以可乘之隙，而引起人民嫉惡之念，其失敗可立至」。「是故學生在學之時其一舉一動，胥於社會有輕重，安可放縱恣肆而竊閒，以自敗敗人耶！」〔註26〕很明顯，自我道德修養的終極目的，還在實現匡時濟世改造社會的政治抱負。第二，茅盾道德要求的內容，受其人格理想、情感世界和人生態度的深刻影響，以突出自我的人格價値及其所負的道德責任和歷史使命爲特徵，因而集中於以下三個方面：一是崇尙氣節操守。茅盾從小對那些「富貴不能淫，威武不能屈，貧賤不能移」的大丈夫心儀神往。小學時曾在作文中對出使契丹「上不辱命，下不失節」的北宋外交家富弼深表欽佩，甚至表示「爲之執鞭」也十分「欣慕」。〔註27〕這種「童年情結」終於發展爲堅定不移的道德要求，貫徹於一生的立身行事之中。馬寅初在慶祝茅盾五十壽辰的會上表示，他之所以趕來祝賀，就因爲茅盾威武不能屈，富貴不能淫的品格。〔註28〕王若飛撰文指出，茅盾「有一個最大的特點爲人們所不能忘，就是他『有所爲，有所不爲，他經歷了好些艱難困苦，只因中有所主，常能適然自得』」。〔註29〕二是強調奮

〔註23〕《致張侃》，《小說月報》第 13 卷第 8 號，1922 年 8 月。

〔註24〕《從牯嶺到東京》，《小說月報》第 19 卷第 10 號，1928 年 10 月。

〔註25〕《謹嚴第一》，《文藝陣地》第 2 卷第 1 期，1938 年 10 月。

〔註26〕《學生與社會》，《學生雜誌》第 4 卷第 12 號，1917 年 12 月。

〔註27〕參見茅盾小學作文《富弼使契丹論》、《武侯治蜀王猛治秦論》等，《茅盾少年時代作文》，光明日報出版社 1984 年出版。

〔註28〕參見《重慶文化界慶祝茅盾先生五十壽辰》，延安《解放日報》，1945 年 7 月 9 日。

〔註29〕王若飛《中國文化界的光榮，中國知識分子的光榮》，《新華日報》，1945 年 6 月 24 日。

鬥精神。茅盾以奮鬥爲「立身之第一事」，因而登上文壇就大聲疾呼剔除「以退讓爲美德，守拙爲知命」的陳腐道德說教，積極倡導以奮鬥進取爲「人生之天職」，「紮硬寨打死仗」，從苦戰求「眞樂」的新道德觀。而他所張揚的涵養「奮鬥習慣之不二法門」：「抱定人定勝天之旨，而以我力爲萬能也；養成隨事注意之習慣，不被迷於表面而含混了之也；以一生之行事，編立一定之計劃，而節節實現之也」，〔註 30〕就是他實踐這一道德要求的切身體驗。三是躬行人道主義。茅盾認爲，「古往今來偉大的文化戰士，一定也是偉大的 Humanist（人道主義者——引者）；換言之，即是『最理想的人性』的追求者、陶冶者、頌揚者」。事實上，茅盾自己就正是這樣一位偉大的人道主義者。「拔出『人性』中的蕭艾，培養『人性』中的芝蘭」，〔註 31〕成爲他一生事業的概括。從把婦女當「人」看待的嚴正要求，〔註 32〕「改造人們使他們像個人」的急切呼籲，〔註 33〕「人貴自樹」的堅定主張和對「以地球爲一家，以人類爲一家族」這一人類終極前途的熱情嚮往，〔註 34〕無不閃爍著茅盾道德要求和倫理內容中的人道主義光芒。但茅盾既有偉大的愛，也有神聖的憎。絕不是無條件的博愛論者。他熱愛人民大眾，憎惡戕賊人性的專制制度；同情弱小民族，痛恨恃強凌弱的強權政治；抨擊一切「阻礙『人性』向眞美善發展的種種人爲的桎梏」，以追求和闡揚「最理想的人性」爲自己「最大最終極的目標」。〔註 35〕這種明確的是非，強烈的好惡，顯示出他人道主義的鮮明傾向性和道德評判的堅定原則立場。茅盾的人道主義思想在發軔之初由於更多地與個性主義相聯繫而存在某些抽象人類性的弱點，但不久經過馬克思主義的「醇化」而注入歷史和階級的因素後，就超越這種局囿並發展爲人道主義的最高形態——以階級性、實踐性與人性全面自由發展的歷史統一爲標誌的馬克思主義的人道主義。

　　構成茅盾價值體系的還有其審美情趣，它顯示著茅盾審美活動的特有傾向性。茅盾的審美興趣是相當廣泛的，但早在童少年時代就表現出一種於廣

〔註 30〕《1918 年之學生》，《學生雜誌》第 5 卷第 1 號，1918 年 1 月。
〔註 31〕《最理想的人性》，《筆談》第 4 期，1941 年 10 月。
〔註 32〕《「一個問題」的商確》，《時事新報》1919 年 10 月 30 日。
〔註 33〕《介紹外國文學作品的目的》，《時事新報》附刊《文學旬刊》，1922 年 8 月 1 日。
〔註 34〕《讀〈少年中國〉婦女號》，《婦女雜誌》第 6 卷第 1 號，1920 年 1 月。
〔註 35〕《最理想的人性》，《筆談》第 4 期，1941 年 10 月。

泛愛好中特別追求風骨氣勢，傾心恢宏闊大、深沉悲壯的審美心理定向。當時他最喜歡的歌曲是「曲調悲壯」的《黃河》，甚至直到晚年仍能背誦它的第一節歌詞。〔註 36〕這種審美追求更集中地表現在他的小學作文中，尤其是那些「史論」，非但顯出他「讀史有眼，立論有識」，而且大多「氣勢雄偉，筆鋒銳利」。〔註 37〕中學時代，既對《莊子》「汪洋恣肆的文筆」心馳神往，〔註 38〕更爲那些鼓動「掃除虜穢，再造河山」的檄文長歌激動不已。〔註 39〕茅盾後來寫的《我閱讀的中外文學作品》〔註 40〕一文清楚地表明，萌發於童少年時期的審美心理定向，爾後不僅沒有改變，還因諳世更趨深廣而進一步固置和強化。熱愛以揭示現實人生爲己任的巨匠大師，「喜歡規模宏大，文筆恣肆絢爛的作品」，讚美文藝的時代性、社會化表現，激賞整體性反映社會歷史生活的史詩品格……這種集中體現茅盾文藝美學理想的審美情趣，不僅同他的人生觀密切聯繫並與之契合一致，而且又以主觀愛好的形式顯示著他對客觀事物的認識和評價，從一個特定的角度反映著他的精神意向和實踐要求。茅盾的文學選擇意識以及他對傳統和異域文藝養料的吐納取捨，無疑受到這種審美情趣的深刻制約。

　　處於茅盾文化心理結構最高層次的是他的思維方式。它既以世界觀的形式調控著整個結構的方向性，又以理性的內容滲進各個要素之中。茅盾理論思維主要特徵的某些「基因」和端緒，在他的子學作文裡就已有跡可尋。無論是《有不虞之譽有求全之毀論》對「毀」「譽」及其標準的深入分析，《崔實謂文帝以嚴致平非以寬致平論》對用法「寬」「嚴」的辯證理解；還是《信陵君之於魏可謂拂臣論》洗刷無忌「竊符之罪」的種種辯白，《武侯治蜀王猛治秦論》比較兩者功過是非的條條理由，無不閃爍著少年茅盾思辨力量的犀利鋒芒。而《馬援不列雲臺功臣論》和《宋太祖杯酒釋兵權論》對成說定論的有力駁詰，《管子稱天下之才而孔譏器小孟斥功卑試論其故》對聖人之言的大膽否定，又顯露出茅盾思維的懷疑主義和否定性特色的最初光華。如果說，

〔註 36〕 分別見《我走過的道路》（上）第 77、68、78、14、51、64、89、114 頁，人民文學出版社 1981 年出版。

〔註 37〕 參見茅盾小學作文上老師的批語，《茅盾少年時代作文》。

〔註 38〕 《良好的開端》，《人民日報》，1954 年 12 月 9 日。

〔註 39〕 分別見《我走過的道路》（上）第 77、68、78、14、51、64、89、114 頁，人民文學出版社 1981 年出版。

〔註 40〕 刊《中國現代文學研究叢刊》，1982 年第 1 輯，北京出版社 1982 年出版。

《山中之木以不材得終天年主人之雁以不材而死試申其說論之》圍繞「材」
與「不材」的議題，以虛帶實、從古至今、由遠及近的層層論析，顯示了茅
盾思維空間的開闊性，那麼，《西人有黃禍之說試論其然否》、《秦始皇漢高祖
隋文帝論》諸篇廣徵博引、連類舉譬的滔滔文思，則反映了他致思趨向的活
躍性；而《家人利女貞說》、《言寡尤行寡悔釋義》等文闡釋經典與自創新見
的結合，又釀成了日後茅盾思維兼容性與獨創性辯證統一的特色。

從茅盾「五四」時期的文論中可以看出，上述思維特徵得到了繼續發展
並形成了以科學論證和綜合分析爲總體特色的思維方式。貫穿其間的科學精
神和分析方法，大大提高了茅盾思維的嚴密性和準確度。他以文藝現象所提
供的大量感性材料和思想資料爲思維對象，並在對它們的比較、歸納和概括
中，排除偶然性因素，抽取本質的東西，從而透過紛繁雜陳的文藝現象把握
藝術的本質和規律。由於注重科學「抽象」的分析和強調邏輯推理的論證成
爲基本運思方式，具有確定內涵、可以知性分解和清晰表述的概念成爲主要
思維工具，因而超越了僅僅基於審美經驗的直觀感悟，不僅顯示了思維過程
的準確規定性，並賦予思維成果以更加抽象從而也更具普遍性的品格；而以
探求藝術眞諦和發展規律爲思維目的，又使之具有恩格斯所謂的那種「徹底
的深思精神或深思的徹底精神」。〔註41〕值得注意的是，茅盾倚重理論概念但
缺乏名實之辨的興趣愛好，因而很少對它們的內涵外延作出嚴格界說，也並
未建立自己完備統一的概念系統；他搭起了一個相當龐大的理論框架；卻無
意用一以貫之的思辨邏輯精心維繫其內部構件，使之成爲一個秩序井然結構
謹嚴的形上體系，而這本來應該是「徹底的深思精神」的首要思維目標。巨
大的理論熱情和「徹底的深思精神」之所以並沒有把茅盾引向純思辨的形上
世界，關鍵不在他缺乏相應的思辨力量，而在他另一思維特點的深刻影響：
由於實用理性精神的內在制約，決定了他傾心現世人生，偏重「經世致用」
的致思趨向。在他看來，深入領悟和把握藝術與時代、社會、人士的相互關
係，悉心探究現實社會要求、時代歷史課題與藝術自身規律的完滿融合，遠
比對藝術本體論意義抽象的哲理沉思更有價值也更富魅力。因此，他無意形
而上的追求，在遠離現實的思辨王國裡實現永恆價值；卻執著現實性的思考，
於解答切近人生的時代課題中求得某種超越。這種思維取向對茅盾具有雙重

〔註41〕恩格斯《〈社會主義從空想到科學的發展〉英文版導言》，《馬克思恩格斯選集》
第 3 卷第 379 頁，人民出版社 1972 年出版。

影響：一方面，導致了對思辨理性某種程度的忽視與輕慢，從而阻滯了茅盾理論的深入發展和充分開拓，使之未能更大限度地超越時空，以發揮更爲深遠的影響。但另一方面，則不僅釀成了茅盾以強烈的現實性、社會性爲特徵的理論個性，爲新文學提供了寶貴的理論風範；而且更重要的是，又以常醒的理智態度，構成了對非理性、反理性主義思潮的強大頡頏。茅盾承認，「在我，尖銳的理性總不肯讓我跌進了玄之又玄的國境，讓幻想來撫摸來安慰了現實的傷痕，我總覺得，……我是夢的仇人」。〔註42〕實用理性的致思特點，使他從不陷入夢幻和迷狂而始終具有清醒的現實感和深沉的歷史意識。

以上的粗略檢視，雖然還不能全面把握茅盾文化心理結構的所有要素，但其主要層次和基本特點已大體清楚。這些特點，尤其是入世思想、事功態度、理性精神、內蘊情感和人道主義理想，以及集中體現其心理特徵的大家氣質，不僅對他的審美創造活動，而且也對他的藝術美學理論建構，具有強大的內在制導作用。

（二）

文化心理結構並非基因遺傳的產物，而是人們在生活和活動過程中逐步建構起來的。一個民族特定世代的每個成員一俟降臨人世，「便生存於一定的氣候、地形、動植物群地帶的自然環境之中，同時也進入一個由一定的信仰、習俗、工具、藝術表達形式等所組成的文化環境」，〔註43〕生活和活動於該民族歷史文化傳統的特殊氛圍之中。列寧甚至認爲，當人們還在母親懷裡吃奶時就受到了傳統的影響。〔註44〕當然，「傳統」並不是一成不變、固定化了的始終同一之物，隨著歲月流逝時代嬗遞，它也在不斷地變化發展，雖則常常緩慢得幾乎難以察覺。因此，以傳統文化爲根基的個體的文化心理結構，也並不是一勞永逸地塑造好了的「形而上實體」，而是一個動態性的建構過程。隨著時代的變遷，必有社會的變遷、文化的變遷，從而也就必然有文化心理結構的變遷。但這並不能改變以下基本事實：傳統文化的背景知識形成了人們文化心理結構的基本格局；而他們對傳統文化的接受和習得，一般又總是

〔註42〕 《嚴霜下的夢》，《文學週報》第 6 卷第 2 期，1928 年 2 月。
〔註43〕 懷特《文化科學》第 157 頁，浙江人民出版社 1988 年出版。
〔註44〕 參見列寧《共青團的任務》，《列寧選集》第 4 卷第 354 頁，人民出版社 1960 年出版。

從家庭影響和學校教育開始的。基於此,我們對茅盾文化心理結構的溯源,也將側重在這兩個方面,並以家庭特別是雙親的影響爲起點。

1896 年 7 月 4 日,茅盾誕生在浙江省桐鄉縣烏鎮一戶姓沈的大家庭裡,他是沈家的長房長孫。

烏鎮是浙江最富庶的杭、嘉、湖地區一個熱鬧的水鄉集鎮。它地處水陸要衝,爲兩省、三府、七縣交界之地。〔註 45〕這裡河道如網水街相依,稻田桑地阡陌交錯,素有魚米之鄉的美稱。不僅商品經濟發達,而且歷史文化悠久。早在 6000 多年前,當地譚家灣一帶就有人類繁衍生息,是新石器時代馬家濱文化的一處遺址。古老的歷史留下了眾多文化遺跡。梁昭明太子蕭統爲母祈福修建的寶塔和他與沈約偶居讀書的「昭明書室」,以及建於梁代的石佛寺、宋代的「百花莊」和陳簡齋讀書處等古蹟並稱「烏青八景」。烏鎮自唐代開始迅速發展,至清乾嘉時最爲繁榮。當時「居民相接,煙火萬家」,繁華不下於中等縣城。後來雖遭戰亂元氣大傷,但就其地域之廣、人口之眾、經濟繁榮之程度,仍非一般縣城可比。茅盾的童少年時代就是在這樣一個歷史悠久、經濟發達,又彌漫著濃鬱文化氛圍的地方度過的。

沈家雖非當地名門望族,卻也是詩禮之家。茅盾比當時一般世家子弟幸運的是,不但祖父是個「樂天派」,〔註 46〕而且雙親尤爲開明通達。

祖父是前清秀才,但並不用功舉業。「對於兒孫的事,素來抱了『自然主義』」,〔註 47〕理由是「兒孫自有兒孫福,不替兒孫作牛馬」。〔註 48〕他執掌家塾卻常常丟下學生去聽說書或搓麻將,對長孫也並不格外看重而嚴加管束,卻經常帶他上街、訪友。茅盾雖未從祖父那裡得到什麼特別的啓發,但使他自小較少受到封建束縛而獲得更多自由發展和接觸人生的機會。

給少年茅盾以深刻影響的是他的雙親。父親沈永錫 16 歲考中秀才,但內心厭惡八股。加之眼見父輩不事生產,憂慮日後坐吃山空無以爲生,因而無意舉業,師從岳父學醫。他是中醫,但也涉獵西醫西藥,並無一般儒醫的門戶成見和保守思想。甲午之戰的慘敗,使他的憂慮由家族前途而民族安危,

---

〔註45〕舊指江蘇、浙江兩省,湖州、嘉興、蘇州三府和烏程、歸安、崇德、桐鄉、水、吳江、震澤七縣。

〔註46〕《我的小傳》,《文學週報》第 1 卷第 1 號,1932 年 6 月。

〔註47〕《我的小傳》,《文學週報》第 1 卷第 1 號,1932 年 6 月。

〔註48〕分別見《我走過的道路》(上)第 77、68、78、14、51、64、89、114 頁,人民文學出版社 1981 年出版。

並在變法聲浪波及烏鎮時成了當地維新派中的一員。科學民主思潮的影響和富國強兵的理想，使他酷愛數學和聲光化電，篤信實業救國，同時廣泛閱讀介紹歐美各國政治經濟制度的書刊。他為變法維新的煌煌政令所振奮，曾計劃東渡日本留學或北上京師深造，極想為振興國家做一番事業。他的維新思想影響了妻子並規約著對兒子的教育。他認為妻子以前讀的四書五經之類不切實用，鼓勵她改習經邦濟世的新學問，也希望茅盾將來「做工業中人」。〔註49〕為了引導兒子學習「新學」，還親自選定《字課圖說》和《天文歌略》、《地理歌略》一類「新書」作教材，並指定由妻子講授。因為他對父親的教學從內容到方法都不以為然，甚至寧可讓兒子進親戚的私塾也不在家塾接受舊學啟蒙。後來鎮上辦起第一所新式小學時，他就送兒子去那裡讀書，使茅盾成了「立志小學」的首批學生。父親對茅盾既要求嚴格，又頗為開明。他雖然為兒子「不近」數學或沒有熟讀《天文歌略》而納悶氣惱，但得知兒子在偷看當時被視為閒書的小說時，卻並不禁止。以為「看看閒書也可『把文理看通』」，〔註50〕還特地挑選沒有插圖的《後西遊記》給他看，免得他只揀插圖有趣的回目而不能從頭讀完。

父親的一生，赤誠愛國追求真理，勤奮好學從不懈怠。他身患絕症病臥三年，但愛國熱忱並未因此稍減，讀書求知從無一日間斷。在病榻上仍舊熱心閱讀鼓吹革命的報刊，堅持自修高等數學。甚至病到全身肌肉落盡，手無捧書之力的地步，還要妻兒拿著翻開的書籍豎立在他胸前讓他研讀。由於長期支起雙腿躺著看書，後來竟連肢體也變了形。當他自知病將不起後，就把全部心血傾注於對兒子的教育。從此「不再看數學方面的書，卻天天議論國家大事，常常講日本怎樣因明治維新而成強國」，時時以「大丈夫要以天下為己任」勉勵兒子，給他反覆講解這句話的意義，〔註51〕並立下要茅盾將來學習理工的遺囑。父親的榜樣，是無聲的教育；而他的「最後一課」，更使少年茅盾留下了終生難忘的記憶。

茅盾 8 歲那年父親病倒，三年後溘然去世。這期間茅盾雖未曾像少年魯迅那樣憂心忡忡地往返於當舖藥店之間，並在家道中落的途路上深切體受人

〔註49〕 《我的小傳》，《文學週報》第 1 卷第 1 號，1932 年 6 月。

〔註50〕 《我的小學時代》，《風雨談》第 2 期，1943 年 5 月。

〔註51〕 分別見《我走過的道路》（上）第 77、68、78、14、51、64、89、114 頁，人民文學出版社 1981 年出版。

情冷暖世態炎涼的辛酸滋味，但父親的久病和早逝，母親獨力支撐家庭的艱辛，無疑給他的童年生活蒙上了一層濃重的陰影，使他遠不像一般孩子那樣天真爛漫無憂無慮。他覺得「仇人很多」，因而曾一度「熱心」化學，想研究「毒藥」。〔註52〕

父親病故後，撫養管教兒子的責任全部落在母親肩上，她對茅盾的影響比父親更大。茅盾認為母親是他的第一個啓蒙老師，他曾說：「在二十五歲以前，我過的就是那樣的在母親『訓政』下的平穩日子」。〔註53〕母親陳愛珠是當時名馳杭嘉湖三府的儒醫陳我如的女兒。她生性聰穎好學，自幼曾讀詩書，頗有文學修養和古文根柢。出身名門卻並非嬌弱閨秀，14歲就主持家政，把主僕上下門生弟子一二十口人的大家庭經管得有條有理秩序井然；善於治家但又不同於一般家庭主婦，不但胸襟開闊，關心時政，而且理智極強，「觀察事物的眼光也較常人遠大和銳利」。〔註54〕婚後受丈夫影響，學習「新學」，崇尚維新思想。經常與丈夫議論時局，互訴理想抱負。丈夫故世後，她勉力把茅盾和沈澤民撫養成人，並傾盡薄產供他們外出求學，由小學、中學而大學。這在當時的烏鎮，「不但是破天荒的舉動，有些人還認為是不可解的荒謬舉動。她不管人家背後的議論，她也不理族中人的勸阻，這種大膽的作為，簡直可說是鎮上的第一人」。〔註55〕

母親識見過人處事果斷，但又通情達理並不固執己見。丈夫希望兒子學理工的遺囑雖時在繫念之中，可是當茅盾兄弟相繼從事文藝，繼而又投身於實際革命反動時，她非但未加阻攔，還默默地積極支持。後來沈澤民在蘇區犧牲，她沒有痛哭流涕，甚至在親人面前也不願流露悲傷的神情，只是獨自暗暗流淚，把失去之痛深深埋在心底。這位深明大義的母親，外表嚴肅冷峻，內心卻蘊蓄著無限溫愛和熱情。

家庭和父母對茅盾文化心理結構的形成影響至深。首先，使他比當時一般世家子弟更早、也更多地經受科學和維新思想的薰陶。這倒並不是說他因此接受了多少「新學」以至具有了多麼與眾不同的知識結構。事實上，少年

〔註52〕《談我的研究》，《中學生》第61期，1936年1月。

〔註53〕《我的小傳》，《文學週報》第1卷第1號，1932年6月。

〔註54〕東方曦《懷茅盾》，《作家筆會・春秋文章》第1集，上海春秋雜誌社1945年出版。

〔註55〕東方曦《懷茅盾》，《作家筆會・春秋文章》第1集，上海春秋雜誌社1945年出版。

茅盾「對於所謂『新學』者，既害怕而又憎惡」，以爲《天文歌略》裡的天上星座就遠不及《論語》中孔子與弟子們的談話那麼富有人間味。〔註56〕但是，科學和民主的思想啓蒙不僅多少削弱了封建思想對這個稚嫩心靈的戕害，更重要的是，它們已作爲一種「前攝因素」沉積在少年茅盾的心靈深處，成爲制約他精神意向的某種「基因」。其次，雙親的人格理想和精神氣質，尤其是母親的倔強、膽識、理智，以及嚴肅頂眞的人生態度，不隨流俗但謹言愼行的處世方式和外冷內熱的情感形態，無不有力地影響著兒子的個性形成和人格陶養，於潛移默化之中確定了茅盾個性結構的基本間架和底色基調。而童年失怙的心靈創傷，孤兒寡母的淒楚生活，又使他從小領略了人生世路的蒼涼與艱辛，催促著少年心靈的早熟。

茅盾文化心理結構的形成，除了家庭的影響，還得力於系統的學校教育。

茅盾先後就讀於家鄉的立志小學和植材高等小學。那是兩所當時的新式學堂，因此不僅有理化等「格致」課程，還有英文、圖畫和音樂一類新鮮名堂。國文課也採用《速通虛字法》和《論說入門》之類的新式教材，不過入門後就教《禮記》、《易經》、《左傳》和《孟子》，修身則用《論語》作課本，仍是舊學的天下。當時茅盾除一度對化學發生興趣，總的說來還是偏愛文史。雖然進了新式小學，但傳統文化的薰染仍舊相當濃烈。好在那裡的一些維新派教師頗爲活躍，他們經常結合教學向學生宣傳維新思想，在學校裡造成了一種關心天下大事，熱心探求救國之道的良好風氣，少年茅盾因而並未沉溺在舊學經典之中。立志小學的國文教師沈聽蕉就是突出的一位。他學識淵博、思想激進，急切引導學生關心時事政治，樹立救國濟民的理想。小學時代茅盾與他接觸最多，所受影響也最大。茅盾晚年回憶說，「沈聽蕉先生每週要我們寫一篇作文，題目經常是史論，如《秦始皇漢武帝合論》之類。他出了題目，照例要講解幾句，暗示學生怎樣立論，怎樣從古事論到時事，我們雖然似懂非懂，卻都要爭分數，自然跟著先生的指引在文章中『評古論今』」。〔註57〕寫這樣的史論對小學生顯然並不相宜，但少年茅盾對此卻表現出很強的適應力。這除了學前教育打下的基礎，還得益於他所讀的許多小說。從《西遊記》、《三國演義》等古典小說中，他早就熟習了士人的事情，

〔註56〕 《我的小學時代》，《風雨談》第 2 期，1943 年 5 月。
〔註57〕 分別見《我走過的道路》（上）第 77、68、78、14、51、64、89、114 頁，人民文學出版社 1981 年出版。

對童話之類已不感興趣。而「評古論今」的史論，似乎倒正好滿足了他過早成人化的內心趣味。因而他非但樂此不疲，還無師自通地「發明了一套三段論的公式」。〔註 58〕這使他的作文常常獲獎，在學校裡出了名。獎勵和榮譽使他越益奮勉，促使他的內心趣味迅速固定，進而成為一種強烈的精神需求。

史論寫作不僅使少年茅盾掌握了豐富的文史知識，經受了理論思維的初步訓練，並且使中國知識分子傳統的人格理想和精神範式——積極入世的進取精神、兼濟天下的理想抱負、繫心國事民瘼的憂患意識和熱切的使命感等等，經過維新派教師們的精心改造而注入新的時代內容後，於日常教學中不知不覺地在少年茅盾的心靈深處積澱下來，逐漸轉化為他自覺的人格追求。這從他的小學作文中就可以看得非常清楚：《蘇季子不禮於其嫂論》裡刻自奮勉、發憤有力的錚錚誓言，《西人有黃禍之說試論其然否》裡力圖自強振興民族的愛國情懷，《文不愛錢武不惜死論》中對腐敗政治深惡痛絕的憤怒抨擊，《燕太子丹使荊軻刺秦王論》裡憂國憂民的深沉感情，以及《祖逖聞雞起舞論》和《富弼使契丹論》中對治亂英才的敬仰推崇，對豪傑之士懷才不遇的長嘆深惜，無不烙印著中國知識分子人格理想和價值取向的傳統印記。當然，這些都是命題作文，內中也不無從父母師長那裡聽來的議論，未必全是少年茅盾的真情實感。但他既然能獨立將它們組織成篇，那就說明他對這些議論不僅頗感興趣，已經熟記，而且多少融進了自己的心得體會。它們畢竟從一個側面反映了少年茅盾的思想和才具，顯露出他心靈歷程的若干端倪。退一步說，即使它們全是拾人牙慧的「二手貨」，也仍有重要的史料價值，因為那將更有力地表明：傳統文化之「道」正是通過這種「硬地上掘蟛」〔註 59〕的方式，點點滴滴地滲進了少年茅盾的心靈。

國文和史論寫作還同圖畫、音樂以及讀小說、習書法、刻印章等課外活動協同配合，培育滋養了少年茅盾的審美情趣和審美才能，建構了他審美心理圖式的雛形。

如果說，家庭影響和小學教育奠立了茅盾文化心理結構的根基，那麼，接踵而至的中學和大學教育又使它不斷充實發育成形。

〔註58〕分別見《我走過的道路》（上）第 77、68、78、14、51、64、89、114 頁，人民文學出版社 1981 年出版。
〔註59〕分別見《我走過的道路》（上）第 77、68、78、14、51、64、89、114 頁，人民文學出版社 1981 年出版。

　　從植材小學畢業後，茅盾先後就讀於湖州府中學堂、嘉興府中學堂和杭州安定中學，並於 1913 年秋考進北京大學預科第一類。

　　茅盾的中學時代是在「早上打拱，晚上握手；上午『聲光化電』，下午『子曰詩云』」〔註 60〕的文化背景下開始的。當時，風靡一時的變法維新思潮已為更加激進的反清革命思想所替代，辛亥革命還推翻滿清王朝建立了中華民國。隨著皇權的動搖和崩潰，傳統的思想觀念、道德規範、理想信仰、風尚習俗……，正在或貶值或毀壞或日益腐爛。但另方面，封建勢力卻仍然非常強大。這不僅表現在它還有足夠的政治力量多次反撲，更表現在它的思想文化對人們影響的久遠深廣。即便是較早覺醒的知識分子，雖然已經從理智上認識到傳統文化的弊害，但在感情上卻仍舊對它依戀眷念。他們的政治態度可以非常激進，但文化觀念往往相當保守。這種對傳統文化「剪不斷，理還亂」的心態普遍於當時的知識界。茅盾的老師們當然也不例外。學校裡固然有「聲光化電」之學，但修身、國文教的卻仍然是老師們熟稔的舊學問。甚至嘉興中學那幾位革命黨老師講的也是《顏氏家訓》、《春秋左氏傳》乃至專門到冷僻的《周官考工記》、《阮元車制考》。學生們只是在大考「抱佛腳」時，才從秦漢盛唐探出身來光顧域外近世。茅盾對此曾有一段沉痛的回憶：

　　　　我經歷過三個中學校，……如果一定要我找出三個中學校曾經
　　　給予我些什麼，現在心痛地回想起來是這些個：書不讀秦漢以下，
　　　駢文是文章之正宗；詩要學建安七子，寫信擬六朝人小札；舉止要
　　　風流瀟灑，氣度要清華疏曠……〔註 61〕

顯然，不宜簡單地以此作為對茅盾中學教育的全面評價。因為事實上，當年他的老師們固然一面對學生如此訓誨，但一面也曾藉古代豪傑或當世英賢的長歌檄文向他們宣揚過反清民族革命的嶄新思想；而茅盾自己也並未不折不扣地恪守「師訓」，即如他當時所讀的大量小說就恰恰都在「秦漢以下」。但是，也不必因此淡化乃至諱言這種教誨對他的深刻影響。因為同樣確實的是，這非但是他中學時，也是大學時的基本信條，成為影響以至決定他中學和大學教育方向的主導因素。接受這樣的教育誠然是茅盾的不幸，可是從另一種意義上說，又未始不是他的幸運。因為這種偏頗乃至畸形的教育，卻大大拓

〔註 60〕 魯迅《熱風·隨感錄四十八》，人民文學出版社 1973 年出版。
〔註 61〕 《我的中學生時代及其後》，《印象·感想·回憶》，文化生活出版社 1936 年
　　　　 出版。

展了茅盾的傳統文化知識領域，使他在中學時代就廣泛閱讀詩文辭賦古今小說，並靠「默寫」和「強記」初步熟悉了「從詩經、楚辭、漢賦、六朝駢文、唐詩、宋詞、元雜劇、明前後七子的復古運動、明傳奇（崑曲），直到桐城派以及晚清的江西詩派之盛行」〔註 62〕在內的整部中國文學變遷史。誠如他自己所說，「我從中學到北京大學，耳所熟聞者，是『書不讀秦漢以下，文章以駢體爲正宗』。涉獵所及有十三經注疏，先秦諸子，四史（即《史記》、《漢書》、《後漢書》、《三國志》），《漢魏六朝百三家集》，《昭明文選》。《資治通鑑》、《昭明文選》曾通讀兩遍。至於《九通》，二十四史中其他各史，歷代名家詩文集，只是偶然抽閱其中若干章段而已」。〔註 63〕這份書單，當年曾使商務印書館自視頗高的版本目錄學家孫毓修老先生不由對茅盾刮目相看，但實際上遠不是他當時所讀的全部。至少他在大學時期還披閱瀏覽過曹丕的《典論論文》、陸機的《文賦》、劉勰的《文心雕龍》、章學誠的《文史通義》、劉知幾的《史通》，以及《金瓶梅》等中學時期讀不到的一些小說，甚至還讀過佛教典籍《弘明集》、《廣弘明集》和《大乘起信論》。如此廣泛的閱讀，不僅爲茅盾打下了舊學特別是古典文學的深厚根底，還多方面地影響著他文化心理結構的形成和發展。傳統文化執著現實的樂觀進取精神，服從理性的冷靜清醒態度，重視發展聯繫的深沉歷史意識，注重經世致用的實踐精神和價值取向，以及其中優秀文藝作品強烈的人民性、深厚的人道主義精神和瑰麗多姿的藝術風采，愛國主義作家的「兼濟」思想和家國興亡責任感，不僅給茅盾的人格理想、人生態度、情感意志和思維方式以深刻影響，而且促使他審美心理的迅速發育。《莊子》的汪洋闊闊縹緲奇變，屈騷的芳菲淒惻姿肆絢爛，散駢的繁麗鋪張嚴整工穩，詩詞的情景交融虛實相生，古小說的玄遠冷峻修潔雋永……大大地拓展和豐富了他審美心理圖式的結構和色調。傳統文化特別是古典文學的影響滲透在茅盾文化心理結構的各個方面，即使他那「太息於前輩風流不可再見，叔季之世無由復聞『正始之音』」的「牢騷」，〔註 64〕也分明是傚尤歷代文人的傳統式的感傷和哀怨。

〔註62〕 分別見《我走過的道路》（上）第 77、68、78、14、51、64、89、114 頁，人民文學出版社 1981 年出版。

〔註63〕 分別見《我走過的道路》（上）第 77、68、78、14、51、64、89、114 頁，人民文學出版社 1981 年出版。

〔註64〕 《我的中學生時代及其後》，《印象·感想·回憶》，文化生活出版社 1936 年出版。

然而，時代特點和個性氣質使茅盾並未就此成為新世紀的少年遺老。當時，頻頻襲來的歐風美雨已經穿透傳統文化的堅厚壁障，正在逐漸滲入少年茅盾的內心世界。雖然「聲光化電」之學並未造成他知識結構的顯著變化，但作為時代標幟的科學精神，卻賦予他審視世界的全新眼光和窮根究底的運思方式。而《艾凡赫》、《麥克白》、《哈姆萊特》、《威尼斯商人》和《魯賓遜漂流記》等所引進的新的人生圖景、價值觀念、情感方式和審美規範，不僅切實改變著茅盾審美心理圖式的底色基調，並使他的情感與心態開始向現代行進和轉化，同時，面對此起彼伏的時代波濤，為茅盾個性氣質所決定的全部精神意向——積極入世的參預意識、改造社會的內心熱忱和學以致用的功利要求，使他無法按捺騷動不寧的活躍心靈而一味沉緬於陳年故紙和歷代舊帳。辛亥革命的一聲響雷，就使他激動得「睜大了驚異的眼睛」，「歡喜而鼓舞」。〔註65〕雖則由於革命黨遠不如維新派那麼重視輿論宣傳，少年茅盾並不知道多少「革命大義」，但他卻「無條件的擁護革命，毫無猶豫地相信革命一定會馬上成功」，甚至還「以深通當前革命情勢的姿態，逢人亂吹，做起革命黨的義務宣傳來了」。〔註66〕這當然不是依據什麼理論，更不是根據精密研究過的革命與反革命的力量對比，而是憑直覺、情感和良知。他畢竟未曾遊心縹緲超塵出世。富國強兵和民主自由的熱切嚮往，專制統治下民生多艱的黑暗現實，從內外兩方面驅使他傾心革命，還以此「給自己幻想了乃至預許了一個廣闊自由的未來」。〔註67〕雖然這次革命很快疲軟變質，但留給他的，並非只是幻滅的失望和辛酸的回憶，不僅還有爾後奮發之心的激勵和承受更大幻滅的心理準備，而且當時就促成了他的「一次小小革命」：為抗議失去曾經享有的自由而同專制的學監「搗亂」，並在受到記過處分後又以一隻死鼠和幾句《莊子》回敬學監，終於被學校當局除名。這次多少有些孩子氣的「小小革命」顯示了一種同「風流瀟灑」、「清華疏曠」完全悖逆的行為模式已經萌芽。這種背離傳統的傾向一旦潛滋暗長，必將釀成一股強大的離心力，促使情感和心態的某種轉換進而導致文化心理結構內在格局的重大變動。當然，這種轉換和變動是相當緩慢、模糊和不自覺的。在這方面，傳統的力量畢竟

〔註65〕 《回憶之類，重慶《時事新報》副刊《青光》，1944 年 10 月 10 日。
〔註66〕 《回憶之類，重慶《時事新報》副刊《青光》，1944 年 10 月 10 日。
〔註67〕 《回憶是辛酸的罷，然而只有激起我們的奮發之心》，桂林《大公報‧文藝》，1943 年 10 月 10 日。

更有影響，支配和控制也更久長。茅盾文化心理結構的整體性現代調整，是在「五四」中、西文化交匯撞擊下，在汲納西方現代人文思想特別是馬克思主義的過程中才逐步實現的。而茅盾文藝美學思想的理論建構，作為這一過程的有機構成，又從一個特定的方面推動和顯示著它的進程。

如果說，經過上面這番粗略的巡視，萌櫱生發茅盾文藝美學思想的心理基礎和思想前階多少已經有跡可尋，那麼，下面我們將從這裡出發，對他的幾個主要理論側面展開比較具體的論析。首先談的是茅盾對藝術美本質的思考。

第一章　藝術美的本質

可以說，自從有了人類文明，就提出了美的本質問題，可是對這個問題的看法至今仍然眾說紛紜。儘管本書把命題限定在藝術美的範圍內，可以減少許多複雜的論證，但問題仍然並不單純，因為人們對於藝術美的本質的看法，也是很不一致的。諸如藝術美與文藝的特徵有何聯繫？如何看待藝術美與主客觀關係問題？如何看待藝術獨創與藝術美的關係？這些，人們的看法並不一致。茅盾對於這幾個至關重要的問題都有自己比較完整的看法，本章試予評述。

第一節　藝術美與文藝的獨特性

（一）

茅盾是抱著宣傳新思想改造社會、改造國民性的目的，走上文學道路的，因此從一開始他就把文學看作是意識形態的一個部門，強調它的社會性。《小說新潮欄宣言》〔註1〕是他自己主持的那個欄目的宣言，同時也是他自己早期文學主張的宣言。在這個宣言中，他明白指出「文學是思想一面的東西」，「新思想是欲新文藝去替他宣傳鼓吹的」。此後，他反覆闡明了「文學之趨於政治的與社會的」是必然的事。所以，他早年要求文學家弄清楚「什麼是文學？什麼是文學的哲理？什麼是文學的藝術？什麼叫做社會化的文學？什麼叫做德謨克拉西的文學？」而且，明確聲明：「非研究過倫理、心理學（社會心理

〔註1〕載《小說月報》第11卷第1號，1920年1月。

學）、社會學的不辦。」〔註2〕

　　文藝既是意識形態的一個部門，當然就與其他社會意識形態部門具有共通性。它也與其他意識形態部門一樣，是特定的經濟基礎、社會關係和社會制度以及人們的生活方式和意識本身；文藝在進行這種反映的時候，有意無意地總要表現出某種傾向性，即對於表現對象持肯定、歌頌的態度或否定、批判的態度；而對這一切，又總要通過特有的手段進行加工，成爲系統化的、完整的精神產品，推向社會，力圖影響人們的意識，影響社會生活，以至於對整個社會制度起到或鞏固或破壞的作用。

　　從這樣的思想出發，茅盾於 1925 年提出一個關於美的定義性論斷：「美無非是整齊（或換言之，是各得其序）和調諧，而整齊和調諧正是宇宙間的必然律，人類活動的終極鵠的。文學是人類活動的一面，故亦必以整齊與調諧爲終極鵠的。」又說：「我們只知『整齊』與『調諧』是美所不可缺的兩個條件；而使人從卑鄙自私殘忍而至於聖潔高尚犧牲的精神，便是美所給予的效果。『美』使人忘了小我，發生爲全人類而犧牲的高貴精神，不是使人『怡然忘我，遊心縹緲』。」〔註3〕應當說，提出這樣的論斷在當時是極爲可貴的。首先，它強調了文藝的社會性，強調了文藝與現實生活的密切聯繫；這對於抵制當時曾鼓噪一時的「爲藝術而藝術」論以及各種主觀唯心主義美學思潮，是具有積極意義的。其次，如果說整齊和調諧與美等同起來自然是不合理的，但這畢竟也是形式美的因素。特別是聯繫全文看，茅盾所說的整齊和調諧，既指形式，也指內容，因而具有內容和形式相統一的特點。在茅盾看來，文學「以整齊與調諧爲終極鵠的」，與「人類活動的終極鵠的」是一致的。當然，從「人類活動」說，整齊與調諧並不是現實的存在，而是經過長期鬥爭、消滅階級對立、克服「卑鄙自私殘忍」而後才能達到的未來目標。簡言之，只有對人類走向美好未來有所裨益的事物才是美的。這一思想，茅盾在 30、40 年代可說是反覆申述的，也可說是貫穿一生。由此也就說明，茅盾是把審美價值與功利價值聯繫在一起思考問題的。

　　但是，在充分肯定這個定義的積極意義的同時，也應看到它的嚴重缺陷。可以說，這個定義沒能有效地概括美的本質。首先，「整齊」和「調諧」即使僅僅從形式美著眼，也不足以概括。其次，如果從「宇宙的必然律」來理解

〔註 2〕 《現在文學家的責任是什麼？》，《東方雜誌》第 17 卷第 1 期，1920 年 1 月。
〔註 3〕 《告有志文學研究者》，《學生雜誌》第 12 卷第 7 號，1925 年 7 月。

「整齊」和「調諧」，那麼不僅概括是不全面的，而且把範圍擴大到了自然科學的研究對象，把美和藝術科學弄得含糊不清了。再次，如果把「整齊」和「調諧」看作是「人類活動的終極鵠的」，所以是美的，那麼美就只有理想性而沒有現實性了；而且，文學與其他意識形態部門如哲學、社會學、政治學等就沒有區別了，因為後者也要探討「人類的終極鵠的」。還有，僅僅從「使人忘了小我」等等來理解美的功效，同樣是片面的，因為一切具有進步意義的社會科學論著都不同程度、不同方式地存在著這種功效。

也許，有人會從「終極鵠的」聯想到馬克思在《1844 年經濟學——哲學手稿》中的如下一段話：

> 它是人和自然界之間、人和人之間的矛盾的真正解決，是存在和本質、對象化和自我確立、自由和必然、個體和人類之間的抗爭的真正解決。它是歷史之謎的解答。而是它知道它就是這種解答。

〔註4〕

馬克思這段話指的也是人類實現美好理想後出現的境界，就這一點說，與茅盾的「終極鵠的」有相通之處。請注意：「相通」並不意味著茅盾從上引馬克思的話中得到了啟發，根據馬克思的「手稿」的發現時間，茅盾不可能看到馬克思的這部早期著作。兩者的出發點和論證的邏輯是不一樣的，兩者的內涵也是不一樣的：在馬克思那裡包含了人和自然、人和社會、自然和人類社會、現象與本質等等豐富的矛盾統一的內容。值得一提的是，對馬克思這段話也有個如何理解的問題。國內外都有人把《1844 年經濟學——哲學手稿》說成是具有完整體系的美學論著，彷彿馬克思的美學思想從此就終結了。但是有個嚴峻的事實是：正如此書的書名所標，馬克思主要是著眼於經濟、哲學立論，而不是著眼於美學的——儘管它涉及到美學的一些根本問題。對這裡引錄的這些話儘管可以從美學的角度去理解，因為它有廣泛的指導意義；但是如果把它看作是美的定義就不符合馬克思的本意。這段話是指人類實現了共產主義理想後才可能出現的崇高境界。引文開頭的「它」指的就是共產主義。為了說明問題，在這「它」前面的幾句也引錄在這裡：

> 共產主義是私有財產即人的自我導化積極的揚棄，因而也是通過人並且為了人而對人的本質的真正佔有；因此，它是人向作為社

〔註4〕 《1844 年經濟學——哲學手稿》，，劉丕坤譯，人民出版社 1979 年版第 73 頁。

會的人即合乎人的本性的人的自身的人復歸，這種復歸是徹底的、自覺的，保存了以往發展的全部豐富成果。這種共產主義，作爲完成了的自然主義，等於人本主義，而作爲完成了的人本主義，等於自然主義……

可見，把馬克思的話看作是無產階級理想的內涵和審美導向是可以的，如果把它當作現實的審美標準看，就必然會脫離實際。而且應該承認，作爲一種理想，作爲一種精神活動的導向看，它不僅適用於文藝，也適用於哲學、倫理學等各種精神生產。同樣，茅盾的定義也著重於革命理想，作爲審美導向是很有價值的。正是這樣，有人聯繫馬克思的話來理解茅盾的定義，是不奇怪的。但是這種聯繫如果超過界限，特別是把兩者都當作是美的本質的界定，那就不符實際了。

（二）

茅盾畢竟是一位嚴肅的現實主義者。他儘管用了「美無非是」這種口氣，很有爲美定界說的樣子，但從全文來看卻又似乎無意於爲美下定義，至少他並不認爲據此就可回答文學的一切問題。看過《告有志研究文學者》的人都會知道，茅盾是針對有人「把『美的創造』看作『文學對人群的最大貢獻』」才說了上面引錄的話的。接著他又說：「故以『創造美』來解答『文學爲人類做了什麼事』，實等於未嘗作答。」最後又歸結說：從原始社會到「今日的勞資兩大階級對抗時代，其間統治階級屢有變換，都無非各盡了他的歷史使命，從社會進化史的立論看來，凡此前仆後繼的階級統治，都是對於人類文化的演進，各盡了應盡的一份力的。依這意義，則反映一時代的統治階級思想、情感、意志的文學，當然也是對於人類文化的演進，盡了一份應盡的力了。我以爲『文學爲人類做了什麼事』一問題，就可以這樣回答。」可見，他並不認爲自己關於美的定義性的話是文學藝術的普遍的準則。在這同一篇文章裡，當談到「現代文學家的責任」時，他又作了這樣的歸納：「描寫現代生活的缺點，搜求它的病根，然後努力攻擊那些缺點和病根，以求生活的改善：這便是現代文學家的責任！」當時的中國正處於水深火熱之中，文學的使命不應該避開現實而侈談未來，只有找出病根，予以療治，才能有「生活的改善」而通向未來。類似的話，此前此後都反覆說過多次。所以，我們可以說茅盾的論證不夠嚴密，但他仍然是腳踏中國大地來說話的。兩個月後，茅盾

在《文學者的新使命》〔註5〕中，又說了如下的話：

> 文學在目前的使命就是要抓住了被壓迫民族與階級的革命運動
> 精神，用深刻偉大的文學表現出來，使這種精神普遍到民間，深印
> 入被壓迫者的腦筋，因以保持他們的自求解放的高潮，並且感召起
> 更偉大更熱烈的革命運動來！
>
> 不但如此而已，文學者更該認明被壓迫的無產階級有怎樣不同
> 的思想方式、怎樣偉大的創造力和組織力，而後確切著名地表現出
> 來，爲無產階級文化盡宣揚之力。
>
> 這樣的文學，方足稱爲能於如實地表現現實人生而外，更指示
> 人生向美善的將來；這便是文學者的新使命。

這可以說是茅盾根據當時的中國實際，對建立中國的無產階級文學的要求，這個要求包含著爲民族解放鬥爭和無產階級的解放鬥爭服務的雙重任務。而類似於「如實地表現現實的人生而外，更指示人生向美善的將來」的思想，也在此前就說過，在此後又一再進行了更完善的闡述。

把茅盾在 1925 年 2 月至 1925 年 10 月陸續發表於《文學週報》的《論無產階級藝術》和《告有志研究文學者》、《文學者的新使命》三篇文章聯繫在一起看看是有意義的（後兩篇作於前一篇連載的中間）。三篇文章的內容或者專論無產階級文藝，或者與無產階級文藝問題密切相關，都貫穿著文藝要爲無產階級崇高的事業服務這個核心思想，其中有的具體提法是差不多的。如《論無產階級藝術》對藝術的產生提出一個方程式：「新而活的意象＋自己批評（即個人的選擇）＋社會的選擇＝藝術」，然後又闡釋道：「新而活的意象，在吾人的意識裡是不斷地創造，然後隨時受著自己的合理觀念與審美觀念的取締和約束，只是那些美的、和諧的、高貴的保存下來……」，而在《告有志研究文學者》中也有類似的說法（這在後面還將提到）；「和諧」在《論無產階級藝術》中也作爲一個主要概念而多次出現，如無產階級的新生活「異常的和諧」、「形式與內容必相和諧」和「意象的和諧」等等；而「人類活動的終極鵠的」在該文中則直接提爲無產階級的「終極的理想」。不過，我們的注意力不在這幾篇文章內容的異同（這是一目瞭然的），而是如下幾個方面：

一、茅盾在 1925 年忙中偷閒來探討無產階級藝術問題不是偶然的。「五四」運動落潮後，到了 1925 年社會革命運動出現了新的高潮，「五卅」運動

〔註5〕載《文學週報》第 190 期，1925 年 9 月。

意味著中國工人階級進一步覺醒，中國共產黨的力量進一步壯大。而國共合作儘管遭到了國民黨右翼的破壞，與仍然在加深，這為北伐準備了條件。面對這種現實變化，當時一邊從事繁忙的政治鬥爭一邊又注視著文壇的茅盾，自然就要考慮文學如何變革以適應時代需要的問題。

二、從茅盾自身說，自 1920 年以後，思想啟蒙戰士和社會革命戰士一身而二任，但從思想淵源上說，兩個方面卻並沒達到統一，即：社會革命思想接受馬克思主義，文藝思想則主要從西方資產階級文藝理論和豐富的創作實際經驗中得來。1925 年探討無產階級文藝問題，正是茅盾企圖使自己的社會革命思想和文藝思想統一起來所作的一種努力。應該說，這種努力是有成效的，這就是把自己原先創導的「為人生」的藝術觀注進了新的質，豐富了階級內容（按：這只是說 1925 年的努力分外突出，卻並不意味著這一年才開始）。但是，對無產階級文藝問題提出看法，並不等於主張主即在中國建立無產階級文藝。可以說茅盾在 1930 年從日本回國之前從未有過這種意圖。在茅盾看來，建設無產階級文藝需要條件，即需要具備馬克思主義世界觀、有無產階級生活經驗的文藝家，也需要有相應的讀者，而當時的中國則不具備這樣的條件。他在 1925 年前有過這方面的言論，寫於 1928 年 7 月的《從牯嶺到東京》和寫於 1929 年 5 月的《讀〈倪煥之〉》兩篇著名論文，字裡行間也流露了這種看法。

三、正如茅盾在《論無產階級藝術》中所說，無產階級藝術「是一種完全新的藝術；新藝術是需要新土新空氣來培養」；國際工人運動的發展固然為無產階級藝術的萌生提供了條件，但只有在無產階級掌握了政權之後才有蓬勃發展的可能。因此，當茅盾探討無產階級藝術時將視線專注於蘇聯是很自然的。不過，當時蘇維埃政權建立才七年，加之「最初的三四年的內亂外患及物質上的缺乏」，力量不能專注，藝術創造力未能充分發揮。同時，對馬克思主義經典作家關於文藝、美學的言論也來不及深入研究，甚至作出片面的、錯誤的解釋，無產階級文化派就是例子。這為茅盾的吸收增加了難度。

以上三個方面，既說明這三篇文章順應了時代的需要，體現了茅盾的理論勇氣和求進精神，也說明其中存在缺陷在所難免。

（三）

文藝既然作為一個特殊的意識形態部門而獨立存在，就必然有不同於其

他意識形態部門的特點。特點何在呢？從文藝美學的角度著眼，我們認為概括地說，其特點就在於是「審美」的。藝術對生活的認識和反映是一種審美的認識和反映，藝術家的生產過程是一種審美的生產過程；藝術產品是作為一種審美的結晶品推向社會以滿足社會的審美需要的，它的社會功能也是通過審美功能而得以全面地實現的。從這個意義上說，在《告有志研究文學者》中關於構成文學的原素那段話要顯得更有價值：

> 一、我們意識界所生的不斷常新而且極活躍的意象；
>
> 二、我們意識界所起的要和諧要整理一切的審美觀念。
>
> 意象可以是外物（有質的或抽象的）投射於我們的意識鏡上所起的影子；只要我們意識鏡是對著外物，而外物又是不息的在流轉在變動，則我們意識內的意象亦必不斷的生出來，而且自在地結合，自在地消散。當這些意象在吾人意識界裡方生方滅、忽起忽落的時候，我們意識界裡卻有一位「審美」先生便將它們（意象）捉作了，要整理它們，要使它們互相和諧；於是那些可以整理可以和諧的意象便被留起來被編製好了，那些不受整理無法和諧的，便被擯斥了。將編製好的和諧的意象用文字表現出來，就成了文學，那些集團的意象的和諧程度愈高，便是那「文學」愈好。和諧是極重要的條件，而使意象得成為和諧的集團的，卻是審美觀念。

茅盾最後把以上的意思作出了這樣的歸納：「文學是我們的意象的集團之藉文字而表現者，這種意象是先經過了我們的審美觀念的整理會調諧（即自己批評）而保存下來的。」

這裡的「意象」顯然是由於當時找不到適當的詞彙而從古典詩歌理論中選取來的，其含義就是形象。形象的源泉是客觀存在的「外物」，一經「意識」的反映就作為形象而存在於人的頭腦裡，所以它是具體可感的，又是意識化了的。進而，作家依據自己的審美觀念，對儲存的形象素材加以整理。這整理包括選擇，恐怕也不排除加工、改造，所以原先的形象素材有個是否「受整理」的問題，也有個「被留起來」或「被擯斥」的問題。重要的是這「整理」或「調諧」不是去其感性而留其本質，所以被「留起來」的仍然是形象，是作為感性和理性、現象和本質的統一體而存在的。「整理」的目的是「和諧」，而「和諧」就是眾多的「個別」意象互相依存、互相配合、互相補充地形成為有機有序的「集團」。所謂「意象的集團」就是完整、系統的有機形象整體

——這可以說是茅盾關於藝術美本體論和本質論的基本立足點和出發點。當然同樣應該注意，茅盾是從構成文學的原素得出這結論的，如果作為藝術美的定義來看，仍然是不夠完整，也不夠嚴密的。但是儘管茅盾很少在這方面作哲學性的探討，他的大量的文學論著卻廣泛地涉及這方面的問題。如果從此出發，把他散見於各處的有關言論適當地加以歸納，就會顯示出理論的完整性，也可鮮明地看出文藝不同於其他意識形態部門的特點來：

一、從總體上說，文藝也以社會生活現象為對象，也屬於意識形態範圍。意象是外物投射在人的「意識鏡」上的影子，這話本身就說明審美認識也是對社會現象的意識形態性認識，所以後來他針對「文藝是社會現象的反映」這個命題強調說：「正確地說，應該是社會現象通過了作家的意識經過分析整理的再現」。〔註 6〕但是，文藝的對象具有不同於其他意識形態部門的特點。茅盾曾說，他的研究對象是人以及人與人的關係。〔註 7〕這也就是文藝的主要特點。當然，一些社會科學學科也要研究人，但文學的研究人是要求個性把握。文藝所注意的是對象世界的特徵、人的個性、事物的特徵、「社會的特殊『個性』」、「時代的特徵」，等等。

二、文藝作品所以是美的結晶，在很大程度上取決藝術思維方式的特殊性。自然科學、社會科學運用的是邏輯思維。邏輯思維雖然也從感性開始，但經過抽象卻揚棄感性，具體消融於抽象中，個性消融於共性裡，藝術思維從感性開始，雖然也要經過概括，反映一定的本質，但仍然保持感性的形式，仍然以具體、個別的形式出現，寓本質於現象、寓一般於個別、寓抽象於具體。茅盾在《談技巧、生活、思想及其它》〔註 8〕一文中有這樣的描述：

> 文藝作家所藉以完成其任務的方法，卻與社會科學家不同，換言之，即文藝作家要比社會科學家多做一層工夫。社會科學家既縝密觀察，分析而綜合，指出了如些這般，便可謂能事已盡；文藝作家則於得到了如此這般的「結論」以後，還得再倒回去，從最初的出發點開始，從紛賾的表象中，揀出其最典型者，沿其發展之跡，用藝術的手腕表現出來。……當其開始，是由具體到抽象、由表象到概念，而後復由抽象回到具體，在這回歸之後，才是創作活動的

〔註 6〕 《談題材的「選擇」》，《文學》第 4 卷第 4 期，1935 年 2 月。
〔註 7〕 參閱《談我的研究》，《中學生》第 61 期，1936 年 1 月。
〔註 8〕 載《奔流》新集之二《橫眉》，1941 年 12 月 5 日。

開始。

這裡對於社會科學與文藝創作在思維方式上的不同是表述得很清楚的。文藝是從選擇典型的表象開始的。所謂「沿其發展之跡」就是表象的發展之跡，即保持其具體的感性形式，而不是揚棄感性。當然，先「得到了如此這般的『結論』」再回到具體、表象的「兩步式」思維過程，完全是茅盾式的，體現了重理性的特點。首先對現象進行綜合分析得出相應的「結論」，無非就是要首先理解現象的本質和時代的特徵，在充分理解的基礎上再「回歸」到具體表象。這樣，藝術形象就滲透著理性素質。

三、一切意識形態產品都具有作者的傾向性。作者肯定什麼、否定什麼，都有明確的指向，都以他要為之服務的目標為指歸，文藝也不例外。但是，社會科學以其理論分析揭開作者認為正確的規律，以其理論的邏輯力量顯示出傾向性；文藝則通過形象體系顯示出邏輯力量，在形象的內在發展中導向既定方向。而更重要的是社會科學需要的是冷靜分析，文藝則在從生活體驗、藝術構思到創作過程中都滲透著作家的感情，所以茅盾認為產生好作品的條件「是豐富的生活經驗和真摯深湛的感情」。〔註 9〕當然，社會科學專著有時也會出現感情色彩濃烈的文字，但那是偶然現象，不是貫徹始終的特點；特別是社會科學工作者不能以感情來代替對社會現象的規律性分析，從這方面說社會科學論著是排斥感情的。而文藝，感情則是構成其內容必不可少的因素，否則藝術形象就是死的。

四、從社會功能說，社會科學主要是通過客觀規律的揭示和理念的力量，提供認識作用。文藝也反映生活本質，因而也有認識作用；用這主要是通過形象的藝術感染力提供的。文藝要在使人產生感情共鳴中提供認識作用。

總的說，在茅盾那裡藝術美是從感性與理性、個性與共性、理智與情感、內容與形式的統一中形成的，因而它同時也是真的、善的，是真善美的統一。

第二節　藝術美與主客觀關係

美——包括藝術美，來自主觀，還是來自客觀？這在美學史上也是爭論不休的問題。治美學的人都知道，在這個問題上大致可以歸納為三種見解：

〔註 9〕《力的表現》，《申報》副刊《自由談》，1933 年 12 月。

一種是認爲美是一種客觀存在；一種是認爲任何客觀事物本身無所謂美或醜，美或醜都是人的心理、情緒、感情、思想外化的結果，就是說美來自主觀；還有一種是認爲美既有客觀依據，也有主觀原因，即美是主、客觀的統一。茅盾持何種看法呢？本節就探討這個問額。

（一）

茅盾對世界文學的演講過程，早年曾作過兩種概括：

一、（太古）　　　（中世）　　　（現代）

個人的────帝王貴閥的────民眾的〔註10〕

二、古典────浪漫────寫實────新浪漫〔註11〕

這兩種概括，一方面體現了青年茅盾的思想敏銳性和勇於探索的精神；一方面也顯示出文藝見解尚不成熟，因爲兩種概括都是不夠全面和準確的。第一種概括中的「個人的」文藝，指的是原始社會的文藝；對此，到了20年代末茅盾在神話研究中進行了具體分析。而把「帝王貴閥的」文藝限定在中世紀，把「現代的」文藝都概括爲「大眾的」文藝，則顯然是不正確的。從第一種概括很難看出藝術美主、客觀關係。第二種概括作爲創作方法的演變史及其原因，到20年代後期茅盾就作了自我否定；但它的確是著重從創作主體與客體的關係來解釋文藝的演進的。茅盾在《小說新潮欄宣言》中有這樣一段話：

> 西洋古典主義的文學到盧梭方才打破，浪漫主義易卜生告終，自然主義從左拉起，表象主義是梅特林克開起頭來，一直到現代的新浪漫派；先是局促於前人的範圍內，後來解放（盧梭是文學解放時代），注重主觀的描寫；從主觀變到客觀，又從客觀變回主觀，卻已不是從前的主觀⋯⋯

顯然，這裡創作方法的演進史是與主、客觀交互更替史聯繫在一起的。

同時，當時的茅盾還把新浪漫主義看作是文藝史上最好的創作方法，認爲它「能兼觀察與想像，而綜合地表現人生」，〔註12〕「確有可以指人到正路，使人不失望的能力」，〔註13〕因而不僅超越了自然主義，而且也是對過去的浪

〔註10〕《文學和人的關係及中國古來對於文學者身份的誤認》，《小說月報》第12卷第1期，1921年1月。

〔註11〕《新文學研究者的責任與努力》，《小說月報》第12卷第2期，1921年2月。

〔註12〕《新文學研究者的責任與努力》，《小說月報》第12卷第2期，1921年2月。

〔註13〕《我們現在可以提倡表象主義的文學麼？》，《小說月報》第11卷第2期，1920

漫主義的更新和發展。

但是不能由此得出結論說：茅盾初期主張藝術美在主觀，而到了提倡自然主義時期才轉變為美在客觀。當時茅盾作為新浪漫派的代表加以推薦的，主要是像梅特林克和羅曼·羅蘭那樣的優秀作家。他把梅特林克與「超人主義」聯繫起來，把羅曼·羅蘭稱為「大勇主義者」。而作為新浪漫派代表作加以推薦的則是像《青鳥》、《約翰克利斯朵夫》這樣的作品。像約翰克利斯朵夫那樣勇於在惡劣的環境中頑強地自我奮鬥的人物，對青年茅盾無疑是有感染力的。這與茅盾的啟蒙思想有關，也與他有保留地接受尼采的超人哲學不無關係。而從總體看，茅盾對第一次世界大戰前後湧現出來的各種文藝思潮還缺乏全面的把握。那時在西方，傳統的現實主義受到懷疑，自然主義則已衰落，而形形色色的現代派思潮則不斷湧現。顯然，對於龐雜而又眾多的現代派資料，茅盾還來不及作全面的研究，因而對實質上可以納入現代派的新浪漫主義，其評價也就不可能全面。而作為已往的積極浪漫主義的否定之否定的新浪漫主義，則可說只是想像而已，實際上根本就不存在。但是，茅盾畢竟腳踏中國大地，力圖根據中國實際提出文藝問題。因此，他儘管稱讚新浪漫主義，卻並不認為當時就可在中國實現，而僅僅把它當作新文藝的一種憧憬而置諸未來。不言而喻，茅盾不可能主張中國的新文藝待到來日才需藝術美，而現實的藝術實踐卻是可以不需要美的。因此，如果根據茅盾初期稱讚過新浪漫主義，就認定茅盾初期主張藝術美在主觀（而且是新浪漫主義所特有的那個「主觀」），是不可能符合實際的。一個明顯的事實是，在《小說新潮欄宣言》中，他一面讚揚新浪漫主義，一面卻又反對「冒冒失失唯新是摹」，明確地提出「中國現在要介紹新派小說，應該先從寫實派、自然派介紹起」。

綜觀茅盾一生的論著，我們認為他自己對藝術的看法，並不存在主觀和客觀互相更替發展的問題，而是從最初走上文壇就主張主客觀統一的。當然，隨著茅盾文藝美學思想的發展，主觀和客觀在藝術美中居於何種地位，主體如何發揮作用，如何使客體表現得真實、具體、充分，怎樣才能使主、客體達到和諧的統一，在諸如此類的問題上茅盾的先後論述是有變化的；但是藝術美在主客觀的統一這個中心點，卻是貫穿始終的。這又關係到文藝與現實的關係問題。

年 2 月。

我們知道，茅盾一走上文學道路就提出文學爲人生的主張。《現在文學家的責任是什麼？》〔註14〕一文，是茅盾最早的文學論文之一。就在這篇論文裡，他明確提出《文學是爲人生而作》的論斷。繼此，到他接編並改革《小說月報》和文學研究會成立之前，他又反覆強調和論述了這一命題，而「文學爲人生」又終於成爲文學研究會共同接受的中心主張，他主編的《小說月報》則成爲宣傳文學爲人生、發表人生派作品的主要陣地。這樣，實際上就把文藝與社會現實緊緊聯繫起來；因爲所謂「表現人生，指導人生」，無非也就是表現人生的現實生活。

主張文藝表現人生，實際上也就承認社會現實生活是文藝創作的源泉。從文藝美學的角度說，也就是從認定美的物質基礎在客觀即客觀的社會和自然現象（包括人自身）客觀地存在著審美屬性。

> 文學家所欲表現的人生，決不是一人一家的人生，乃是一社會一民族的人生。〔註15〕

這就是說，作家寫進作品中的一切，都是從客觀的社會生活、民族生活中汲取來的，而不是離開現實生活的作家個人的「寄慨寫意」或「一時的『感想』」。在《社會背景與創作》〔註16〕一文中，茅盾進一步指出：

> 什麼樣的社會背景便會產生出什麼的文學來……是怨以怒的社會背景產生出怨以怒的文學，不是先有了怨以怒的文學然後造成怨以怒的社會背景！

在這裡，不僅指出作家的創作原料來自於客觀的社會生活，而且表明文學創作是受特定的社會、歷史條件所制約的。無論是作品的內容，作品所表現的社會心理、情緒和感情以及作家本人的思想、心理、情緒和感情，都是受客觀的社會、歷史條件制約的。

正是這樣，茅盾非常強調作家要瞭解時代，熟悉社會生活。他一開始評論生涯，就很注意從作家的生活底子方面去尋找創作的成敗得失。1921 年 8月，他對「創作壇」提高創作水平提出的「條陳」，是「到民間去」。此後，隨著他文藝思想的發展，也以更科學、更堅定的態度來對待生活。例如 1925年當談到戰爭文學時茅盾指出：「我們所要求於一篇戰爭小說的，應該是一

〔註14〕載《東方雜誌》第 17 卷第 1 期，1920 年 1 月。
〔註15〕同註 14，《現在文學家的責任是什麼？》。
〔註16〕載《小說月報》第 12 卷第 7 期，1921 年 7 月。

個人類面對槍彈時的心理變幻，他臥伏在戰壕裡靜聽上面槍彈飛過嗤嗤作聲時的默想，他瞄準敵人射擊，他挺刀陷入敵人胸膛時所起的一種半意識的感覺。」因此，作家必須瞭解戰爭的意義，對戰爭有深切的體驗，瞭解處於戰火中的戰鬥者的內心世界，才可能寫出優秀的戰爭文學。如果一個作家僅僅遠遠地站在一旁看戰爭，那麼即使他的心底是善良的，寫出的作品也不可能引起讀者「心靈的顫動」。〔註 17〕再如 20 年代末關於革命文學的論戰，30 年代對於公式化概念化作品的批評，茅盾都把作家與時代、與社會生活的關係作為決定性的條件加以論證。茅盾斷言：「有價值的作品一定不能從『想像』的題材中產生，必得是產自生活本身。」〔註 18〕

　　這從文藝美學的角度說，就是茅盾堅信在現實生活中存在著藝術美的豐富礦藏。人類的審美意識，也是一種意識，是由客觀存在決定的。所謂審美感知、審美認識，就是對現實生活現象的審美性的感知和認識；審美判斷、審美評價是否正確，也是指對客觀的審美屬性的把握是否正確。在茅盾那裡，社會現象的審美屬性是紛呈於各個方面的。他曾說「世間萬象，人類生活，莫不有善的一面與惡的一面」，並反覆強調現實是「光明和黑暗交錯」，由此就可以提煉出藝術的真善美。從人的品性說，也存在著真善美和假醜惡的鬥爭。還在青年時期，茅盾一方面看到我們民族在長期的封建統治的毒害下形成的劣根性，同時又堅信：「一個民族既有了幾千年的歷史，他的民族性裡一定藏著善美的特點⋯⋯中華這麼一個民族，其國民性豈遂無一些美點？」〔註 19〕當他成為馬克思主義者後，更對人性作出階級性的解釋，即用階級分析的方法來鑒別人性的真善美和假醜惡，為實現無產階級所追求的「最理想的人性」而鬥爭。〔註 20〕在茅盾看來，就是藝術形式也無法與現實生活相分離。他曾指出，有人以為把形式「看成一種可以從生活抽出來的別一物」，這是一種「誤會」；他認為形式即包含在生活裡邊，「無須另求，且亦不可能另求」。〔註 21〕

　　以上僅僅是說事物的審美屬性是一種客觀存在，是藝術美的原料。但是

〔註 17〕　《現成的希望》，《文學週報》164 期，1925 年 3 月 16 日出版。
〔註 18〕　《關於「創作」》，《北斗》創刊號，1931 年 9 月。
〔註 19〕　《新文學研究者的責任與努力》，《小說月報》第 12 卷第 2 期，1921 年 2 月。
〔註 20〕　參見《「最理想的人性」》，《筆談》第 4 期，1941 年 10 月。
〔註 21〕　《論如何學習文學的民族形式——在延安各文藝小組會上演說》，《中國文化》第 1 卷第 5 期，1940 年 7 月。

這決不意味著茅盾所認爲的藝術美是一種純客觀的存在。藝術生產是一種精神勞動，是一種創造，藝術品是創造性的精神產品，因此，藝術美不可能脫離創造主體而存在，就是說它具有主觀性。我們知道，茅盾曾經提倡過自然主義，曾經十分強調客觀地觀察和客觀地描寫；如果因此就認定茅盾曾經主張藝術美在客觀，這同根據茅盾曾經讚許過新浪漫主義，就斷定茅盾曾主張藝術美在主觀一樣，是不對的。茅盾曾明確地表白：「以文學爲遊戲爲消遣，這是國人歷來對文學的觀念；但憑想當然不求實地觀察，這是國人歷來相傳的描寫方法；這兩者實是中國文學不能進步的主要原因。而要糾正這兩個毛病，自然主義文學的輸進似乎是對症藥。」〔註22〕這說明，他提倡自然主義是爲了糾正舊的文學觀念。而在說這話的同時，他又強調作家「要瞭解別人，也要把自己表露出來使人瞭解」，〔註23〕這分明是說作家在創作過程（也即在創造藝術美的過程）中要融進自我。他還指出：「我們用了別人的方法，加上自己的想像情緒……，結果可得自己好的創作。」〔註24〕當時的茅盾是把「觀察的能力與想像的能力」看作創作的必具條件的，而且「兩者偏一不可」。〔註25〕而他賦予想像的內涵又相當豐富，包括聯想、虛構、誇張……幾乎在創作過程中按照可然律作家主觀所能出現的一切，都以想像來涵蓋。此外，茅盾還意識到自然主義文學「偏在惡的一面」，因而「算不得完美無缺，忠實表現」，所以他企圖加以彌補，增強主觀想像的成分。他在《自然主義與中國現代小說》等文中指出，提倡自然主義並不是要學習它的「獸性」和宿命論思想，主要是學自然主義者的「客觀描寫與實地觀察」。在《文學與人生》〔註26〕一文中，他講了四個問題，前三個問題都吸收了丹納的思想（雖然不無差別），第四個問題卻講了爲丹納所忽視的「作家的人格」。有了這一條，在自然主義中彷彿就站立起一個高大的作家主體，自然主義也就起了質的變化。

　　這一切都表明，即使在茅盾提倡自然主義的時候，也是主張藝術美在主

〔註22〕 《一年來的感想與明年的計劃》，《小說月報》第 12 卷第 12 期，1921 年 12 月。

〔註23〕 《一年來的感想與明年的計劃》，《小說月報》第 12 卷第 12 期，1921 年 12 月。

〔註24〕 《一年來的感想與明年的計劃》，《小說月報》第 12 卷第 12 期，1921 年 12 月。

〔註25〕 《新文學研究者的責任與努力》，《小說月報》第 12 卷第 2 期，1921 年 2 月。

〔註26〕 1922 年松江暑期演講會上的演講錄，《學術演講錄》第 1 期，1923 年出版。

客觀的統一的。

藝術美在主客觀的統一，在茅盾那裡突出地表現在如下幾個方面：

首先，體驗和認識生活，不僅需要有先進的思想，也不僅需要茅盾說的「分析與綜合」，需要主觀能動性，從審美的角度說，還需要激起表現生活的熱情。茅盾在談到生活「三度」（廣度、深度、密度）時說：「密度是廣度和深度的基礎，而密度也者，在己就是事事認眞，對一切興趣濃厚，對人則是體貼，全心靈和人類擁抱。」〔註27〕這就是說，作家不僅要理智地認識生活，還要感情地對待生活。

其次，作品的感染力與情感密切相連，作品的方向性也與作家的情感指向密切相關。因此，審美選擇和審美評價，都伴隨著作家的情感傾向。作家可以不直接流露自己的感情，但他不僅需要滿腔熱情地對待自己的正面人物，而且要與正面人物共愛憎。茅盾正是這樣主張的。他認爲作家的感情，要和「他所憧憬的，或指出來使人景仰或認識的人物」的感情合一，「恨此人物所憎懷的對象，擁護此人物所擁護的一切！」〔註28〕

再次，在藝術構思和整個實際創作過程中，更是一個具體的創造過程，需要作家充分發揮思想活力和藝術才華。這方面將在本章第三節具體論述，此處不贅。

文藝，是生活的再造，是所謂的「第二自然」。它是創造的「眞」，也是創造的「美」。因爲它是根據社會現實創造的，所以是客觀的；又因爲是在創作主體把握下創造的，所以同時又是主觀的。主觀創造達到符合生活的規律性，這就是主客觀的統一。

（二）

人類的審美意識和審美認識能力都是歷史地形成的，藝術創造以及隨藝術品而出現的藝術美當然也是歷史地形成和發展的，同時也都是在社會歷史條件的制約下發展的。人的社會實踐特別是生產勞動實踐對這種形成和發展起了決定性作用。當然，審美也是一種意識，其中包括審美感知、審美認識、審美評價，都是社會性的，都附著於人的主觀。但這種意識和認知活動所以能歷史地形成和發展，就因爲客觀現實存在著相應的審美屬性。人類審美能

〔註27〕　《論所謂「生活的三度」》，《中原》第 1 卷第 2 期，1943 年 9 月。
〔註28〕　《論「入迷」》，《文學》第 3 卷第 2 期，1934 年 8 月。

力的所謂發展，也就表現在對客觀審美屬性的不斷發現、開掘和拓展。而人類的審美認識也和理性認識一樣，從來不是消極無爲的，總是力圖影響和改變現實，總是爲了某種目的和任務。而在這樣的認識和實踐過程中也就開發了人類自身的潛能。

茅盾在探討藝術的形成和發展時，同樣堅持了藝術美在主客觀的統一原則。

對於文藝的起源問題，茅盾沒有作過哲學性的探討，但他卻對中外神話進行了系統的研究。當時，茅盾在這方面的研究成果是極爲豐富的，但是從我們的論題出發來考察，以下三個論點特別值得注意：

一、茅盾說：「凡一民族的原始時代的生活狀況、宇宙觀、倫理思想、宗教思想，以及最早的歷史，都混合地離奇地表現在這個民族的神話和傳說裡。」這是對神話內容的概括。根據這一概括，神話可說是人類文化的最早篇章。這古文化是綜合性的，既包括自然科學，也包括社會科學，同時也是文學的遠祖。所以茅盾接著又說：原始人「以自己的生活狀況、宇宙觀、倫理思想、宗教思想等等，作爲骨架，而以豐富的想像爲底，就創造了他們的神話和傳說。故就文學的立點而言，神話即是原始人的文學。迨及漸進入文明，一民族的神話即成爲一民族的文學的源泉。」〔註29〕

二、茅盾說：「神話所述者，是『神們的行事』，但是這些『神們』不是憑空跳出來的，而是原始人民的生活狀況和心理狀況之必然的產物。」〔註30〕這就是說，神話是人類原始狀態社會現實生活的反映。在這裡，原始人的「心理狀況」與原始人的生活狀況一樣，都是客觀存在。但是，原始人憑藉自己的心理狀態去解釋自然、人生、社會的時候，就又作爲創作主體的心態而出現了。茅盾舉了原始人心理的六個特點後，說：「原始人本此蒙昧思想，加以強烈的好奇心，務要探索宇宙間萬物的奧秘，結果則爲創造種種荒誕的故事以代合理的解釋，同時並深信其眞確：此即今日我們所見的神話。」〔註31〕

三、茅盾指出，生活環境與自然環境對於神話創作具有深刻的影響。他在比較希臘神話和北歐神話的同異時說：「這兩種神話都是原始的農業社會裡

〔註29〕《楚辭與中國神話》，《文學週報》第 6 卷第 8 期，1928 年 3 月 18 日出版。
〔註30〕《中國神話研究初探》第一章，《茅盾評論文集》（下）第 242 頁，人民文學出版社 1978 年 11 月版。
〔註31〕同上書，第 243 頁。

的產物，自然現象對於原始的希臘人和北歐人是一樣的，所以編造出來的故事（神話）亦復面目相同。可是希臘半島究竟是溫暖的地方，沒有冰天雪地的北歐那樣苦寒，於是這兩支極相似的神話中間便又有許多絕不相似的成分了。」這不同，表現了兩支神話中的神各自的敵人不同，神居住的環境不同，而更重要的還在於「希臘的神們都是永生的，萬劫不壞的；他們是神，永遠在奧林波山頂上快活，永遠幹他們中間的戀愛和嫉妒」。而「北歐神話是一篇悲劇的結構。神們戰勝了惡勢力，達到了權力的頂點，然後神又沒落。之後又有第二代神起來代表『善』之復興」。〔註32〕

　　以上實際上從三個方面論證了人類文藝是在特定的歷史條件制約下萌發出幼芽的，人類文藝的幼芽也是主客觀統一的產物，各民族的文藝史莫不例外。是的，神話是想像的產物，它最早顯示了人類所具有的巨大創造潛能。神話又是充滿虛幻、怪異以至迷信的成分，但這一切正反映了原始社會低下的生產力、簡陋的生活狀況和原始人愚昧的思想，因而反倒是真實的。神是超現實、高居於人之上的，神們所作所為也不是當時的人們所能做到的，但這既是現實的，同時也是理想的，是兩者的統一。神話中的神魔以及其他各種事象，雖然是虛幻的，但都是生動活潑、具體可感、以完整的形象體系出現的，因而是美的。所以，神話是真、善、美的統一。

（三）

　　1930 年茅盾出版了《西洋文學通論》，這只是 10 萬多字的小冊子，卻平易通俗地勾出了西歐文學發展史的輪廓。書中對自己早年的某些見解作了某些合理的修正，同去也存在著值得商確的問題；但是對於文藝與現實的關係問題卻把握得更準確了。茅盾在緒論裡就告訴我們，在研究文學發展時必須堅持三個基本原則（他叫「基本觀念」）：（1）文學思潮的變化取決於推動人類生活變動的原動力——生產力的發展；（2）在階級社會中，作家總是隸屬於一定的階級的，因而從根本上說不可能沒有傾向性；（3）在「初民時代」文學是「屬於公眾的」精神產物，「直到重商主義在歐洲抬頭，文學家在社會的地位，方由公眾的退而為個人的」。看來在這三條中，關鍵的還是前兩條。全書首先講神話和傳說，這在前面已經說了。對於古希臘的文學，茅盾認為

〔註32〕參閱《西洋文學通論》第 15 至 17 頁，書目文獻出版社 1985 年版。

其基調是「活潑潑地不感傷的精神」，是「寫實的」精神；對於「命運」，希臘人雖認為神和人都無能為力，但並不神秘，只把它看作是不可抗拒的「自然律」。在茅盾看來，從史詩《依里亞特》、《奧特賽》，到悲劇作家埃斯庫羅斯、索福克勒斯、歐里態得斯和喜劇作家阿里斯托芬的作品，都具有這種基調。這種基調是有「希臘民族的生活做背景的」。當時的希臘，在奴隸經濟的基礎上「建造了他們的『自由的』國家和生活。除了『自然律』的命運而外，他們覺得更沒有東西能夠限制他們的自由了」。那時雖有奴隸，且多過「自由市民」五六倍，卻「沒有成為對抗的社會勢力」。古希臘的作家，就是滿心滿意的「自由市民」的代言人，他們的作品正表現了他們的意識。

茅盾認為羅馬帝國的文藝，只不過是對希臘文藝的轉述與摹仿，不過是古希臘文藝的一個影子，並沒有特殊的成就。「當『羅馬帝國』形成的時候起，便開始走向滅亡的路。」羅馬統治階級從事長期的戰爭，並殘酷地榨取農奴和奴隸的血汗，他們得到所需要的一切，原先的「自由市民」卻被毀去一切，羅馬帝國也因此而動搖，被來自北方的蠻族所滅，西歐長期陷入殺戮、戰爭、放火與劫掠的「喪亂之世」，終至四分五裂，形成眾多的封建「諸侯國」。歐洲在國王和教會的雙重統治下，進入漫長而又黑暗的中世紀。騎士則成為一個支撐著封建制度、維護國王和教會利益的階級。騎士的「誓言是忠君，忠教，行俠」。在這樣的背景下產生的騎士文學，是專為爵爺們歌功頌德、供爵爺們消遣的，是嚴重脫離現實，與廣大奴隸格格不入；這就不可避免地以成為「歐洲文學的中古的大垃圾堆」。

但是，資本主義終於從封建制度內部冒出幼芽，西北歐出現了一批自由城市。一天天在發展的資產者要求封建領主放棄世襲特權，又想到從前希臘羅馬民主政治時自由市民的生活。中世紀的奴隸因為忍受不了人間的痛苦，只想到天國去尋求安慰。現在不同了，那幫最早的資產者卻要在現實的人世享受快樂；這種新的現實和新的心理狀態，釀成了「文藝復興」。正如當時的商人們嚮往希臘、羅馬時代自由市民的生活，當時的意識形態的代表人物也從古希臘、羅馬文化中尋找養料。他們覓取的內容雖是「復古」的，內涵卻是適應早期資產階級需要的。文藝復興以後，古典主義、浪漫主義、自然主義、形形色色的現代派互相交替而又交錯地發展，關鍵仍然取決於社會歷史的發展，以及創作主體對現實的態度。茅盾認為古典主義作家，除少數幾個優秀者的部分作品之外，一般是既脫離現實，也失去了作家自我。自然主義

作家重視客觀，但帶著一顆冰冷的心純客觀地描摹現實，忽視了文藝要創造生活，結果文藝創作成為機械式的照相，自然談不上美。現代諸流派強調主觀創造，但他們「是懸空在『超現實』的境界去求創造，所以結果是他們愈創造，他們就離現實的人生更遠，墮落在神秘的無何有鄉去了」，所以也不可能美。茅盾說：「在健全的社會，有組織的、理性化的社會，文藝是要回到常態的；這常態就是有健全的內容，和明快易懂的能感人的外形。」茅盾認為，高爾基以《母親》為代表的第二期以後的作品，以及十月革命後蘇聯第一批優秀的文學成果就屬於這類。正是高爾基使原先「被人攻擊到體無完膚的寫實主義在新基礎上重新復活了」，這原因是「他的客觀描寫不是冷酷的無容心的客觀，而是從客觀的事物中找到他的主觀的信仰的說明」。這種寫實主義繼承了過去寫實主義的傳統，卻「已經不是從前的寫實主義了」，所以叫做「新現實主義」。它之所以「新」，就在於主觀和客觀在更高的水平上達到了統一。

從《西洋文學通論》到《夜讀偶記》，其間相隔近 30 年。在這 30 年中，茅盾更為深廣地掌握了中外文學資料，在理論上登上了更高的階梯，自身又積累了豐富的創作經驗，同時還飽經了人生憂患。《夜讀偶記》可說是他登上文壇近 40 年的知識、經驗和理論思考的結晶。對於這樣一部理論專著，採取輕率的態度加以否定顯然是不合適的。

當然，茅盾是人不是神。《夜讀偶記》寫於 1957 年至 1958 年，不可能不受當時政治氣氛和理論總態勢的影響，諱言其缺點是大可不必的。但是，同樣不可否認的是，它具有堅實的理論深度，邏輯嚴密；它的立論以豐富的文學史實為依據，無空泛之弊；它所論及的不少問題，至今仍值得我們深長思之。就我們的論題而言，理想和現實的關係問題和對形式主義的批判，則更值得注意。

茅盾在《西洋文學通論·緒論》中說：「寫實的精神」和「浪漫的精神」就是「理智的，冷觀的，分析的精神和『感情的，主觀的，理想的精神』」。他認為這兩種精神在文學史上互相推移，但不是憑空的互相推移，也不是機械地一起一伏。《夜讀偶記》既承接了這一思想，又有所修正或者說在論證上進一步完善了。這個問題的實質仍然是創作主體和客觀對象的關係問題。

茅盾把中國幾千年的文學史歸結為現實主義和反現實主義的鬥爭（這在今天是最遭非議的），此外還有既非現實主義也非反現實主義的一類。對這個結論本身的是非曲直此處按下不論，值得注意的是茅盾的這一結論是通過文

藝與現實的關係的考察得出來的。也就是說,他是以創作主體如何對待和把握現實爲立腳點,來評定文藝產品的審美價值和社會、歷史價值的。所以他明確指出:各個發展階段的現實主義「是忠實地反映自然現象、社會現象以及人的內心世界」;各種各樣反現實主義的創作方法的「共同點是脫離現實,逃避現實,歪曲現實,迷糊了人們對於現實的認識」。當然,如此概括也與中國文學發展史具有不同於西歐文學發展史的特點有關——在中國文學史上沒有像西歐那樣鮮明而又自覺地發展起來的各種文學思潮如古典主義、浪漫主義、現實主義、現代主義等等的交互更替。

《夜讀偶記》對歐洲文學是從古典主義說起的。茅盾充分肯定了古典主義反對封建專制和教會的歷史作用,以欽佩的口氣稱讚拉辛等優秀的古典主義作家「很小心地而又十分巧妙地在古典主義詩學(創作方法)的範圍內」施展出藝術才華,留下寶貴的遺產。他比較分析了莎士比亞的《安東尼和克洛巴式拉》和拉辛的《倍萊尼司》這兩個題材相似的劇本,結論是由於處理不同,出現了兩種迥然不同的風格,孰高孰低似乎很難論定,確是各有千秋。他還反對萊辛對於古典主義悲劇過低的評價,並比較分析了萊辛的《愛美麗雅‧迦洛蒂》和拉辛的《昂朵馬格》,比較的結果是:兩者的不同幾乎容易被讀者忽略,相同之處倒是不難看出的,即「兩者的人物性格都是一上場來就已定型」。用這樣嚴峻的反駁來維護古典主義遺產,在當時是一個例外。而更例外也更別出心裁的是茅盾還把古典主義和現代主義各流派與浪漫主義聯繫對比。由於古典主義作家的階級局限性,只能以唯理論爲思想武器一待反對封建專制、神學世界觀的任務完成,古典主義也就只剩下枯燥、單調的清規戒律而成爲形式主義。而現代主義各流派則因信奉絕對化的「精神自由」,堅持不可知論,又否定一切傳統,結果也走上形式主義的道路。但是古典主義的形式畢竟還有「理性」約束,其形式主義還是可理解的有形式的形式主義,而作爲資產階級末代子孫的現代派末流作家則成了抽象的、沒有形式的形式主義,在這無內容的形式主義背後卻有個頑強的自我,這個自我「滿不在乎、卻又自暴自棄地什麼都反對、卻又迷惘悲哀地看這世界,看人類生活的過去、現在和未來」。應該說,從形式主義出發對古典主義和現代主義進行對比是有說服力的。令人遺憾的是,茅盾對形形色色的現代主義流派未能作具體分析、區別對待,而大有一概否定之勢。現代主義雖重形式,卻不是所有的現代主義流派都可用抽象的無形式的形式主義所能概括的。

　　茅盾認爲，只要方法得當，從理想和現實關係角度來解釋文藝史上各種文藝思潮的興衰還是無可厚非的。積極的浪漫主義本來是以反古典主義的姿態出現的，但是如果把「理想」理解爲作家按自己的善惡是非標準，認爲「應當如此」而描寫了生活，那麼古典主義也屬於理想一類，從而與浪漫主義相通，因爲古典主義作家是按照自己的理智認爲「應當如此」而賦予人物以理想性格，設計「理性王國」的。區別在於古典主義作家在理性主義統治下，自己的個性、熱情、想像力都被理性吞噬了，因而是冰冷的，一切都是規範化的；積極浪漫主義作家則感情奔放、情緒熱烈，突出地要表現自我。

　　古典主義和浪漫主義作家由於歷史觀的限制，其理想都不免「太架空」而「經不起現實風雨的一擊」。現實主義則正可克服這種「架空」的幻美。茅盾認爲「現實主義創作方法的核心就是在現實世界是可以認識的信念上，根據反映論來從事藝術創作的。這是自古以來各個階段的現實主義的共同點」。他還特別拈出「反映」二字加以強調。這是不難理解的，因爲是「反映」，就意味著以客觀存在（包括人的內心世界）作爲描寫對象；也因爲是「反映」，創作主體在反映過程中就必須發揮主觀能動性；這樣，包括馬克思主義形成以前的現實主義作家在內，在認識論上就不自覺地與馬克思主義反映論相合拍。毫無疑問，由於創作規律的作用，作家需要運用形象思維；但是形象思維以反映論爲基礎，就不會改變土客觀的關係，而恰恰是從此使典型人物和典型環境結合起來，塑造出「典型環境中的典型性格」，做到以完整的形象體系反映客觀現實，從而也使美和眞、善在深層得到統一。正是在這個意義上，茅盾高度評價發批判現實主義。但是，批判現實主義卻存在著與浪漫主義相反的缺陷，這就是「太黏著於現實了，它暴露得很多，可是徒然叫人憤慨而已（或相反，會叫人喪氣），終無補於事實」。這是茅盾早年就有的看法，只不過到了 50 年代站在更堅實的哲學基礎上來論述這一問題。茅盾認爲：「巴爾扎克在他的《人間喜劇》中所反映的他那時代的現實可以說是比較全面的，那麼，晚於巴爾扎克幾十年的批判現實主義者就沒有在他們的作品中反映出他們那時代的全貌。」理由是巴爾扎克的時代工人階級尚未成爲自覺的政治力量，再過幾十年工人階級則已作爲決定性的力量出現在國際政治舞臺上，對此，批判現實主義作家們並沒有反映，所以「只能算是半面的現實主義」。

　　至此問題就明白了：浪漫主義和批判現實主義都偏執一端，不能使理想和現實統一起來。形形色色的現代派既是腐朽的形式主義，就不僅無力克服

這種片面性，而且把文藝引上了絕路。怎樣才能使理想和現實統一起來？這就是在馬克思主義世界觀指導下「透過現實，指出理想的遠景」。這樣的思想，其實茅盾在 20 年代就有了，但在 1958 年茅盾卻把這種特點斷定爲社會主義現實主義所特有。不過，不論這是不是社會主義現實主義的天然美質，但終究是茅盾對藝術美的追求。

以上說明，在茅盾看來文藝作爲意識形態的一個部門是歷史地發展並受特定的社會、歷史條件制約的，人類的審美觀念也是歷史地發展並受特定的社會、歷史條件制約的。在這發展過程中，各種文藝思潮對於理想和現實、主觀和客觀往往有所偏重，但只要在特定歷史時期起過進步作用的，都在不同程度上結合過，否則就談不上藝術美。人類所追求的就是有機地蘊含理想和現實、主觀和客觀高度和諧統一的美。而茅盾自己，在進行這樣的歷史考察時正鮮明地表現出藝術美在主客觀統一的主張，並且正是爲了闡明和追求藝術美的主客觀統一，才進行這種歷史考察的。

第三節　藝術美與獨創

我們討論的對象，既是藝術，是藝術美，而不是自然和自然美，當然就要把獨創的問題提到重要的位置上來。這是因爲，藝術美存在於藝術品之中，而藝術品是一種精神產品，是一種美的精神產品。生產藝術品，在一定意義上說就是要把美加以集中，向讀者或觀眾提供經過集中的審美對象。這美所以集中，就因爲經過了作家、藝術家的創造。所以，沒有一個眞誠的文藝家、文藝理論家和美學家是不強調獨創的，茅盾也不例外。茅盾認爲所謂「創作」就是要「創」。「文章的美不美，在乎他所含的創造的原素多不多。創造的原素愈多，便愈美。」〔註33〕文學貴在『創作』，文學不能不忌同求異。」〔註34〕文藝不能重複，也不能是熟面孔。一片好的自然風景，也會有不同於別的自然風景的特點；但人們求之於自然風景的，只要能賞心悅目、心曠神怡、調暢精神，就心滿意足了；爲了調節精神可以一去再去。文藝作品就不同了，沒有新內容，不提供獨特的美，人們就不接受，可以另求。好作品因爲有獨具的美，人們要享受這種美，只能求之於它，這才會「百讀」

〔註33〕《雜感——美不美》，《文學週報》第 105 期，1924 年 1 月。
〔註34〕《獨創與因襲》，1922 年 1 月 4 日《時事新報》副刊《學燈》。

而且「不厭」。

可見，問題的要點不在茅盾提出美需要獨創，而在於他怎樣看待獨創，這也正是我們需要探討的中心。

（一）

如何創造？一向堅持現實生活是文藝創作源泉的茅盾，自然要從生活中去探求獨創的源頭。我們的討論也不妨從此開始。

茅盾在《論如何學習文學的民族形式——在延安各文藝小組會上演說》〔註35〕一文中談到向生活學習時，首先指明這「無非是使生活範圍擴大起來，往複雜、往深處去的意思」。但「人總不能幹遍三百六十行，一定要是自己『經驗』過的，勢有所不能。因此，在『經驗』以外，不得不借助於『觀察』」。然後，他就如何使「經驗」和「觀察」統一起來的問題談了如下一段話：

> 我以為從「經驗」一邊說，須得時時把自己的經驗從新咀嚼，如像反芻動物似的，把已經吃下去的東西回出來再咀嚼一遍，換言之，「經驗」，本是主觀的，但須要時時以客觀的態度來分析研究，從「觀察」一邊說，須要慎防或有意或無意地把自己和被觀察的對象對立起來，而成了旁觀者的態度，應當使「我」溶合於「人」的生活中，憂人之所憂，樂人之所樂，在生活上，「我」雖是第三者，但在情緒上，「我」和他們不分彼此，換言之，「觀察」雖是客觀的過程，但須要在主觀的熱情走進被觀察的對象。

從這段文字看，說茅盾是冷靜的純客觀主義者，是難以成立的。不過對此，這裡可存而不論。我們想強調的是，茅盾從創作的第一步就重視主觀和客觀的交融：主觀的東西要使之對象化，即成為客觀的分析研究對象；而客觀的東西，又要使之成為流注「主觀的熱情」的載體，要使自我「溶合於『人』的生活中」，所以要謹防「把自己和被觀察的對象對立起來」。在茅盾看來，主客觀統一是藝術美創造的關鍵一環。這裡又想引錄黑格爾關於獨創性說的一段話：

> 獨創性是和真正的客觀性統一的，它把藝術表現裡的主體和對象兩方面融合在一起，使得這兩方面不再互相外在和對立。從一方面看，這種獨創性揭示出藝術家的最親切的內心生活；從另一方面

〔註35〕載《中國文化》第1卷第5期，1940年7月。

看，它所給的卻又只是對象的性質，因而獨創性特徵顯得只是對象本身的特徵，我們可以說獨創性是從對象的特徵來的，而對象的特徵又是從創造者的主體性來的。〔註36〕

這話眞是說得再好不過了。獨創性「從對象的特徵來」，對象的特徵「從創造者的主體性來」，這就是主客觀的統一，也就是美。茅盾的話與此是相通的。「經驗」本來來自客觀，但作爲經驗儲存於主觀，就不僅精神化了，而且主觀化了；進而這被精神化和主觀化了的「經驗」又要外化爲觀察的對象；這是主客觀統一的一個方面。另一方面，在觀察的過程中，由於觀察主體的「我」是「溶合於『人』的生活中」的，也即懷著熱烈的情緒和喜怒哀樂之情，而且不言而喻，還帶著自己的「經驗」，去看取生活的，因而在原是客觀的觀察過程中就滲進了主觀的判斷、評價和熱情，也即在客觀中有了主觀，觀察所得的對象成爲「我的」了。

為什麼有了經驗，又要把它作爲客觀分析的對象呢？茅盾在《論如何學習文學的民族形式》這篇演說中又說：

人人有他的生活經驗，但未必人人能從生活學得了什麼。所謂「甘苦自知」，只是一種淺嘗的經驗論，受用不多；必須知道甘之何以爲甘，苦之何以爲苦，這才算是從生活中眞正領會到了眞味。上面所說要把生活經驗從新拿出來咀嚼，就是這個意思。這樣的心理過程，可以名之爲體驗。

顯然，關鍵在於領會到生活的「眞味」。茅盾把《體驗》提到一個更高的層次。

那麼，茅盾爲什麼又如此強調「觀察」呢？對此，在前面的引文中可以說他已作了回答，即「人非是使生活範圍擴大起來，往複雜、深處去的意思。」但是，爲什麼有了經驗、有了深入的體驗還不夠，還必須「使生活範圍擴大起來」呢？這關係到茅盾的審美理想，其中特別是合規律性、合目的性的問題。茅盾認爲，作家寫的雖只是生活的一角，但這一角卻要能反映「時代的特徵和全貌」。現實生活則是一個複雜的整體，因而必須把這「一角」放到社會的縱橫聯繫中去表現，要能「攝攬一事與其周遭萬象之相互起伏的依存的關係，並且也要能夠追溯它的歷史的發展的形相」，也即放到「從互相聯繫著影響著的無窮系列所構成的整體中」〔註37〕去表現。茅盾對「理解生活」的

〔註36〕《美學》第 1 卷，第 373 頁。
〔註37〕《談技巧、生活，思想及其它》，《奔流》新集之二《橫眉》，1941 年 12 月。

要求是相當高的，他說：「理解生活又可以歸納為理解人與人的關係，人與歷史的關係，生活環境對個人的影響及人怎樣改造生活這四方面。」與此同時，還要具備這樣三個條件：「第一，我們要明白怎樣的生活才是合理的生活。第二，不合理的生活怎樣造成，根源何在？第三，怎樣能使個個人都過合理的生活。」〔註 38〕這樣，自然就要把觀察和世界觀一起，提到頭等重要的地位上來。

　　對於生活的廣度和深度統一問題，茅盾是一貫地堅持的。1953 年他又對生活的博和專的辯證關係進行了論述，他指出：「『博』就是認識生活的廣度，『專』就是認識生活的深度。這兩者不是對立的，而是一體的兩面。真能深入一角者，必然也瞭解全面；全面的瞭解，有助於一角的深入。社會中各方面的生活都有聯帶關係，一個社會生活的現象有其正面的，也有其反面的；我們的任務（因為我們是作家，我們的工作對象是生活以及生活中的具體的人和事物），是既要看清那些有聯帶關係的，即生活鏈上之各環，也要看清一環之正反兩面。」「我是深信『全面的瞭解，有助於一角的深入』這一原則的。」〔註 39〕這些話說明，深度和廣度的結合，經驗和觀察的結合，都是達到主客觀統一的基礎。而這種統一，則是對生活獲得獨到見解的前提，從而也就是達到藝術獨創的前提。

（二）

　　茅盾說：「文藝作品不僅是一面鏡子——反映生活，而須是一把斧頭——創造生活。此一點，知之甚易，而要圓滿做到，卻就很不容易。」〔註 40〕把文藝創作看作是「創造生活」，這可說已把創造提高到無以復加的地步；但同時，這也是茅盾作為一個嚴謹的現實主義者對獨創所作的一種嚴格限定。有了這個限定，要圓滿做到就確實不容易，因為文藝賴以「創造生活」的斧頭，不是李逵手中的板斧，不能亂砍一氣，而必須按生活本身的規律去砍削。砍削的結果，不僅要創造出「已然」的生活，還要創造出「未然」的生活。這樣，對生活有獨到的發現，就成為獨創的基礎。上文所說的經驗，應該是有

〔註 38〕　《認識與學習——1943 年 3 月 18 日在中央文化會堂講話》，《文藝先鋒》第 2 卷第 4 期。

〔註 39〕　《體驗生活、思想改造和創作實踐——第一屆電影劇本創作會議上發言摘要》，《文藝報》1953 年第 7 期。

〔註 40〕　《我們所必須創造的文藝作品》，《北斗》第 2 卷第 2 期，1933 年 5 月。

獨特的內心體驗的經驗；上文所說的觀察，也是獨到的觀察。1925 年茅盾說了如下一段話：

> 文學之所以可貴，乃在它（文學）能夠把一般人所看不見的靈魂抓住了，而加以藝術的描寫，使人深切的感受了。所以文學家的天職並非是僅僅描寫人生，而應把一般人所看不見的人生的秘奧指出來，換句話，就是文學家應該具有一雙特別銳利的眼睛，能觀察到普通人所不見所忽略的地方，能捉住了這一點用巧妙藝術手腕表現出來，使不見成為共見。這便是所謂獨到的觀察。〔註41〕

到了 1961 年，茅盾又強調指出：「可以說，作家的每一部作品，都是對於現實的新認識的產物。如果作家對於天天在變化中的現實，沒有新認識，那麼，他就表現出停滯，不能在自己固有的水平上再前進一步。」〔註 42〕可見，揭開生活的秘奧，從生活中提煉出別人不曾有過的獨到見解，是茅盾始終一貫地堅持的藝術獨創的原則。這裡體現著內容決定形式的現實主義美學觀，即首先必須有內容的真和新，才可能有藝術的美。所以茅盾一再告誡，不要滿足於一般的材料搜集，不要唯實際材料是竟，匆匆動筆，而要「從那些實在材料內得到了新見解，新啟示」，要「先把自己的實感來細細咀嚼，從那裡邊榨出些精英、靈魂，然後轉變為文藝作品」；「如果唯實際材料是竟，並不能從那裡得一點新發現，那麼，這些實際材料不過成為報章上未披露的新聞而已，不能轉化為文藝作品」。〔註43〕應該注意的是，所謂新發現、新見解、新啟示以及精英、靈魂等等，都不僅僅是一般抽象的新鮮結論，而是那種有靈性、有可塑性、有生命價值的東西，是物化和精神化相統一的存在。正是這樣，才可能成為「藝術的描寫」的對象，轉化為藝術形象，「轉變為文藝作品」。

茅盾沒有忘記美的具體性、個別性品格。正是這樣，在談生活的「博」和「專」時也沒有忘記用括號注上一筆：「因為我們是作家，我們的工作對象是生活以及生活中的具體的人和事物。」同時，他也並沒有因為強調內容而忘掉形式。作為一位卓越的作家和文藝理論家，茅盾自然知道藝術形式有相對的獨立性，並能反作用於內容。從上面的引錄就可以看出，茅盾在談對生

〔註41〕《告有志研究文學者》，《學生雜誌》第 12 卷第 7 號，1925 年 7 月。

〔註42〕《五個問題——1961 年 8 月 30 日在一次座談會上的講話》，《河北文藝》1961 年 10 月號。

〔註43〕《歡迎〈太陽〉！》，《文學週報》第 5 卷第 23 期，1928 年 1 月。

活的獨特發現的同時，往往也聯繫到藝術表現的問題，所以他對藝術創造又作了這樣的歸納：「在現實中發現人人心中皆有而又人人口中所未曾道過者，經過藝術的加工，使其深入而淺出，——這就是創造性。」〔註44〕「人人心中皆有」，就意味著生活意蘊並不神秘，並不是一般人無所感知，卻因此而具有普遍性；「人人口中所未曾道過」，則說明「人人心中皆有」者乃不易道，正爲藝術表現的獨創提供機會。

由於茅盾堅信生活是文藝創作的源泉，堅信藝術美也植根於生活，所以在他看來藝術形式的創造，也要從生活中去尋找機緣。他曾明確地表示：藝術形式就包含在生活裡，它「無須另求，且亦不可能另求」；如果「把『形式』看成一種可以從生活抽出來的別一物」，那是一種誤會。〔註45〕這個論點對不對呢？應該說，從現實主義文藝美學上立論，這是自然之理。「一般」在無數「個別」之中，任何一種「個別」都含有「一般」；任何一種生活現象都是內容和形式結合在一起的特殊存在，只是其特徵有突出與不突出、完整與不完整的區別。只要「經驗」是經過審美體驗的經驗，觀察也是一種審美性的觀察，那麼文藝家在獲得生活的新見解的同時，必然也連帶著獲得相應的藝術形式的原料。所以茅盾又說，從文藝家的創作過程著眼，是「決沒有什麼不與形象相伴隨的光桿的所謂『思想』」〔註46〕的。當然，獲得新見解不可避免地會有理性思考，但這理性只要與具體感性連結在一起，與感性一起形成一種特徵性的概括，就不僅不會概念化，而且會同時獲得內容美和形式美，進而爲創造內容和形式相統一的美打下基礎。

茅盾談體驗、觀察生活和新發現，雖然經常與世界觀聯繫在一起，但也沒有忘記告誡人們要注意具體性、個別性和事物的特徵。比如在談到題材問題時，他明確地說「選擇是必要的」。如何選擇呢？他說：「社會現象是形形色色的，然而這形形色色的社會現象並不是個個都能表現（或代表）了該特定社會的『個性』的，正像一處大風景有許多樹木，許多山石水泉，然而並不是任何一樹一石一澗就能代表了那大風景的獨特的『個性』。因此，一位創作家在他創作過程的第一步就必須從那形形色色的社會現象中『選擇』出最能表現那社會的特殊『個性』——動態及其方向的材料來作爲他作品的題

〔註44〕《和平・民主・建設階段的文藝工作》，《文藝生活》新4號，1946年4月。
〔註45〕《論如何學習文學的民族形式——在延安各文藝小組會上的演說》。
〔註46〕《從思想到技巧》，重慶《儲匯服務》第26期，1943年5月。

材。」〔註 47〕審美體驗和觀察的過程，也就是審美選擇的過程。選擇的結果既具有代表性又富有個性，與內容的新發現統一在一起，就具有內容和形式相統一的藝術美。

在談到人物塑造時，茅盾又藉用「胸有成竹」這句古話來說明問題。他說:「人物在作家腦中成熟的時候，不能是一個赤赤裸裸的光人，不能是一個抽象的人，而必然是在生活中活動著鬥爭著的人……直到這些人在想像中成了活的真人，成了熟朋友似的，閉眼一想，就出現在面前，而且覺得不描寫他們，就悶得難受。」茅盾認為這就是「胸有成竹」的意思。〔註 48〕可見深入的生活體驗，真正的獨到見解是非常具體生動的，就如觀竹，先是觀察客觀存在的竹，經過反覆觀察、長期醞釀，就活生生地形成胸中的竹，一經表現出來，就內容和形式一起完成了藝術的「竹」，從而也就有藝術美。也正是在這個意義上，茅盾說:「小而言之，從一字一句內，也可表現出獨到的觀察。……具有銳利觀察力的作家能夠從不相同的事物中，找出他們的相似點作為比擬形容:這便造成了妥貼新穎的描寫。」〔註 49〕

這樣說，同樣並不意味著藝術形式只要現成地從生活中搬取就行了，而僅僅是說形式的創新要從生活中得到啟示，要有利於表現生活的新發現;也只有這樣，才能使藝術真實與生活真實統一起來。在這個基礎上，藝術家還必須在藝術形式方面煞費苦心地經營。所謂「創造生活」，根據茅盾的諸多論述，其主要含義有二:一是通過對假、醜、惡的揭露和批判，對真、善、美的肯定和頌揚，促進生活和「人性」向真善美的方面發展;二是從生活出發，創造出藝術品;此藝術品也許是精美的短製，也許是規模龐大的「藝術大廈」，但不管是哪一種，都必須比實際生活更鮮明、更突出，都既要反映「已然」的生活，又能展示「未然」的生活方向。這就意味著文藝家必須胸懷審美理想重構生活，形成具體可感的藝術實體，使讀者或觀眾在看到生活真諦的同時，也能從中得到美的享受。這就不能不精心構築。而這種構築，較之建築師似乎更煩難。建築師自然也不容易，他在考慮實用效益、經濟效益的同時，也盡可能要達到某種審美效益。但建

〔註 47〕 《談題材的「選擇」》，《文學》第 4 卷第 2 期，1935 年 2 月。

〔註 48〕 《體驗生活、思想改造和創作實踐——第一屆電影劇本創作會議上發言摘要》，《文藝報》1953 年第 7 期。

〔註 49〕 《告有志研究文學者》，《學生雜誌》第 12 卷第 7 號，1925 年 7 月。

築畢竟有規矩分寸可循，作家則幾乎在「無跡可循」的情況下自己創造出規矩分寸，又由自己把握這規矩分寸而實現美的創造。因此，就是寫大綱，茅盾也要求寫出「小傳似的」人物大綱後，還要把「附著於各個人物身上的事情加以組織，寫成故事的情節的大綱」。〔註50〕他要求結構要立體，要做到勻稱、平衡而又有機；〔註51〕故事情節可以虛構，「但百分之百可能發生，而且入情入理」。〔註52〕再如描寫，就文學創作而言是經常要遇到的。人物要血肉豐滿，必須有細緻入微的獨到描寫。在這個問題上茅盾曾一再指出兩種弊病：一種是只有事件過程的敘述，缺乏應有的細節，沒有細針密腳的描寫，從而影響了性格的豐富性；另一種是沒能寫出對象的特徵和特殊的神韻態勢，失之簡陋或過於繁雜臃腫，從而影響了性格的整一性；這兩種情況的共同後果都是失去美。茅盾曾就藝術描寫問題進行過多次實例分析，而對《戰爭與和平》第四部分第七、八兩章則作爲成功的例子進行剖解。老王爵接到他唯一的兒子安德列夫的死訊，可最後安德列夫卻在妻子做產的時候突然回來了，這就是情節的主要關節。托爾斯泰利用這個關節寫了老王爵的心態和性格。作者自己沒有一句話提到老王爵的心理，但通過老王爵對僕人、女兒等的態度、談話語調、神態動作，卻把老王爵的內心痛苦寫得步步深入。茅盾說托爾斯泰「寫得很簡單，這裡寫幾句，那裡寫幾句，但是合起來看時，老王爵那時的心理狀況與性格卻表現得很突出」。細微末節安排得很周到，前後關照，合情合理；也寫環境，但不是空話，環境描寫與人物心理結合得很好。這也就是藝術上的獨創。

　　「好的作品寫海能使人嗅到鹽味，寫菜市場能使人感到腥味，所以好作品不但繪形，並且傳味。」〔註53〕只有這種繪聲繪影、繪形傳味的描寫，才能產生強大的審美功能，使人感動。這種生動、具體的描寫，顯然不能只有獨到的見解，還必須有精到的藝術經營，有深厚的藝術功底。

　　「創造生活」，也意味著在藝術創作中重構生活時，要將生活加以變形，因此需要誇張，也需要幻想。茅盾說：「藝術品的創造不是『拍照』，藝術應有『誇張』的權利。誇張地描寫『善』，也誇張地刻畫『惡』。特別是『善』

〔註50〕　《體驗生活、思想改造和創作實踐——第一屆電影劇本創作會議上發言摘要》，《文藝報》1953 年第 7 期。
〔註51〕　參見《漫談文藝創作》，《紅旗》1978 年第 5 期。
〔註52〕　《關於人物描寫的問題》，《電影創作》第 16 期，1955 年 3 月。
〔註53〕　《怎樣閱讀文藝作品》，《語文數學講座》，大眾書店 1950 年 12 月版。

與『惡』的勢力肉搏時期的民族藝術應有『誇張』的必要。」〔註 54〕在另一個地方茅盾又說:「從理論上說來,幻想不可能是反現實的,幻想只是現實中某一點的誇張和神奇化而已。」〔註 55〕顯然,誇張和幻想都是將生活變形,予以重構的藝術手段,其目的在於使眞善美和假醜惡都更顯明、更突出,從而也對比得更顯明、更突出。不過對此,茅盾同樣強調以現實生活爲基礎。他告誡說:「這也並不是說一個作家可以閉門冥想而『誇張』」,〔註 56〕「當人們以某種逃避現實的思想爲主點而構造海市蜃樓的時候,幻想就和現實成了對立了」。〔註 57〕

綜上所述,一方面美植根於生活,所以藝術美的創造必須首先對生活有新認識、新發現;另一方面藝術反映生活又不是鏡子般的純客觀的消極的反映,而是能動地積極地「創造生活」,還要能使人感動,所以同時還必須有藝術形式的獨創。獨創之所以爲美,美之所以必須獨創,就在於內容是新鮮的,形式是獨特的,在於內容美和形式美的統一。

(三)

1943 年,茅盾提到了審美趣味問題。他指出:根據趣味說,「人們讀文學作品,大抵各就所好,同一作品,甲乙丙丁的觀感各有不同,因爲各人之趣味不同。」毫無疑問,這裡所說的「趣味」指的就是審美趣味,所以接著他又反問道:「但各人的趣味何以有不同呢?這本來可以從各人的身世、教養、思想意識來加以解釋的,本書範圍因另有所在,茲姑不喋喋。」〔註 58〕不過,實際上茅盾還是有所申說,他指出:「如果一個人的趣味跟他的身世、教養等等沒有關係,那麼他將無常嗜;如果人人無常嗜,則文學傑作之永久性與普遍性將成爲不可思議。」〔註 59〕這樣看來,審美趣味既有個人偏愛的一面,也有社會性、階級性的一面。就個人偏愛而言,審美趣味是根據自己的身世、教養、思想意識等等在持久的審美體驗和感知中形成的,帶有經驗性和直覺性。它既不是先天性的,也少有理性的成分。正是如此,即使是政治信仰、

〔註 54〕《向新階段邁進》,《文學》第 6 卷第 4 期,1936 年 4 月。
〔註 55〕《幻想與現實》,1944 年 6 月 27 日重慶《時事新報》副刊《文林》第 1 期。
〔註 56〕《向新階段邁進》,《文學》第 6 卷第 4 期,1936 年 4 月。
〔註 57〕《幻想與現實》,1944 年 6 月 27 日重慶《時事新報》副刊《文林》第 1 期。
〔註 58〕《「愛讀的書」》,舊版《茅盾文集》第 10 卷。
〔註 59〕《「愛讀的書」》,舊版《茅盾文集》第 10 卷。

思想傾向相同的人，審美趣味卻可能很不相同，對同一作品也可以有不同的取捨。比如兩個政治思想極爲相投的密友，一個可能更喜歡音樂，另一個則可能更喜歡美術；對於同一部作品，一個可能愛讀，另一個可能不愛讀，或者是一個更關注書中的愛情描寫，另一個則可能更喜歡書中的景物描寫。這些都不必強求一致，也無法強求一致。但是任何個人都不可能超然物外，他的身世、教養、思想意識都受社會環境的影響，緊緊地與階級、階層的好惡聯繫在一起；因此，審美趣味又不可能是超然物外的純然個人偏好，而往往與階級傾向、與集團性的社會偏好聯繫在一起。從這方面說，審美趣味又有好壞、高下的區別。

在這裡茅盾提出「常嗜」的概念，似乎很難給予明確的界說。把它與人的身世、教養等等聯繫起來看，似乎是指審美趣味的恆常性；把它與「文學傑作之永久性與普遍性」聯繫起來看，則又似乎是指進步人類在審美趣味方面的共通性，所以茅盾同時又說了如下一段話：

> 我們的好惡當然與希特勒之流法西斯不同，奴隸主的好惡當然與奴隸不同；好惡不同，當然對文學作品的趣味就不同了。最大多數人之所好者：自由、平等、博愛。凡因爭取此三者而表現之勇敢、堅決與犧牲的精神，凡因說明此三者之可貴而加以暴露的壓迫、欺騙、奸詐和卑劣的行爲，當然也是最大多數人「興趣」之所在。文學作品之永久性和普遍性，應當從這裡去說明，所謂超然物外的純趣味，實際上是沒有的。〔註60〕

這段話至少說明了三個問題：一、審美趣味是有階級性的，是與政治信仰相聯繫的，因而有好壞之分。二、人民大眾的審美趣味儘管千差萬別，但追求進步則是一致的，或者說好的、健康的審美趣味總是向上的、與人類的進步相聯繫的。三、「文學傑作之永久性和普遍性」在於表現了「最大多數人之所好」，有助於人類的進步。值得著重指出的是，茅盾在這裡彷彿特別強調了「自由、平等、博愛」六個字。如果因此就認爲茅盾把這六個字看作是審美標準或者是高尚的審美趣味的極至，那將是一種極大的誤解。我們知道，「自由、平等、博愛」曾經是資產階級最響亮的政治箴言，其哲學基礎則是人性論；作爲堅持革命現實主義的無產階級作家的茅盾，是不可能以此作爲審美標準的。茅盾所以著重提這六個字，無非是從當時我國的抗日戰爭實際和全世界

〔註60〕　《「愛讀的書」》，舊版《茅盾文集》第 10 卷。

反法西斯戰爭的實際出發，爲了說話的方便，因爲這三個口號在中國的抗日統一戰線和全世界的反法西斯統一戰線中，至少在表面上是普遍被接受的，而據此也能分清當時的敵我友；其中心內涵，則是在於指明健康向上的審美趣味是同客觀社會生活的眞、善、美相一致，與人民群眾的根本利益和社會進步相一致的。

上面的引文，實際上也已涉及到文學藝術家和一般文藝欣賞者在審美趣味上的不同要求。對於一般的文藝欣賞者來說，自然也應該有正確、健康的審美趣味，但是他們可以僅僅根據自己個人的偏愛決定對文藝作品的棄取，欣賞時也可以僅僅滿足於賞心悅目，根據經驗和直覺進行判斷而不作深入的理性思考；對於文學藝術家來說，就不能如此。文藝家創造文藝作品目的不是爲了自我欣賞，而是爲了滿足群眾的審美需要，不是消極地適應欣賞者的審美趣味，而且要糾正或抵制那種不健康的審美趣味，提高欣賞者的審美能力並使其思想感情得到昇華。這就對文藝家的審美趣味在品格上和適應上提出特殊的要求。

如前所說，藝術獨創是從生活的新發現開始的。這就要求文藝家對生活具有敏銳的洞察力，能夠發現生活中實際存在的眞善美，能夠清醒地辨別眞善美和假醜惡。因此，文藝家的審美趣味不僅應該是健康的，而且應該是以進步的世界觀和崇高的審美理想爲基礎的。只有這樣，才能熱情地歌頌爲眞理、正義而鬥爭的「勇敢、堅決與犧牲的精神」，抨擊和暴露「壓迫、欺騙、奸詐和卑劣的行爲」。這就是對文藝家審美趣味的品格要求。

生活是無比複雜、多樣的。文藝家要眞實地反映生活，就不僅不能忽視這種複雜性和多樣性，而且應該有興趣去瞭解這種複性雜和多樣性。一個作家、藝術家如果沒有廣泛的生活興趣，把自己局限在狹小的圈子裡，就很難總體性地瞭解生活、瞭解時代。茅盾對於體驗和理解生活主張專與博相結合，正是爲了克服這種弊病。同樣，藝術表現也是無限複雜、多樣的，作家、藝術家應該具有豐富的藝術表現手段和高超的藝術才能。對於生活和藝術表現的適應能力，就是對於文藝家審美趣味的廣泛性要求。茅盾要求文藝家廣泛地吸收，正是爲了達到這種廣泛性要求。如果把文藝欣賞者比作品嘗菜餚的顧客，把文藝家比作廚師，那麼一些顧客可以獨愛一種味道如甜味或辣味，廚師卻不能只做一種菜，否則就會失去廣大的顧客。

對於作家、藝術家來說，審美趣味還有一個極爲重要的作用，這就是對

他的創作風格或創作個性具有定向作用。反之，作家、藝術家的創作風格或創作個性，也鮮明地反映出作家、藝術家的審美趣味。

人們要求文藝家的審美趣味具有高品格和廣泛性的特點是合理的，但是如果要求文藝家放棄自己正當的審美趣味則是專橫的、不正當的。一個文藝家，即使生活視野再開闊，也不可能行行事事都經歷過，而必然有所專注、有所側重；即使他的藝術表現手段再豐富，也不可能無所鍾愛、無所特長。一般說，一個文藝家走上創作道路總是從自己特有的審美趣味開始的，即使是像魯迅那樣懷著強烈的歷史使命感的作家，開始創作時也不能不與他的審美趣味相聯繫。文藝家從特有的審美趣味開始，久而久之，有了自己特別熟悉的生活領域、特殊的生活敏感區，同時也形成了自己特殊的藝術專長，這就成了創作風格或創作個性。一待創作風格形成，也許與起步時的審美趣味已經大異其趣，但新的審美趣味卻又體現得更為強烈了。

創作風格的形成是極為寶貴的，是成熟的標誌，同時也是在藝術上有所獨創的標誌。有獨特的風格就意味著有獨特的美。

對於創作風格，至今議論紛紜，看法並不一致，但有一點卻是一致的，即風格體現著文藝家的特有面目。茅盾有關風格的言論不少，但散見各處，也不見得總是一致的，這裡只想著重談談他對文藝家自我的辯證看法。

茅盾在《文學與政治社會》〔註61〕一文中曾說：「創作家愈堅執己見，愈有益於藝術之多方面的發展；批評家愈堅持己見，愈弄狹了藝術的領域。」應當說，這是一個相當深刻的論斷。不言而喻，批評家如果「堅執己見」，就會以個人偏好代替客觀標準，扼殺文藝的多樣性，對此無需贅論。至於創作家要「堅執己見」的內涵，則是相當豐富的。首先，這指的是創作家要敢於堅持自己對於生活的這發現，而力避人云亦云。其次，創作家要敢於表現自己的情緒、感情乃至自身的個性；這裡的關鍵在於其情緒和感情是否與人民群眾相通，而不在於可否「自我表現」。再次，就是在藝術表現上敢於標新立異、獨樹一幟。總起來說，倡導創作家「堅執己見」也就是鼓勵獨創，其含義與「忌同求異」是一致的。經過持續不斷的創造，就會形成自己的獨具的風格，而「自立門戶」。〔註62〕正是在這樣的意義上，「創作家愈堅執己見，愈有益於藝術之多方面的發展」，使時代能得到多角度、多色調的反映，使文

〔註61〕載《小說月報》第13卷第9期，1922年9月。
〔註62〕《獨創與因襲》，1922年1月4日《時事新報》副刊《學燈》。

藝呈現出百花齊放的興旺局面。

茅盾在談到「自立門戶」的同時，還尖銳地指出：「好古與趨時正是一件事底兩面，都是忘了自己。」這裡的「兩面」，實際上包含著兩對矛盾。「好古」是繼承的對立面。繼承是學習傳統文化中有用的東西，經過消化，變成自己的血肉，從而有助於創新。所以，決不「忘了自己」，而正是爲了「自己」的創造。「好古」則是倒退，自己面前有路不走，而回過頭去走古人的老路，結果是「耽誤了自己的前程」。「趨時」則是求新的對立面。求新，要對生活有新發現，藝術上有新創造，要表現時代的新動向。「趨時」卻是趕時髦，是嘩眾取寵，是迎合低極趣味，外表似新，實際上卻是照抄照搬，正是「忘了自己」。

在創作上主張堅持自我，保持自己的面貌，開闢自己獨有的創新道路，保持和愛護自己的風格，這是茅盾從開始文藝理論生涯到到生命的最後時刻一貫堅持到底的，是他文藝美學的一個重要內容。

但是，風格的形成雖是成熟的標誌，卻並不意味著藝術上的固定化和凝固化。一切美的事物都是發展的，風格也是如此。一個有成就的文藝家，他的風格基調一般是貫穿始末的，但正如創造無止境一樣，風格的某些特點是發展變化的，在文學藝術史上甚至還有前後期風格迥異的文學藝術家。因此，茅盾對於文藝家自我的要求是辯證的，即既要保持自我，又要勇於否定自我。所謂否定自我，就是要不斷地創造，嚴防停滯不前。1931 年茅盾說：「一個已經發表過若干作品的作家的困難問題也就是怎樣使自己不至於黏滯在自己所鑄成的既定模型中；他的苦心不得不是繼續地探求著更合於時代節奏的新的表現方法。」〔註63〕這裡雖然著重從藝術表現上談突破「既定模型」，但卻是從表現「時代節奏」出發來強調的。到了 1934 年，茅盾從藝術創新出發，對新、老作家的概念別出心裁地提出「一個新的解釋」。他不無諷刺地說：「眞正可稱爲『老作家』者是那些寫了一篇又一篇，題材同，見解同，筆法同，老是那樣一個模子裡傾出來的『開國紀念幣』式的作家。這樣的作家即使在文壇上出現不過一個月，所作不過三四篇，可是已經很配稱爲『老作家』了。」〔註64〕停滯不前、固步自封，作品沒有新意，沒有新創造，不能給人以美的享受，這樣的「老」是枯萎、衰亡的表現。茅盾在同一

〔註63〕《〈宿莽〉弁言》，1931 年 2 月，大江書舖 1931 年 5 月版。
〔註64〕《新，老？》，《文學》月刊第 2 卷第 4 期。

篇文章裡又說：一個作家「寫了第一篇作品的時候，固然是『新』，——裡裡外外都『新』；可是當他寫了第二篇作品的時候，假使用的是不同的題材，觀察的是不同的眼光，那麼，他這名兒雖然在別人看來不新，而在他自己的創作過程上卻是全新的一段；做第二篇作品的他並非是第一篇時的他了，是另一人了，是一個『新』作家。」以此類推，直至他著作等身，鬚髮皆白，「只要他是永遠不固定在一點，他的每一篇作品中是一種新的努力新的試探，那他永遠是『新作家』。」歸結起來說，就是要不斷地創造，常「新」不衰。「忌同求異」，不僅要異於別人，面目獨異，自立門戶，而且也要異於自己——今天的「我」異於昨天的「我」，永遠處在既是「自我」又是「非我」的辯證地發展狀態中。只有不斷地創新，才能不斷地向讀者或觀眾、聽眾奉獻新的藝術美；也只有這樣，才能永保藝術青春，成爲大家。

（四）

　　文學藝術家一般都想獨創，卻又不是人人都能做到，一生創作長「新」的則更少。這是因爲藝術獨創需要具備多方面的條件，其中文藝家本身的人格問題尤爲重要。

　　茅盾一貫重視文藝家的人格問題。本章第二節已經提到過，寫於 1923 年的《文學與人生》一文談了四個問題，前三個問題基本上是從丹納的文藝理論中吸收來的，第四個即「作家的人格」問題，則是茅盾離開丹納的理論體系而自己加上去的。在談這個問題的時候茅盾明確地指出：「大文學家的作品，那怕受時代環境的影響，總有他的人格融化在裡頭。」〔註65〕到了 1943 年，茅盾作爲一位傑出的無產階級革命作家和文藝理論家又強調指出：「人格的修養應當是文藝作家所有修養中最重要的一項，而人格修養則可被包含在思想修養之內的。」人格有些什麼內涵？爲什麼說是「最重要」的呢？茅盾在這兩句話前面有如下一段話：

　　　　一般的看法，以爲正確的思想和熱情不一定有聯繫，然而事實上，則熱情者未必常常有正確的思想，而思想正確、眞正徹底的人，卻常常一定是熱心腸者。文藝作家是要作人類靈魂的工程師的，如果沒有闊達的胸襟，偉大的氣魄，而患得患失，怵怵倪倪，那麼雖

〔註65〕　《文學與人生》，載松江暑期演講會《學術演講錄》第 1 期，1923 年。

有技巧，雖有學力，雖富於生活經驗，結果也不過是一個「能文者」

而已；而文章之不復能見的人，正是針對此輩作的諷刺。〔註66〕

根據這段話，人格包括了思想、情操、胸襟、氣節等等。有否崇高的人格，則關係到能否做真正的人類靈魂工程師，當然就成了「最重要的一項」。它對藝術獨創和藝術美具有制約作用。

人格的內涵雖然豐富，但其中主要的是威武不能屈、貧賤不能移的堅貞不渝的精神，為了崇高的目的不惜犧牲自己的一切。人類歷史和現實生活都告訴我們，認識真理固然不易，堅持真理卻更難。有的文學藝術家不是沒有認識真善美的眼光，也有表現真善美的才能，在無損個人利益的情況下還能創作出好作品，但一到危急關頭就向惡勢力低頭以至助桀為虐。比如茅盾在《還是現實主義》〔註67〕等文和《歐洲大戰與文學》〔註68〕一書中，多次提到第一次世界大戰時期歐洲各國作家的創作表現。不少作家，其中有的還曾被視為進步名作家，都「各為其主」地鼓吹「自己一面的士兵如何勇敢仁恕，敵人一面如何懦怯殘暴，自己一面的士兵如何自知是為正義乃至為人類的文明而戰，敵人一面如何『師出無名』」。有的則不問不聞戰爭災難而躲進象牙塔裡談藝術。在這兩類人中，有的當然是由於認不清戰爭的性質，被民族沙文主義所囿，有的則是自覺地出賣靈魂，充當軍國主義的辯護士，是人格問題。但是羅曼・羅蘭、巴比塞等作家就採取了嚴正的態度。茅盾說：「即使在廝殺得難分難解的當兒，清醒的羅曼・羅蘭已經在那裡痛責兩方面都是毀滅文明的惡魔。巴比塞更用文藝這武器指出了兩方面的士兵同樣是被驅向屠場，──不是為了什麼正義，而是為了帝國主義的火併，兩方面的士兵都是憎恨著戰爭。」兩位作家這樣做不是沒有危險的，因為這樣不僅會遭到官方的忌恨，而且也會被一些讀者所誤解。因此不僅要對那場不義戰爭的性質有清醒的認識，而且還要有堅持真理和正義的無私無畏精神，也即要有崇高的人格美。

1941年10月，為了紀念魯迅逝世五週年，茅盾寫了《「最理想的人性」》一文，〔註69〕指出：「古往今來偉大的文化戰士，一定也是偉大的humanist，換言之，即是『最理想的人性』的追求者、陶冶者、頌揚者。」他認為魯迅

〔註66〕 載重慶《文學修養》第2卷第2期。
〔註67〕 載《戰時聯合旬刊》第3期，1937年7月。
〔註68〕 1938年開明書店出版。
〔註69〕 《雜談思想與技巧、學習與經驗》，載《筆談》第4期。

就是這樣的「偉大的文化戰士」。這樣命題是否在鼓吹人性論呢？對於曾經無情地批判過資產階級人性論的魯迅是不是一種歪曲呢？當然不是！文章還說：「一切偉大的 humanist 的事業，一句話可以概括：拔除『人性』中的蕭艾，培養『人性』中的芝蘭。」顯然，這裡的「蕭艾」指的就是反動階級的醜惡人性，「芝蘭」指的就是先進階級的美善人性，這就對人性作出了階級分析，從而鼓勵文藝工作者去表現人性美。接下去該文還有這樣一段話：

　　　　人類創造了文化以征服自然。同時亦要征服人的原始性，以及
　　人類在歷史過程中阻礙「人性」向眞美善發展的種種人爲的桎梏。
　　所謂文化是「第二自然」，文藝家是人們「靈魂的工程師」，都是從
　　這意義而來。「怎樣才是最理想的人性」，不能不是我們最大終極的
　　目標。爲求「最理想的」，我們不能不抨擊那些非理想且不合理的……

這就很清楚，抨擊「不合理的」的人性，征服「種種人爲的桎梏」，就是要批判反動階級的醜惡人性和種種毒化人性的思想、文化和制度，從而使人性向眞善美發展，把追求人性美和創造藝術美統一起來。而要表現人性美，文藝家本人必須首先具有人格美。所以，文中所指的「偉大的 humanist」也可理解爲具有偉大人格的人。

　　但是，一方面從人類進步和社會發展說必須追求「最理想的人性」，而「抨擊一切摧殘、毒害、窒塞『最理想的人性』之發展的人爲的枷鎖，一切不合理的傳統的典章人物」，另一方面在舊制度下卻往往沒有這樣做的自由。茅盾曾有的放矢地強調：「創作的自由是包括在現實主義的創作方法中的一個條件。沒有自由精神的作家不可能是一個健全的現實主義者；創作的自由受了桎梏和壓迫的時代，也就很難使現實主義的文學得到高度的發展。」〔註70〕在這裡，自由精神成爲文藝家人格美的重要標誌，成爲創造藝術美的重要條件。換言之，在反動統治的社會條件下，作家的人格首先從爭取創作自由中表現出來。他必須與壓迫作家、禁止作家「抨擊一切摧殘、毒害、窒塞『最理想的人性』發展」和阻礙創作自由的黑勢力作鬥爭。茅盾自己，針對國民黨的文化專制主義就曾不遺餘力地爲創作自由而鬥爭。在抗戰時期，特別是武漢淪陷後國民黨反動派日益露骨地推行消極抗戰、積極反共的路線，對進步文藝的限制也日益加強，對此茅盾不斷地加以揭露和批判。僅僅 1944 年，在不長的時間裡，茅盾陸續寫了《生活與「生活安定」》、《如何把工作做好》、

─────────────────

〔註70〕 《生活與「生活安定」》，1944 年 4 月重慶《大公報》副刊《文藝》第 24 號。

《雜談文藝現象》、《如何擊退頹風？》等文章，爲要求創作自由而大聲疾呼。他指出：「國民黨的文化政策是「可以製造葉子牌、麻將牌乃至春畫」，把「太多的自由」「給予那些製造麻痺的作品」，卻不許「製造鋤頭、斧頭、鐮刀、鋸子」，以「不合抗戰要求」爲藉口，不許文藝眞實地反映現實；因此，他號召進步文藝工作者起來鬥爭，「爭取最廣大的反映現實的自由」。〔註71〕

　　茅盾所要爭取的創作自由，不是抽象的自由。他所指的創作自由是有階級和時代內容的。早在抗戰前夕，我國人民面臨民族存亡的關頭，茅盾就指出：「在民族利益的大前提下，個人沒有『超然』的自由。」〔註72〕在上面已經提到過的《生活與「生活安定」》這篇文章裡，他同時又指出：「作爲一個公民，作家當然應以民族利益爲前提，當然要以服從大多數民眾的要求爲任務，在這裡他沒有『個人自由』；但是作爲一個作家，而以擁護民族利益、反映民眾要求當作他的工作的時候，他應當有創作的自由。」個人利益必須服從民族和人民大眾的利益，個人決不能超越民族和人民大眾之上，在這裡不存在個人自由問題。這樣，就鮮明地同資產階級自由觀區別開來。同時也就說明，自由本身並不存在美不美的問題。儘管美學界有「美是自由的象徵」的提法，但在茅盾那裡，自由並不屬於美的範疇。自由是手段，不是目的，創作自由是藝術獨創——創造藝術美的條件，卻不是藝術美本身。

〔註71〕 參見《雜談文藝現象》，《青年文藝》第 1 卷第 2 期，1944 年 9 月。
〔註72〕 《進一解》，《文學》月刊第 6 卷第 6 期，1936 年 6 月。

第二章　藝術美與眞實性、功利性

　　眞、善、美三者的關係問題，同樣是歷來聚訟紛紜的：有的以美來排斥眞和善，而更多的是忌諱善，認爲美和善是不能相容的；有的雖承認美與眞、善有聯繫，但美是高居於眞、善之上的，眞、善不過是美的奴僕。茅盾是主張眞、善、美的統一的，而且不是表面的統一，而是一種深層次的統一。本章闡述的就是他對眞實性、典型性和功利性的論述。

第一節　藝術美與眞實性

　　在茅盾的理論體系中，眞實是文藝的生命，他主張眞、善、美而在眞實的基礎上達到統一。這就需要首先看看他的眞實論。

（一）

　　茅盾在 1921 年 1 月出版的《小說月報》第 11 卷第 1 號上，同時發表了《小說新潮欄宣言》和《新舊文學平議之評議》兩篇文章，都對文學的新舊問題提出看法。前者說：「凡是一個新，都是帶著時代的色彩，適應於某時代的，在某時代便是新，唯獨『美』『好』不然。」後者又說：「新舊云者，不帶時代性質。」這初看起來是十分矛盾的，實際上卻是一致的。他這裡所說的「時代」，實際上只不過是一個時間性概念；而前後所說的兩個「新」的含義卻是有區別的：前者的「新」僅指作品出世時間的遠近，「適應於某時代，在某時代便是新」；後者的「新」是從實質上說的，所謂「新舊」之別，也就是進步和陳腐的區別，而不是時間的遠近。所以他說：「我們該拿進化二字來

注釋『新』字，不該拿時代來注釋；所謂新舊在性質，不在形式。」從時代的遠近來看新舊，那麼「最新的不就是最美的、最好的」，因為『『美』『好』是眞實（reality）。眞實的價值不因時代而改變。舊文學也有『美』『好』的，不可一概抹煞。」所謂「新舊在性質」，也就是以眞實為標準來看文學的新舊，這樣新就用美、好一致起來了。一年半以後，茅盾在《自然主義與中國現代小說》一文中又說：「我們都知道自然主義者最大的目標是『眞』；在他們看來，不眞的就不會美，不算善。」顯然，茅盾是要求新文藝具有高度眞實的品格，以從眞作為善和美的基礎，使眞、善、美統一起來。我們不應當因為茅盾的立論來源於自然主義，就懷疑這個命題，而應當具體地分析這個論斷是否科學，是否有存在的理由，應當考察茅盾自己怎樣論證這個命題。

既然「新舊在性質」，那麼怎樣的性質才算是「新」的呢？《新舊文學平議之評議》對「進化的文學」提出了三個要素：「一是普遍的性質：二是有表現人生、指導人生的能力；三是為平民的非為一般特殊階級的人的。唯其是要有普遍性的，所以我們要用語體來做；唯其是注重表現人生、指導人生的，所以我們要注重思想，不重格式；唯其是為平民的，所以要有人道主義的精神，光明活潑的氣象。」看來這三條主要是指文學的功能和目的（「普遍的性質」據茅盾自己的說明，指的是「普遍性」），並據此提出內容的要求；這樣，實際上就已把眞和善聯繫在一起了。

善，就是推動社會前進的力量，就是社會正義，就是促人向上的情操。它同惡比較著、鬥爭著，一起客觀地存在於現實生活中。因此，文藝作品只要眞實地表現了生活，就必然有了善。而對文藝作品來說，善首先表現為社會功利性，即對人類社會具有促進作用，能使人感奮，引導人正確地認識和對待生活，使人向善，促人前進。這種社會效果，正是眞實地反映社會生活的結果。當然，文藝作品的善不可能是純客觀的，它不僅是文藝家主觀感受的結果，而且體現著文藝家的是非觀念、愛憎之情和美學評價；從這方面說，善又是主觀的。但主觀的褒貶和評價，仍然只有與客觀眞實相一致的時候，才可能有眞正意義上的善。從這方面說，眞又是善的標準。

至於美，在文藝作品中當然有其相對的獨立性。文藝正是通過美的途徑把握和表現生活，才使自己與別的意識形態部門區別開來，成為一種獨特的存在，才能引起人們的美感。但是美也以客觀存在的外物為物質基礎，這在上一章中已有所闡述。特別是現實主義文藝，總是以現重生活作為自己的對

象，自然地也以現實生活作爲藝術美的源泉。常有人以美的事物都是「人自身的對象化」的結果，因而沒有人類社會就無所謂美爲由，來否定美的客觀性。但是一個無情的事實是，沒有客觀對象，就無所謂「人自身的對象化」。人的創造性勞動，包括創造藝術美的勞動，就是要把自然形態（包括人類的現實生活）的對象，加工改造成創造者所需要的成品。這時候，從新的成果以及爲製成此成果而對客觀規律的利用來說，是主觀化、社會化也即「人化」了，但對象本身及其內在規律卻始是自然形態的客觀存在。而且，對具體的個人來說，人類社會本身就是一種客觀存在。所以，只要藝術地（而不是概念地）表現了客觀眞實，就會有藝術美。從這一意義上說，認爲美取決於眞並沒有錯。當然，從生活美到藝術美，是經過文藝家審美處理，滲透著文藝家的美學理想的；但同樣，只有當文藝家的審美處理同美的規律相一致、文藝家的美學理想符合於客觀的社會生活的方向時，才能激起讀者的審美感受，產生健康的美學效果。從這個意義上說，眞同樣可說是美的標準。

這樣看來，說眞是善和美的基礎，說沒有眞就不會有善和美，至少從現實主義文藝著眼，這論斷是能夠成立的。問題很清楚，作爲眞實的對立面的虛假，往往是同醜惡並存的，它同時也是善和美的對立面。文藝作品可以而且應當按美的規律眞實地表現醜惡事物，並且通過這種表現產生善和美的效果，但是虛假的文藝，瞞和騙的文藝，卻決不會有眞正的善和美。

這樣，問題的關鍵不在於眞是善和美的基礎這個命題本身有什麼問題，而在於眞的含義是什麼，以及眞與善、與美如何統一。

在 1923 年以前，茅盾就意識到對眞可以有各種不同的理解，即既可以是超現實的純主觀質，也可以是封建衛道者表現古哲遺訓的眞；再就是來自客觀現實生活的眞。茅盾所強調的正是這種來自客觀現實生活的眞，所以他反覆地說：「眞的文學也只是反映時代的文學」，「表現社會生活的文學是眞文學」。〔註 1〕正因爲這樣，當時的茅盾雖然未能深入地闡述美的本質和規律，未能全面具體地論證眞善美的關係，卻能大致上把眞善美統一起來。這具體地表現在他對「文以載道」的封建功利觀、對超功利的遊戲說和「爲藝術的藝術」論的批判上。

茅盾指出，那些甘爲帝王「弄臣」的封建文人，「都認文章是有爲而作，文章是替古哲聖賢宣傳大道，文章是替聖君賢相歌功頌德，文章是替善男惡

〔註 1〕　《社會背景與創作》，《小說月報》第 12 卷第 7 號，1921 年 7 月。

女認明果報不爽罷了。」〔註2〕這是一種極端的封建功利主張,其結果是使文學「和人類隔絕」,「和時代隔絕」,〔註3〕沒有生活眞實,也沒有美。封建文學中的另一派,正好同封建衛道者的極端功利觀相反,把文學看作是消遣品:「得志的時候固然要藉文學來說得意話,失意的時候也要藉文學來發牢騷。」〔註4〕這種文學由於表現了一定的主觀感情,在某種情況下也可能有某種美的因素,但在多數情況下,由於脫離時代、脫離生活,卻失去了眞實的品格,不能產生積極的功利效果。衛道說和消遣遊戲說的共同特點,是割裂眞善美的關係,只片面地強調一個方面。這種現象,在20年代初的中國還不只是一種歷史陳跡,而且還是一種頗有勢力的現實存在,復古派和鴛鴦蝴蝶派就各自接受先輩的衣鉢,分別在兩個極端上走著眞善美分離的路,茅盾不懈地同他們進行了鬥爭。他在忠實於生活的基礎上,提出眞善美統一的見解,在當時是很有現實性的。

問題的複雜性還在於:當時初生的新文學內部同樣也存在著兩種眞善美分離的傾向。爲藝術而藝術的一派主張創作「出自內心的要求」,「除去一切功利的打算,專求文學的全與美」,這就片面地孤立地強調了美,而與生活眞實、社會功利割裂開來。茅盾反對這種主張,他指出:醉心於「藝術獨立的人們,由於詬病文學上的功利主義」,結果是「把凡帶些功利意味、社會色彩的作品統統視爲下品,視爲毫無足取,甚至斥爲有害於藝術的獨立」。〔註5〕他認爲,既然客觀現實本身到處滲透著政治,那麼作爲反映現實的文學趨向於政治、社會就是不可避免的。《文學與社會政治》一文以俄國、匈牙利、挪威、保加利亞和波希米亞的文學爲例,說明文學與政治的密切關係,最後寫道:「我們上面說的,都已證明文學之趨於政治的與社會的,不是漫無原因的;我們已經從事實上證明環境對作家有極大的影響了,我們也從學理上承認人是社會的生物罷,那麼,中國此後將興的新文學果將何趨,自然是不言可喻咧。若有人以爲這就是文藝的『墮落』,我只能佩服他的大膽,佩服他的師心

〔註2〕《文學和人的關係及中國古來對於文學身份的誤認》,《小說月報》第12卷第1號,1921年1月。

〔註3〕《文學和人的關係及中國古來對於文學身份的誤認》,《小說月報》第12卷第1號,1921年1月。

〔註4〕《文學和人的關係及中國古來對於文學身份的誤認》,《小說月報》第12卷第1號,1921年1月。

〔註5〕《文學與政治社會》,《小說月報》第13卷第9號,1922年9月。

自用而已！還有什麼話可談呢？」這就是說，人既是一種社會的生物，就不可能脫離政治、脫離社會而存在，文藝理論不應當否定文學的社會、政治傾向。

與純藝術派的觀點相反，當時新文學工作者中另有一部分人，「過於認定小說是宣傳某種思想的工具，憑空想像出一些人事來遷就他的本意，目的只是把胸中的話暢暢快快吐出來便了。」〔註6〕茅盾反對這種把文藝與宣傳等同起來，把文藝的功能單一化的做法，更反對把文藝看作是政治的附庸。他首先指出：「思想固然要緊，藝術不容忽視。」在翻譯的問題上，「多譯研究問題的文學果然是現社會的對症藥，新思想宣傳的急先鋒，卻未免單面。」指的也就是只注意政治思想內容，只注意善，而忽視藝術，忽視美。這種片面強調政治功能的看法，必然把文藝貶為圖解政治思想概念的工具，其結果也必然脫離生活，不真實。在茅盾看來，文藝所以必然與政治發生聯繫，僅僅因為政治是一種廣泛的社會的現實存在，是真實地反映現實生活的結果，毋需在真實描繪之外去強加什麼政治教條。恰恰相反，一個態度嚴肅、尊重生活的作家，當發現自己的信仰用生活真實相矛盾的時候，決不會用主觀信仰去篡改生活，只會放棄自己的偏見去服從生活真實。茅盾曾說：「寫實派的第一義是不受宗教上倫理上哲學上任何教條的拘束。」〔註7〕這就是說，寫實派是敢於正視現實的，個人信仰、主觀見解應當服從於客觀的生活真實。這些都說明，茅盾是主張以生活真實為基礎來統一真善美的。

（二）

茅盾早期（指1923年以前）的真實觀，有不少閃光的內容，在當時起過很好的作用，一些說法在今天也仍有現實意義。這突出地表現在如下幾個方面：

一、茅盾已經初步意識到，文藝的真實問題是同事物的共性與個性的統一有關的。《自然主義與中國現代小說》一文，介紹了自然主義者「不真的就不會美，不算善」的觀點後，接著又說：「他們以為文學的作用，一方面要表現各個人生的真的普遍性，一方面要表現各個人生真的特殊性，他們以為宇宙間森羅萬象都受一個原則的支配，然而宇宙萬物卻又莫有二物絕對相同。

〔註6〕《自然主義與中國現代小說》，《小說月報》第13卷第7號，1922年7月。
〔註7〕《寫實小說之流弊？》，1922年11月1日《時事新報》附刊《文學旬刊》第54期。

世上沒有絕對相同的兩匹蠅，所以若求嚴格的『眞』，必須事事實地觀察。」說宇宙萬物「都受一個原則支配」未免抽象，也不科學；倘若這個原則是指遺傳或宿命論之類，那麼茅盾曾明確表示是不同意的。但「普遍性」和「特殊性」統一的觀點，卻確爲茅盾所接受並且加以強調的。這無疑爲典型論提供了一個支撐點。

二、在題材問題上，茅盾力圖使當時的創作界從主觀世界轉向客觀世界，強調作家要「直接從人生中取材」。題材，作爲文藝家的直接加工對象，並不是任何生活現象都可充數的。只有那些被文藝家所認識、所理解並能作出審美處理的生活材料，才能成爲題材。因此，文藝家必須根據自己的生活經驗來取材。這就不僅從題材的角度強化了創作與生活的聯繫，而且使實際創作過程中的審美處理具有可靠物質基礎。

三、茅盾既強調藝術表現對象的客觀性，同時也強調對於題材的開掘，重視思想深度。所謂「見什麼寫什麼」，「眼睛裡看見的是怎樣一個樣子，就怎樣寫」，〔註8〕並不是單純的臨摹，只求外表的「逼眞」，只是說不必離開生活眞實巡加虛幻的理想光圈，也不必在「醜惡的東西上面加套子」，〔註9〕要按照生活本身的邏輯，藝術地表現出生活的內在邏輯和本質，做到形神兼備，且具概括力，這就要求對題材進行深入的開掘。在《自然主義與中國現代小說》中有一個很值得注意的提法：「小說家選取一段人生來描寫，其目的不在此段人生本身，而在另一內在的根本問題。」這裡的「另一」不是指外加的問題，而是指題材固有的內在意蘊。只有透過表面，發掘出題材固有的豐富內涵，才能穿過人生的表面，透視出人生的內核。茅盾還以戀愛題材爲例，闡發了這一論點。如果就事論事地寫戀愛，就難免「內容單薄，用意淺顯」；如果把戀愛放到一定的社會關係中去表現，寫出戀愛雙方的環境、思想性格以及各種社會思潮對戀愛的支配作用，那就不一樣了，就可使人看到社會底細，就會有本質的眞實。這在當時，不失爲一種獨到的見解。

但是，茅盾早期的眞實論仍然是不很完整的，有的提法也不夠準確。如：他強調「客觀的觀察」和「客觀的描寫」，卻也不忽略創作者主體的作用，

〔註8〕《文學與人生》，1922年松江暑期演講會上的演講錄，載1923年出版的《學術演講錄》。

〔註9〕《左拉主義的危險性》，1922年9月21日《時事新報》附刊《文學旬刊》第50期。

認爲「大文豪的著作差不多篇篇都帶著他的個性」，〔註10〕就是說他並不贊同純客觀的態度，但如何使主客觀統一起來卻又缺乏必要的論證；他要求通過對醜惡現實的描繪「隱隱指出未來的希望，把新理想新信仰灌到人心中」，〔註11〕但是如何才使理想和現實結合起來，卻又似乎心中無底；……而最重要的是當時的茅盾對時代和眞實的關係這個關鍵問題，似乎還把握不準。

　　迄今爲止，人們運用「時代」這個概念往往帶有隨意性。但從嚴格意義上說，它是有特殊的政治內涵和階級內容的，這就是我們通常說的時代精神。時代精神是由階級關係的構成、階級鬥爭的現狀和發展趨勢來決定的。文藝的眞實性如何，歸根結底說是以反映時代精神的深廣度來衡量的。茅盾雖然在 1921 年就提出「眞的文學也只是反映時代的文學」；〔註12〕作於 1922 年的《文學與人生》還直接提出「時代精神」的概念，但是理解卻未必恰當。爲了說明問題，現把《文學與人生》中有關「時代」那段話抄錄於下：

> 　　時代，這字或是譯得不好。英文叫 Epoch，連時代的思潮，社會情形都包括在內。或者說時勢，比較近些。我們現在大家都知道有「時代精神」這一句話。時代精神支配著政治、哲學、文學、美術等等，猶影之與形。各時代的作家所以各有不同的面目，是時代精神的緣故；同一時代的作家所以必有共同一致的傾向，也是時代精神的緣故。……近代西洋的文學是寫實的，就因爲近代的時代精神是科學的。科學的精神重在求眞，故文藝也以求眞爲唯一目的。

　　不能說這段話絲毫沒有涉及「時代」的實質性內涵，但明顯地受了丹納的時代觀的影響，因而具有明顯的局限性，這也是事實。用「科學」來概括近代的時代精神，就已經脫離了豐富的階級和社會內容；進而又從科學的「求眞」推導到文藝的「求眞」，這樣的藝術眞實論就難免有機械論的弊病；而把「求眞」看作是文藝的「唯一目的」，又失之片面。再說，同時代的作家傾向可能相同，也可能不同，而不同時代的作家有時「面目」又彷彿很相同；這種同或異，卻恰恰有眞正的時代精神在起作用。大概正是由於這種局限，當時的茅盾在分析社會現狀的時候，可以概括出很有見解的看法來。如《創作的前途》對「中國現在社會背景」的分析以及由三類人所組成的「三條對角

〔註10〕　《新文學研究者的責任與努力》，《小說月報》第 12 卷第 12 號，1921 年 2 月。
〔註11〕　《創作的前途》，《小說月報》第 12 卷第 7 號，1921 年 7 月。
〔註12〕　《社會背景與創作》，《小說月報》第 12 卷第 7 號，1921 年 7 月。

線」，對於青年的煩悶及其原因、可能的後果，都說得很中肯，但是對於眞實的標準卻未能用明確的語言加以恰到好處的概括。到了 1925 年的《告有志研究文學者》，茅盾對時代精神又有新的界說：「這所謂社會意識，實在就是該社會中治者階級的意識，而治者階級的意識便是時代精神的集中的表現。」這裡的「治者階級的意識」云云，顯然來源於馬克思、恩格斯在《德意志意識形態》裡說的話：「在每個時代裡，統治階級的思想就是統治思想。」把這看作是時代精神顯然是與馬克思、恩格斯的原意相違的；把「統治思想」（或茅盾說的「治者階級的意識」）與社會思想（或茅盾說的「社會意識」）等同起來也是不對的。馬克思、恩格斯的原意只是說每個時代的統治階級既掌握物質生產資料，也掌握精神生產資料，力圖以本階級的思想去統治被統治者的思想，而被統治階級的思想則受到無情的壓制，不得傳播，因而一般說只得服從於統治階級，因而一時代的統治階級的思想也就是該時代的統治思想。把統治階級意識和時代精神等同起來，那就等於反映了統治階級意識就是反映了時代精神；已經開始用階級論來裝備自己文學觀的茅盾，是不可能把反映統治階級意識看作是藝術眞實的，所以就在這篇《告有志研究文學者》中，對文學反映時代精神說大有保留。這就是說，當時的茅盾並不把反映時代精神作爲眞實的標準。

在關於革命文學的論爭中，茅盾對於文藝的一些根本性問題進行了認眞的思索，1929 年 5 月在《讀〈倪煥之〉》〔註 13〕一文中對時代性問題提出了新的看法。他說：「所謂時代性，我以爲，在表現了時代空氣而外，還應該有兩個要義：一是時代給予人們以怎樣的影響，二是人們的集團的活力又怎樣地將時代推進了新方向，換言之，即是怎樣地催促歷史進入了必然的新時代，再換一句說，即是怎樣地由於人們的集團的活動而及早實現了歷史的必然。在這樣的意義下，方是現代的新現實派文學所要表現的時代性！」這樣的時代觀與前面說的有本質區別。在這裡，時代是以階級鬥爭爲內容的，階級鬥爭及其必然趨勢是時代精神的內核。時代與人的關係也是辯證的：時代條件給予人以制約，而作爲一定階級（即「人們的集團」）的人則以其活力反作用於時代。應當說，這是馬克思主義的時代觀。這也就是眞實的主要內涵和標準。茅盾就是依據這樣的時代觀（同時也是眞實觀）來論定《倪煥之》以及新文學第一個十年的某些文學現象的。

〔註 13〕載《文學週報》第 8 卷第 12 期。

　　真實的含義，簡單地說本來也不難，無非就是符合客觀規律，也就是合規律性。問題在於：從時代的高度出發，所謂客觀規律就有了具體規定性和具體內容，就有可能將科學的真和文藝的真適當地區別開來；同時也能與文藝的功利性統一起來，可以避免離開生活真實去另加「套子」；而最終，真也就有可能與美、與善達到統一。

　　1930 年以後，茅盾在真實的問題上談了許多意見，大致上都是在這基礎上展開的。他經常告誡作家，只有全面地瞭解社會結構，把握社會全局，才能通過「片段」反映出時代真實。作家可以而且應該從「點」上深入生活，獲得深切的感受，但決不能孤立地看這個「點」，而應該把它放到時代全局的聯繫中去觀察和表現。因此，他非常強調學習生活就是要理解人與人的關係、人與環境的關係、人與歷史的關係。〔註 14〕他自己就是以此為準則去從事創作實踐的。如《子夜》、《春蠶》、《林家鋪子》等名作，就是在把握了中國半封建半殖民地的社會特點以及當時的民族矛盾、階級矛盾的現狀，然後通過具體、生動的藝術形象反映了時代特徵的。這種原則也貫穿在他的文藝評論中。如《〈中國新文學大系·小說一集〉導言》對中國現代文學第一個十年小說的評價，一條重要標準就是從表現時代的深廣度來看創作的成敗得失。他對這十年中「初期的作品」深感遺憾的是「很少有反映著那時候的全般的社會機構的」，而到後半期則對「『五卅』前夜主要的社會動態仍不能在文學裡找見」，造成這後果的原因是作家們與「那造成『五卅』的社會力是一向疏遠的」。這裡所說的「全般的社會機構」、「社會動態」就是階級關係、階級鬥爭和民族矛盾，「社會力」指的則是工人群眾。

　　茅盾指出，自古以來就有兩種真實觀。1931 年 8 月茅盾批評了那種與時代真實忠道而馳的情緒的真實，他說：「只要作家的情緒是『真實』的，那麼，即使是『犯罪』的，有害於別人的情緒，也應當被原諒。」他認為這種「情緒之神聖不可侵犯主義」，其實就是「個人主義萬歲！」〔註15〕解放後茅盾又指出對真實有兩種不同的回答：「一種是作家或藝術家有他們自己的所謂真實的標準，而不管客觀現實的規律；另一種是作家或藝術家不憑其主觀的偏見，而忠實於客觀現實的規律。」〔註16〕兩種真實觀同時也就意味著兩種藝術美學觀。

〔註 14〕　參閱《認識與學習》，《文藝先鋒》第 2 卷第 4 期，1943 年 4 月。
〔註 15〕　《關於「創作」》，《北斗》創刊號，1931 年 9 月。
〔註 16〕　《關於所謂寫真實》，《人民文學》1958 年 2 月號。

　　我們弄清茅盾眞實觀的內核，對於把握茅盾文藝美學體系關於眞與美、善的聯繫問題，是大有裨益的。

（三）

　　本來，從辯證唯物主義的立場來看，眞的問題並不複雜，是不難說清、不難概括的，無非就是反映客觀事物的本質和發展規律。但爲什麼要歸結到時代精神上去，並以此作爲理論上趨於成熟的標誌呢？

　　首先，這樣就從內涵上把文藝的眞和科學的眞區別開來。就是說文藝的眞並不要求像科學那樣毫釐不差地描摹客觀事物，準確地抽象自然現象的本質，也不像社會科學那樣條分縷析邏輯地論證社會現象的規律；文藝是把合規律性注進時代精神中，從現象的總體特徵中去把握眞的問題。其次，上述兩種不同的眞實觀，從世界觀來說，即從客觀存在是第一性還是以主觀的「我」爲第一性來說，也是對立的；但是文藝創作又確實處處離不開創作者的自我，而且這「自我」也納入眞實之中。這就是說，文藝的眞實本身就包含著創作主體的「自我」──思想、感情、情緒都是眞實的。這樣，問題的關鍵就取決於：這眞實的「自我」，包括他的思想、感情、情緒，是否與時代精神相符。如果是與時代精神相一致的，這眞實的自我就很寶貴，表現得就「越頑強越好」；反之，就會與眞實背道而馳，表現得越頑強離眞實就越遠。從這個角度說，從時代精神出發，眞實既爲合潮流的作家藝術家的自我存在提供廣闊的天地，同時又是甄別兩種不同自我的標準。

　　這當然不是說，只要立足於時代精神看眞實就一切問題都解決了。我們探討的既是文藝創作的眞實，就有個藝術眞實的問題。只有實現了藝術眞實，才能既眞且美，達到眞和美的統一。而從生活眞實到藝術眞實則是一個複雜的過程，其基本手段則是形象化。形象化，在茅盾那裡經常是作爲文藝區別於其他意識形態部門的特徵的簡便提法，實際上它的內涵卻是很豐富的。前面已經說過，茅盾認爲形象是外物投射於人的「意識鏡上所起的影子」。這就是說，形象的物質基礎是客觀存在的「外物」──自然現象、社會現象以及人的形貌、動作、心理狀態等，但當它作爲單純的外物而存在的時候還不能叫形象，必須經過意識的作用，即具體一點說就是「經過了我們的審美觀念的整理與調諧（即自己批評）而保存下來」，成爲「意象的集團」，這才可以稱爲意象即形象。在茅盾那裡，素材和題材是有原則區別的。素材，

儘管經過作家的積累，還是一種原始形態的東西；題材，則是經過作家的篩選、改造的結果，已經屬於構思的範圍，甚至是構思的結果，屬於直接表現的對象。這種見解在 30 年代初茅盾就有過闡述（如寫於 1933 年 2 月的《創作與題材》），到 1941 年他又作了這樣的表述：「能綜合而把握全局動向，然後能深切理解各局部，洞悉各節目——那時候，這個你所知的，已頗具體，這才題材成熟。」〔註17〕再過 15 年他又說：「生活經驗的素材要經過綜合、改造、發展這樣的一系列的加工，然後成為作品的題材。這一過程，我們稱為構思。」〔註18〕這個過程，實際上也就是從客觀的物象經過作家主觀的作用，轉化為意識化或心靈化的形象的過程。也就是說客觀物象經過作家心靈的孵化，才可能成為藝術形象。這裡的關鍵是「審美觀念」。

審美觀念當然包括審美認識、審美評價和審美判斷等等。審美認識從反映論來說，也是對外物的一種反映，但這是一種不揚棄現象、感性的反映。審美評價以審美認識為基礎，既有理性的成分，也有感情的成分。在審美認識和審美論價的基礎上創作主體根據自己藝術營造的需要確定棄取，這就是審美選擇。當然，這三項工作不是截然分開的，更不是說選擇以後審美過程就終結了。如選擇後在實際的創作過程中還要對選取的形象或說是形象元素進行審美再認識，更深沉具體地注入主觀感情，作出更深刻的愛憎判斷。這樣藝術形象至少就有如下特點：

一、它是現象和本質、感性和理性相統一的物化形態，而不是揚棄現象和感性的理念。

二、它有理性、共性的內涵，但同時它也被感情化了，因而是理智和情感的統一體。

三、它是以客觀的外物為物質基礎的，同時又是創作主體的創造物。創作主體不僅充分調動認識的能動性，注入深厚的感情，並使形象成為系統化的完整體系，而且可運用虛構、幻想等手段。

這樣，藝術形象就從根本上與理論著作的圖形、標本之類的形象區別開來了。

但是，把藝術形象同理論著作的圖像區別開來，還不能保證有藝術真實。只有經過典型化，塑造出典型形象來，才能有藝術真實。

〔註17〕《談技巧、生活、思想及其他》，《奔流》新集之二《橫眉》，1941 年 12 月。
〔註18〕《關於藝術的技巧》，《文藝學習》1958 年 4 月號。

這就需要探討藝術典型的問題了。

第二節　典型──眞和美的集中表現

藝術典型，是從生活眞實到藝術眞實的最高形式，也是藝術美完整的、集中的體現。也正是藝術典型，使現象和本質、感性和理性、個別和一般、主觀和客觀達到了高度的統一，從而也使眞和美有機地統一起來，並使善也蘊含在這種有機的統一中。

茅盾對於典型的問題有大量的論述，爲我們留下豐富的遺產。這一節就探討這個問題。

（一）

茅盾經常強調人物是創作的核心，因此，這裡首先從典型人物談起。

茅盾曾說，作品中的人物「即使有模特兒，則模特兒決不只一個，而是許多模特兒綜合起來，成爲小說中的一個『人物』」，「小說中的『人物』應當是有一點像某甲，也有一點像某乙或某丙……以至某癸，但不是像他們中的一個。自然，所謂某甲以至某癸，是指同一型的人，而非通指各色人等」。〔註19〕作品內容的豐富性，首先是由人物形象來承擔的，因此，人物性格必須是豐富的，是一種多方面集合的統一體。這裡似某甲某乙云云，就是像蜜蜂採蜜那樣，多方面地從現實人中採集性格元素；而這種採集又不是運用抽象的辦法即不是揚棄感性的採集，而是連血帶肉、形神兼備地採集。只有鮮活的性格細胞，才能綜合成鮮活的性格，簡言之即採集有特徵的性格元素綜合成有特徵的性格整體。應該注意的是，從現實的大量模特兒採集的雖然屬於「類型」的共同特徵，卻不是某種固定成分的量的相加，而是體現爲多側面的質的豐富性。

這裡應該引起我們分外注意的是，茅盾特別聲明「這所謂某甲以至某癸，是指同一型的人」。理應是「同一型的人」，這樣才可能將從某甲至某癸身上吸取來的性格元素「虛擬」成一個統一的整體。如果是「通指各色人等」，對各種性格元素的所謂綜合，實際上就成了雜亂的拼湊。這就不可避免地要牽涉到一個多年來令人頭痛的問題：在「同一型的人」中進行概括，還能迴避類型化問題！大概正是這個原因，這些年來文藝理論界、美學界確有一種怕

〔註19〕《關於小說中的人物》，《抗戰文藝》第7卷第2、3期合刊，1941年3月。

談人物階則性或階層類型的傾向，進而對魯迅、茅盾關於典型概括的一些本應得到肯定的論斷，也持懷疑態度。其實現實人生本身既然存在著階級分野、階層分野，存在著類型的區別，文藝創作就不能不正視這個問題。所謂藝術概括，所謂典型化，應當集中類的共同性特徵，使形象飽含類的實質，成為類的突出代表。沒有這一方面的概括，就不可能有真實。所以，除非放棄我們文藝的真實性原則和積極的社會功能，除非把藝術美和藝術真實分離開來，對立起來，就不應該排斥這種類的概括。

其實，類的概括並不就意味著人物的類型化，兩者之間並無必然的聯繫。從人物性格說，重要的在於如下兩個方面：

一、是否能把各種性格元素組合成有機聯繫的共性，形成性格整體的豐富性。黑格爾說得好：「人的心胸是廣大的，一個真正的人就同時具有許多神，許多神只各代表一種力量，而人卻把這些力量全包羅在他的心裡；全體奧林波斯都聚集在他的胸中。」聚居在奧林波斯的諸神代表了全體的普遍力量，竟能都聚集在人的「胸中」，真是夠豐富的。黑格爾接著又說：「人的性格也湧現出種這豐富性。一個性格之所以能引起興趣，就在於它一方面顯出上文所說的整體性，而同時在這種豐富中它卻仍是它本身，仍是一種本身完備的主體。」〔註20〕這就是說，共性的各側面，性格的豐富，是不能脫離整體性、完滿性和主體性而存在的。

二、更重要的是，典型化不僅要概括共性，而且要提煉出鮮明的個性，使共性和個性有機地統一起來。這正是茅盾所一再強調的。

茅盾在《創作的準備》中告誡人們，人物若「專一臨摹某一個人的面貌以求逼真，只是真容畫師的技倆；藝術家的使命高過於真容畫師多得多，藝術家不是真容畫師。」他要求作家筆下的人物必須是有個性的「活人」，必須「和社會上相當的那一群活人之間：──同中有異，異中有同」。到 1955 年，說了與上引《關於小說中的人物》那段相似的話──似張三、李四又非張三、李四──後，他又說：「完全是一個新的人物，但你對他又很熟悉，有點像剛醒未起時你腦子裡想到的一個人一樣。」〔註21〕這話與別林斯基說的「熟悉

〔註20〕　黑格爾《美學》第 1 卷第 301～302 頁，朱光潛譯，商務印書館 1979 年 1 月版。
〔註21〕　《關於文藝創作中一些問題的解答》，《電影創作通訊》第 16 期，1955 年 3 月。

的陌生人」如出一轍。茅盾甚至乾脆認為只要寫出人物的個性就必然有共性：「一個作品中，人物個性寫得很好而沒有共性是不可能的。……寫的時候，主要寫個性，檢查的時候，也要看有沒有個性，而不是檢查是不是有共性。寫了個性就包括共性了。」〔註22〕這些，可說是把個性強調得相當充分了。

個性就是一事物區別於它事物的獨特性，那怕在同「類」事物中也是如此。這也就是這一事物能夠作為個體而存在的條件和根據。因此，個性本身也是「真」的內涵，同時，也是美賴以存在的依據。美總是與獨特性聯繫在一起的。而與類型化、與重複格格不入的；個性則正是獨特性的一種。

在文學創作中，寫出個性必有共性恐怕不是沒有道理的，至少從創作實踐看個性消融在共性中的現象並不少見，而有了真正的個性而無共性的現象卻難以見到——除非以離奇、怪誕來代替個性。

成功的人物形象，共性和個性總是統一的。共性必須依藉個性而獲得具體的存在，個性則以共性作為自己存在的基礎，彼此互相依存、互相滲透，任何一方離不開對方，任何一方都不能凌駕於對方之上。而且，這種統一也與任何具體的現實現象一樣，是表現在可直觀、可感知的具體形式中而又天衣無縫的。所不同的只是在客觀現實中這種統一是自然天成的，在文藝作品中則是有賴於作家主體的作用的；這種作用如果不成功，就會出現裂痕甚至使一方消失。那又為什麼說有個性就會有共性，而不說有共性必有個性呢？這是因為藝術典型作為一種創造物，共性比較容易湊合（此處特地不用「集中」），也容易演變為概念闡述，個性則必須具體而鮮活。

出色的典型化，不是共性加個性，而是兩者混然一體。所謂共性，總是多元素、多側面的組合。這種組合用茅盾的話來說是一種化學變化。在不同的組合、不同的化學變化中就形成了不同的個性：這是一方面。另一方面，共性的多元素、多側面並不總是平分秋色、齊頭並進、不分輕重的，往往會有所側重或者有主導性的元素。由於側重面不同、主導因素不同，也會使個性鮮明起來。所以在典型化過程中共性自然地會形成、限定個性，個性必然會強化、豐富共性，從而形成不可分離的統一體。

正是這樣，文學史上一些優秀之作，往往概括面越廣，個性也就越鮮明越特殊，以至鮮明、特殊到彷彿在現實中難以找到。所以茅盾有一個見解：一些突出的典型人物，現實並不是能常見的，他對阿Q的分析就持這種論

〔註22〕《關於人物描寫的問題》，《電影創作通訊》第 16 期，1955 年 3 月。

斷。茅盾認爲，就階級地位說，阿Q是個農民，但阿Q的性格素質及其客觀意義卻不僅超越了階經界限，甚至還超越了民族界限，具有全人類的意義。這是由於深廣的藝術概括產生了非同尋常的普遍性。同時，也正因爲這種深廣的藝術概括，使阿Q成爲一個非常獨特的人物，在現實中很難找到這樣的人物。儘管在各階級、階層的許多人物的身上都可以發現某種阿Q相，但把集種種阿Q相於一身的阿Q其人作爲一個總體來看，卻又是獨一無二的，那種表現於一切方面的行爲方式也是獨一無二的。

　　像阿Q這樣成功的人物形象自然不多，但從整個世界文學史來看卻也不是絕無僅有的。如堂‧吉訶德，這個人物的概括力是深廣的，像堂‧吉訶德那樣既眞誠卻又虛妄、既無畏卻又軟弱、既崇高卻又卑微、既可贊卻又可憐，如此等等一些互相矛盾的品格奇特地交織在一起的人物，在當時西班牙的現實中也是難以找到的，單是單槍匹馬去拯救世界這一條就奇得令人忍俊不已。同樣，像哈姆萊特這樣的人物也不是在現實中可以常見的。就是茅盾自己筆下的吳蓀甫也是相當獨特的。孤立地看吳蓀甫的各個性格側面，例如使他顯得分外優越的魄力與才幹，在資產階級中是不難發現的，但是各種性格特點交織在一起，渾然一體地統一在吳蓀甫身上，使他敢於在險風惡浪中冒險，在多條時代「火線」夾擊下拚搏，迅速地發展又迅速地全面崩潰，這卻是相當獨特的。

　　人們經常用魯莽、暴躁或精細、文靜之類的字眼來概括某個人物的個性，其實這往往只是性格的某個側面，把這當作個性來看是不準確的。又有人僅僅把個性看作是一種形式——表現共性的形式，這同樣是不準確的。實際上個性本身就是內容，是構成藝術眞實不可缺少的內在條件，如上所說就在共性的特殊組合中。或許我們可以說，個性是由人物確認自我存在、自我價值的特殊表現。阿Q是被壓在社會最底層的卑賤者，而且可以說是一個不爭氣的卑賤者，這並不等於他不想確認自己的存在和價值。阿Q自然不懂得什麼叫自我存在、自我價值，但他有意無意地總想提高自己，提高到與別人同樣的地位以至超越之，這種努力甚至表現得很頑強。正因爲這樣，革命來了他要革命；面對死亡，那個圈儘管沒有畫圓，但是他深感遺憾，盡力想畫圓它；如此等等都不能小看，都是他力圖肯定自己的表現。可惜的是阿Q的靈魂被扭曲了，他不僅無力正常地確認自己，而且完全被剝奪了這種權利。於是他只得在被扭曲的情況下作扭曲的自我確認；不斷地失敗，就在「精神

勝利」中求取「勝利」。這樣，革命也就成了阿Q式的革命，畫圓也是阿Q式的畫圓，自我確認也是阿Q式的自我確認。這是最豐富的個性，也是最鮮明的個性；這是最高的真實，也是震憾靈魂的美。同樣，堂‧吉訶德如果沒有一種自我確信，又確信得那樣不合時宜，就不會單槍匹馬去拯救世界，真誠而又大無畏地去維護真理和正義，也就不會幹出那麼多荒誕事。哈姆萊特如果沒有自我確信，這個本性善良的人就不會時時不忘復仇，不會有那麼多的內心搏鬥，以至力圖復仇而又一再錯過良機。吳蓀甫正是因為過分看重自己的價值，才會有那種不自量力的野心，才會有那樣的悲劇結局。凡此種種，都說明人物在維護和實現我我存在和自我價值的努力中，存在著個性的奧秘。

（二）

　　茅盾一生始終堅持現實主義原則，他的文藝美學思想也是現實主義的。現實主義儘管有著漫長的發展過程，並且流派眾多，但是在其發展的任一階段、任一流派的作家都信守著一個共同的原則，即把文藝和現實的關係作為基本的出發點，認為現實生活是創作的源泉。這就自然而然要把人物與環境聯繫起來，與典型人物相應，也必須有典型環境，所以恩格斯說的「典型環境中的典型人物」可說是抓住了、總結了現實主義文藝最核心的特點和歷史經驗。茅盾作為現實主義理論家，在典型的問題上在強調典型人物的同時，也很重視典型環境的問題。

　　茅盾把環境分為大環境和小環境，有時又叫廣義的環境和狹義的環境。他說：「環境指故事發生的社會背景，這可稱為大環境；又指書中人物活動的場所，這可稱為小環境。」〔註23〕茅盾認為大小環境都不能忽視，但從典型環境說大環境更為重要。這在《創作的準備》中有更明確、具體的說明：「通常所謂『環境』只是故事發生的場所，『人物』所在的氛圍；這是狹義的……這樣的『環境』是為了「人物」的需要（或者為了故事的需要）而產生。」「支配著人物行動的環境當然是廣義的。這是指一特定地區的生產關係、社會制度、立於支配地位的特權階層以及被支配的階層，在一方面是武器而在另一方面是鐐鎖的文化教育的組織以及風尚習慣等等。在一篇文學作

〔註23〕《漫談文藝創作》，《紅旗》1978 年第 5 期。

品中,應當寫出而且必須寫出的,就是這樣廣義的環境。」這樣自然要向作家提出把握時代全局的要求。如果作家的視線偏於一隅,就既不可能有眞,也不可能發現美。茅盾打比喻說:面對一尊動人的維納斯大理石塑像,人們會「忘記了這是一塊沒有靈性的頑石」,「只覺得天地間如果有所謂『美』,那麼,這便是」。而爬過這塑像的螞蟻們卻「只覺得自己是在爬石頭。光滑滑的,冷冰冰的石頭。人們讚嘆那女像胸前的曲線美有溫和軟柔之感,螞蟻們卻只覺得這裡忽然高起,爬起更加費力而已,⋯⋯全無所謂『美』。這原因就在於「我們人,看見石像的全體,而螞蟻只能看見石像的部分」。從這比喻得出的結論是:「能見全體的,就感得這是『美』,只見了部分的,就以爲這是平常的石頭,亦惟能見全體者能認識客觀的眞實。」〔註24〕

如何才能表現環境的全體呢?那就是通過「生活的一角」或某一生活的截面以表現全體。這當然就需要概括,使「一角」或「一段」成爲時代、社會的「全體」的縮影。那麼,又如何概括呢?正是在這裡,問題又回到了人物,顯示出文藝以人物爲本位的特點;也正是在這裡,顯示出茅盾在典型環境問題上見解的決刻性。

在茅盾看來,人和環境的關係本來是一個辯證地發展的過程。首先是人創造了環境,然後是人的思想和行動受環境支配,同時又反作用於環境。〔註25〕這是符合馬克思主義的觀點的。馬克思在《關於費爾巴哈提綱》中就明確指出:包括費爾巴哈在內的一切舊唯物主義的「主要缺點是:對事物、現實、感性,只是從客體或者直觀的形式去理解,而不是把它們當作人的感性活動,當作實踐去理解,不是從主觀方面去理解。」馬克思主義認爲,正是人通過實踐作用於環境,從而才認識了環境。人的環境本來就是人類自己創造的,沒有人類社會就無所謂人的環境。但是人類創造了環境以後,這環境就和人類社會歷史一起對人的發展起著巨大的制約作用,彷彿成了高居人類之上的無上權威,支配著人的思想和行動。不過人畢竟「懂得按照任何一物種的尺度來衡量對象」,〔註26〕不是環境的奴隸,他的思想和行動要反作用於環境,即改造環境、推動環境的發展,同時也發展

〔註24〕 《「螞蟻爬石像」》,《返人法學院季刊》創刊號,1933 年 12 月。

〔註25〕 參見《創作的準備》。

〔註26〕 馬克思《1844 年經濟學——哲學手稿》,劉丕坤譯,人民出版社 1979 年版第 50 頁。

了人類本身。從這方面說，人又高居於環境之上，是環境的主宰者。這就自然要得出一個結論：「要在『人』和『環境』的活潑的關係上」〔註27〕寫出環境來。

但是，這僅僅是一種哲理性的概括，在實際的創作中怎樣才能既使人物成為主導者又寫出環境來，而且這人物是真正的藝術形象而不是抽象的人呢？茅盾的回答是：「從人的行動中寫出環境來」。從人的行動中見出環境，人自然成為主體；寫人的行動，就是形象地寫人，寫人的具體性，這樣就成了活的藝術形象。人的行動又是故事情節的基礎，人物的一系列行動（包括內心活動）加以系統化，成為有機的系統化的行動系列，就成為情節，而情節也就成為人物的生命史。在那些只有主人公或陪襯人物極少的作品中，人物的生命史所以這樣發展而不是另一種發展，人物的命運所以只能是這樣而不能是另一個樣，都有環境作用的原因，因而完成了人物生命史，也就展示出環境。在那種人物眾多的作品中，主要人物和次要人物交織在一起形成一定的關係，而每個次要人物在他自己的位置上又是一種獨立的存在，用茅盾自己的話來說就是：次要人物「在作品中都是獨立的存在，也各有其個性；而且隨故事的發展，也各有其性格發展的過程，各有其典型的意義」。所以如此是因為「故事中所表現的階級關係、階級矛盾和階級鬥爭的異常複雜的社會現實，決定了除主角而外，還必須有其他人物」。〔註28〕這就是說，每個次要人物本來就是為了反映現實環境的需要進入作品的，而且是作為「獨立的存在」的人物，根據自己的生命史帶著特有的故事情節線索進入作品，與主角、與別的次要人物結成一定的關係。所以，作品的人物關係就是現實的社會關係的反映。這樣典型環境就與時代精神一致了，而典型環境與典型人物又化合為一了——典型人物化入典型環境，使性格有現實依據；典型環境滲入典型人物，環境再不是外加的了。茅盾認為「從人的行動中寫出環境來」與「人在環境中行動」有著原則區別；後者實際上就是「將『環境』作為一個固定的基盤而使『人物』在這上面動作」，這樣就不可能有時代真實，也不會有藝術美。

當然，典型環境同樣應該是獨特的，有個性的。這種個性的形成與「小環境」自然不無關係，而更重要的是人物的個性、行動的獨特性和人物關係

〔註27〕 《創作的準備》。
〔註28〕 《漫談文藝創作》，《紅旗》1978 年第 5 期。

的獨特性所決定的，所以不需要外加。

　　茅盾對人物和環境的關係問題是看得很重的，把它看作是評論作品成敗得失的一個重要標準，甚至還以此作爲權衡各種創作方法優劣的一項重要內容。比如他認爲「古典主義和浪漫主義都沒有從人物性格發展的角度上寫環境和人物兩者之間的關係」，所不同的只是「古典主義卻把環境僅僅作爲人物活動的場所，而浪漫主義卻爲了要使得它的英雄和不相容的環境發生一場你死我活的搏鬥，這才在作品中寫到環境和人物的關係」。這與古典主義的「理性」化、浪漫主義的主觀化有密切關係。只有現實主義特別是批判現實主義，才能把典型環境和典型人物很好地結合起來，茅盾正是在這方面充分肯定了批判現實主義。這是很能體現茅盾的文藝美學思想特點的。

　　缺〔註29〕〔註30〕位置

（三）

　　茅盾在《談技巧、生活、思想及其他》中，一開篇就這樣提出和回答問題：「當前我們這時代，最大最重要最本源的特徵，是什麼？，我打算回答道：變！」這個「變」字其實道出了茅盾文藝美學思想的一個重要原則。

　　所謂「變」，就是矛盾，就是發展，就是運動。任何事物，如果停滯了，靜止了，那就意味著僵化、死亡，當然就談不上美。文藝作品是集中地向讀者或觀眾提供審美對象的，更應該顯示出一種動態美來。靜物畫之類表面看來是一種靜態美，實際上也是把動的某個瞬間、某種態勢通過物化加以固定而已。

　　茅盾並不認爲一切文藝格式、體裁都能表現「典型環境中的典型性格」。比如對於短篇小說，他也要求時代眞實，但明確地說因爲篇幅短小，「不能要求所有的短篇小說都要有典型環境中的典型性格」；〔註31〕至於短小的抒情詩之類，則更可隨感而發，不能作這樣的要求。這類短小的體制，藝術上也有個「變」的問題，但表現卻是不同的。但是像長篇小說之類的大型敘事作品和大型劇本則必須表現出「典型環境中的典型性格」，對「變」的問題自然就有更高的要求。

〔註29〕　《創作的準備》。
〔註30〕　《夜讀偶記》。
〔註31〕　《在部隊短篇小說創作座談會上的講話》，《解放軍文藝》1959 年 8 月號。

　　這「變」，歸根結底說是以生活爲根據的。《談技巧、生活、思想及其他》提出「變」是「當前我們這時代，最重要最本源的特徵」後，又指出並分析了「變」主要表現於「舊的是在沒落，而新的是在生長」。這新舊，主要是指經濟基礎、意識形態、社會制度，包括思想、傳統、習慣。但是沒落者不是自行消失，不會心甘情願地進入墳墓；新生者也不是一無阻礙地發展，不可能一帆風順地成長；實際是舊的在迂迴曲折的複雜鬥爭中沒落，新的在迂迴曲折的複雜鬥爭中生長。這就是生活，就是歷史，也就是環境，所以茅盾歸結道：「從今天到明天，是一個極其錯綜複雜變幻的過程，包含著一長串互相關聯，互相影響著的起伏進退、盤旋曲折、迂迴迎拒，然而終合於軌。」從今天到明天，就是發展，就是歷史。在這發展的過程中，包含著許多充滿著矛盾鬥爭的「今天」。因此，文藝作品寫的雖然是「今天」的現實，卻應當透過這「今天」的現實，體現出「昨天」到「今天」的必然，同時又要展示出「今天」發展到「明天」的必然。「今天」的現實鬥爭有廣泛的橫向聯繫，從「昨天」發展到「今天」，又推向「明天」就是歷史的縱向發展，文藝作品的典型環境就是要表現出生活的縱橫聯繫。新舊鬥爭「終合於軌」，這是矛盾的解決，但不是合二爲一，而是一方戰勝、克服一方，達到一個新的境界。但是，舊矛盾解決了，新矛盾又出現了，所以「終合於軌」，並不意味著沒有矛盾鬥爭，並不是一種凝固寧靜的境界。

　　典型環境的「變」，必然要求典型性格的「變」。環境的「變」不通過性格的「變」來體現就不是藝術的存在、美的存在，而只能是概念的存在。反之，性格的「變」不以環境的「變」爲依據，就不是現實的存在，就不是「眞」的存在，而只是一種虛幻的存在。所謂人物和環境交流，就是寫出兩者在相互依存、相互矛盾中的「變」來，從而形成一種動態美。所以，茅盾認爲「從發展中看人物」有兩方面的含義：「一個人本身有發展，這是一面；一個人所在的社會有發展，這是又一面。人時時在發生變化，社會萬象──即人之周圍亦時時在發生變化；人之變化累積而爲社會萬象的變化；而社會萬象之變化又影響到人使他變。」

　　人物的動態美，正可以通過人物在一定社會中「怎樣應付人事等行動的總體上」去表現。比方「要看生意人，就要在他如何盤算賺錢，如何對付同行競爭，如何應酬買主等等上頭去看，而不是在他躺在床上睡覺去看，──

即使看躺在床上睡覺的生意人，也要看他做什麼夢，而不看沒做夢的。」〔註32〕他曾一再說，人在各種不同的環境下面對不同的對象，神志、舉止、嘴臉是不一樣的。文藝創作把人物在各種情況下的不同表現動態地刻畫出來，就有了豐富性。茅盾的這些意見看起來很平常，實際上卻具有深刻的美學意義。現實中的人，由於種種原因，不可能無保留地袒露他內心的一切，也不可能把內心想的一切都形諸行動。在這個意義上可以說，無論好人或壞人都戴上了面具。文藝創作就是要把一些平常難以發現的內心奧秘揭示出來，把不敢公開的行為展現出來。環境的變化就是要為人物充分地表現自己提供機會，就像排除了主觀和客觀以及倫理道德的障礙，把他內心的一切、把他在一般情況下想做而又不敢做的行動企圖、想說而不敢說的話都說出來。這樣，性格就有了豐富性。

　　但是，正如不能要求一切短小的文藝形式都寫出典型環境一樣，也不能要求一切人物的性格本身都是發展的；即使像長篇小說這樣的體裁，雖然人物性格必須有發展，但也不是每個章節都是性格發展中的一環。但是無論如何藝術描寫卻必須是動態的，在讀者看來人物就像由遠及近，一步步地加強明晰度。茅盾在這方面曾經不止一次地進行過精闢的分析。

　　總之，茅盾不論是評價當代作品還是論述文學史現象，總是把人物與環境的關係——從與環境的交流中動能地表現人物作為一個重要標準。他一貫反對把環境作為一個「固定的基盤」，人物在這基盤前像紙片般移動；他認為這樣的作品既沒有「真」，也沒有「美」。也正是在這方面，茅盾抓住了古典主義的要害。他說：古典主義戲劇「從第一場戲到最後一場，故事接連發生，但對於人物性格並無影響，這些人物的性格是在出場之前就已經固定了的；也就是說，作者在醞釀他的人物的時候，沒有想到環境的變化會影響人們的思想意識，沒有從動的觀點去創造人物，因此，他們筆下的人物不是沒有性格，也不是不典型，然而卻是脫離環境的游離的人物」。〔註33〕古典主義作家一切都從理性出發，根本就否定感性世界的價值，因此環境是被理性過濾過的園林式的環境；人物也是被理性所理想化了的，因而雖然亦可稱為「典型」，但性格卻是不變的；進而，就必然要導致人物和環境的分離。

〔註32〕　《關於小說中的人物》，《抗戰文藝》第 7 卷第 2、3 期合刊，1941 年 3 月。
〔註33〕　《夜讀偶記》。

（四）

茅盾對於歷史題材的創作問題曾經十分關注。關於歷史真實和藝術真實的關係問題在茅盾的典型論中佔有一定的地位，不能不給予應有的注意。

關於歷史真實和藝術真實的問題，綜觀茅盾的論述可以約略地歸納為三個問題進行探討：一是如何對待古為今用的問題；二是歷史真實如何轉化為藝術真實問題；三是如何對待歷史真實和現代意識的關係問題。這三個問題是相互關聯而不是彼此孤立的。

需要說明的是，茅盾自己是把歷史劇（也可以說是歷史題材文學）的根本問題歸納為四個，這裡把其中的「歷史上人民作用的問題」和「歷史劇的語言問題」從略了，另兩個問題與這裡提的在措詞上也有不同。這不是有意篡改，而是從我們要探討的內容出發。

對於第一個問題，茅盾認為「自有歷史題材的文學作品以來，沒有不是打算古為今用的」，〔註34〕不過，「我們的前輩先生」的「古為今用就是以古諷今或以古喻今。但是這種諷喻方法，如果在他們那時代是可取的或者是不得不然的，那麼，在我們今天，就是不可取的，就是不必要的了」。〔註35〕在社會主義社會裡只要用歷史唯物主義反映了歷史真實，就是「對人民進行了正確的歷史教育和愛國主義思想教育，這就是古為今用」。

不過，對文藝創作來說茅盾並不認為有歷史真實就可以了，還需把歷史真實轉化為藝術真實。這就有了第二個問題，即歷史真實如何轉化為藝術真實的問題。這是最核心同時也是最複雜的問題。茅盾把虛構作為歷史真實通向藝術真實的橋樑，甚至把藝術虛構來代替藝術真實，他說：

> 歷史劇的藝術真實這句話確實會把人嚇糊塗了。光是「藝術真實」這個詞，也使一般人會望文生義，發生各式各樣的猜想。因此，不揣冒昧，給這句評論家的用語來一個比較醒目的注釋：歷史真實與藝術虛構的結合。字面不同，涵義則一，而「藝術虛構」一詞也許比「藝術真實」較易理解，也突出了藝術虛構在歷史劇（以及一切歷史題材的文學作品）中的重要性。

從這裡可以看出，虛構在茅盾關於歷史題材文學的理論中佔有何等重要的地

〔註34〕《五個問題——1961 年 8 月 30 日在一次座談會上的講話》，《河北文藝》1961
年 10 月號。

〔註35〕《關於歷史和歷史劇》。本章凡引自該書的不另注。

位。他還說：「歷史劇無論怎樣忠實於歷史，都不能不有虛構的部分，如果沒有虛構就不成其爲歷史劇。」這裡的「歷史劇」實際上可以代表一切歷史題材文學，那麼也就無異於沒有虛構就沒有歷史題材文學。

如何虛構呢？照茅盾的意思主要有兩條：一條是「虛構和誇張都不能超越當時人物的思想水平和意識形態」；另一條是以歷史唯物主義和辯證唯物主義爲武器，在充分掌握歷史事實及其本質的基礎上進行虛構。還是以茅盾自己的話爲準，他說：

> 藝術虛構不是向壁虛構，而是在充分掌握史料，並用歷史唯物主義和辯證唯物主義的觀點和方法分析史料、對歷史事實（包括人物）的本質有了明白認識以後，然後在這個基礎上進行虛構的。這樣的虛構就能與歷史眞實相結合而達到藝術眞實（即在藝術作品中反映的歷史）與歷史眞實（即客觀存在之歷史）的統一了。

茅盾還在這個基礎上，把歷史題材的作品和以現實生活爲題材的作品在思維過程和思維形式上作了比較。他認爲兩者基本上是差不多的，即都按照他一再申述的思維兩階段論進行：「首先是熟悉現實生活，分析生活，然後進行概括，——到此爲止，作家的思維活動主要是邏輯思維，及至轉入形象思維，那就是虛構。」歷史題材作品的創作過程也是這樣，「所不同者，它的賴以概括的資料不是作家自己經驗而是古人生活的記載或傳說，因而作家必須在充分掌握史料（前人記載和民間傳說的歷史生活）、甄別史料、分析史料之後進行概括，——到此爲止，作家是以歷史家身份做科學的歷史研究工作，他要嚴格地探索歷史眞實；此後，他又必須轉變其歷史家的身份爲藝術家，在自己所探索得的歷史眞實的基礎上進行藝術構思，否則，就不免會不自覺地把現代人的意識形態強加於古人身上了。」

儘管茅盾把歷史題材作品的虛構歸結爲「眞人假事」、「假人眞事」、「人事兩假」這樣三種方式，有寬鬆的一面，但他的限制也是相當苛刻的。這就牽出了第三個問題，即歷史眞實和現代意識的關係問題。

這個問題首先與茅盾對虛構的限制有直接關係。從上面的引文已經可以看出，虛構的最高「極限」是「當時人物的思想水平和意識形態」所可能的範圍。虛構所應當避免的則是「不應當憑空捏造，主觀杜撰」。一方面肯定藝術虛構是必要的，但改寫歷史卻是要不得的，是反歷史主義的」，還不能使「虛構成爲以今變古，或者以歷史影射今天」。其中最要害的一條限制則

是不能「從我們今天的現實基礎上進行虛構」,「不能在表面的相似之下硬塞進一個我們今天的思想意識基礎」。茅盾所以對虛構作如此這般的限制又與他對第一個問題即古爲今用問題的看法有關。在他看來,只要有歷史唯物主義和辯證唯物主義認定的歷史眞實,就可以達到古爲今用的目的,而毋須現代(實際上也就是當代)意識來幫腔,所以他說由於對古爲今用作「片面而又機械的理解,就產生了從主觀出發的想像和藝術虛構」。

我們進行以上並不全面卻已顯得繁瑣的介紹,又作了那麼多會使人感到厭煩的引錄,目的是想在此基礎上粗略地談談我們的看法。

綜觀茅盾有關歷史題材文學創作的見解,一個總的感受是:茅盾畢竟是一位有識見的文藝理論家,是一位堅貞不渝、嚴謹的現實主義者。首先,他堅定不移地堅持了現實主義的眞實原則,堅持了對於歷史的嚴肅性。藝術虛構不是改寫歷史,這一論斷,對於廓清糊塗認識,對於防止對待歷史題材的隨意性,保證歷史眞實,具有深刻意義,如果可以隨便改寫歷史,那麼所謂歷史題材就會成爲「亂史」題材。茅盾是眞誠地恪守了眞是美、善的基礎的現實主義美學原則的。同時,他又嚴格遵循藝術規律,正是這樣,他才把藝術虛構(以此代替藝術眞實是否適當則是另一問題)提到那樣的高度。「其所以需要這些虛構(即三種形式的虛構——本書作者)的人和事,目的在於增加作品的藝術性」;顯然,茅盾沒有爲了思想性而忘了藝術性,爲了眞而忘了美。

其次,社會主義的歷史題材文藝是否可以以古諷今或以古喻今,下面再說,這裡需要首先肯定的是:茅盾指出社會主義文藝在這方面應該有不同於過去時代的新要求,這卻是具有創新精神的,其中還包含著觀念的更新。這不禁使人想到馬克思的話:「十九世紀的革命不能從過去,而只能從未來汲取自己的詩情。……十九世紀的革命一定要讓死者埋葬他們自己的死者,爲的是自己能弄清自己的內容。從前是辭藻勝於內容,現在是內容勝於辭藻。」〔註36〕既是這樣,那麼社會主義的歷史題材文藝爲什麼不可以有自己的標準,有自己的創造,有自己的審美選擇?難道非照搬古人的做法不可嗎?從這方面說,茅盾的論斷是富有革命精神的。

再次,上引茅盾的論點都出於 1961 年下半年,我們不能忽略當時的實際。那時,因爲頭腦發熱,社會主義建設已出現了嚴重的問題,文藝界也因

〔註36〕《路易·波拿巴的霧月十八日》,人民出版社 1963 年 6 月版,第 4 頁。

頭腦發熱而出現了以狂熱、架空的幻想充當革命浪漫主義的現象，在歷史題材創作上則出現牽強地以歷史來附會現實（或說據現實需要去隨意篡改歷史）的做法。茅盾是有的放矢的，「的」就是要糾正文藝上的那種錯誤傾向，而且的確起到了糾偏、正確導向的作用。這當然不是說，只在當時有現實意義，現在已經失去價值。理論上的眞知灼見，是不會在短時期內就失去其價值。茅盾的論斷在今天仍有現實意義。如果說 50 年代後期、60 年代初期歷史題材創作出現的那種錯誤做法，是出於爲社會主義現實服務的良好願望，那麼現在有人爲了打出一塊「新」字照牌而罵倒我國的一切傳統文化，否定中華民族幾千年的文明史，以至中華民族站立的這塊土地——這片中華民族賴以生存、繁衍、發展的廣袤土地，彷彿也特別的骯髒醜陋，應當從地球上抹去似的，面對這種情況，茅盾強調尊重歷史並以歷史眞實本身來教育群眾，難道沒有現實意義嗎？

茅盾關於歷史題材創作的論述，其意義是深廣的，以上三方面只是一種極爲粗略的概括，本書第五章還將介紹茅盾關於歷史劇的見解。在這裡，我們接著卻要略陳我們的困惑和異議了。

我們認爲堅持歷史眞實，不能「把藝術作爲護符而悍然改寫歷史、捏造歷史、顛倒歷史」，〔註37〕這應該是堅定不移的原則；因而不能有一絲「從主觀出發的想像和藝術虛構」，不能「從我們今天的現實基礎上進行虛構」，都是理所當然的事。但茅盾說：「不能在表面的相似之下硬塞進一個我們今天的思想意識的基礎」，我們就感到困惑。如果這句話是指把「今天的思想意識」強加給古人，使古人穿著古代的服裝而安上當代的腦袋，成爲傳達當代意識的傳聲筒自然不行（茅盾執實有這個意思），但是如果一概地忌諱當代意識，即不敢胸懷當代意識寫古人古事能行嗎？茅盾的言下之意好像正有這個意思，所以他也有不能用我們今天的「口氣、用語、意識形態」寫古人古事的話。順便提一下，茅盾雖對虛構作了種種限制，但從他三種虛構形式看，總的說還是寬嚴相濟的，不但爲現實主義的虛構提供了足夠條件，也爲浪漫主義的想像留出餘地，從這方面說還是很寬容的。但他對意識形態的禁忌，卻似乎現實主義也很難行得通。在我們看來，根據今天的現實需要進行虛構同用當代意識處理歷史題材是兩回事。實際上各時代的人都根據自己的時代意識看歷史。對我們來說，我們覺得需要強調的倒應該是站在今天的時代高度

〔註37〕《〈關於歷史和歷史劇〉的後記》。

上看歷史、寫歷史題材，這才能跳出古人的舊套而出新。茅盾強調以歷史唯物主義和辯證唯物主義爲武器掌握歷史眞實，但歷史唯物主義和辯證唯物主義本身就是最強固的現代的「思想意識的基礎」，它是革命作家的精神支柱，一待處理歷史題材，它就外化入古人古事中，因而古人古事中也就有了當代意識。實際上作家所以選用這種歷史事件爲題材而不選用別的歷史事件爲題材本身，就不僅有當代意識的作用，而且還會有某種現實原因（至少有他個人的現實原因）在起作用。從這個意義上說，不僅不能排除當代意識，就對「我們今天現實」的限制也應當是有條件的。問題還在於：既是文藝創作，還有個審美處理的過程。審美意識也是意識，而且同時有思想，有認識。不言而喻，作家只能按自己所有的當代審美意識、思想、認識來處理歷史題材，而不能退回到特定的古人的時代去。進而，作家的歷史題材產品一經完成，就以審美創造成品的形態推向讀者，讀者又把作品當作審美對象來看待。這樣，又出現一個實質性問題：讀者是按他所特有的當代審美標準來看作品的——儘管人們的審美標準可以很不相同，但都具有一定的當代性，他要求的也是具有當代審美內容的產品，因而也就不能強使他退回古代去，按古代的審美標準來看文藝作品。茅盾一反「畫鬼易」的說法，認爲畫「歷史上的眞鬼（古人）」更難，這話很有見地。但難在哪裡呢？最難的恐怕還不在「不得不認眞地先做一番歷史研究工作」（這固然不易），而在於如何使當代意識和古代亡靈和諧地統一起來而且是審美地統一起來。

這裡應當有個界限，茅盾曾提過一個界標，這就是：「虛構和誇張都不能超越當時人物的思想水平和意識形態。」我們認爲如果把「意識形態」去掉，這標準是適用的。這就是說，人物形象中雖不可避免地要滲入當代意識，卻不是外貼上去的，也不是外溢的水分，人物仍然像個特定時代的古人。這裡有個關鍵是「度」的把握即褒貶適度的問題，也有個審美把握即藝術地處理意識形態的問題。比如李自成，在封建階級看來是個大逆不道的反面人物，解然前有的歷史學家就是把他作爲反面人物寫進歷史著作中的，解放前不少劇目是讓這個人物以極爲醜惡的反面角色出現在舞臺上的。爲什麼首先在解放區讓他以高大的英雄姿態出現在舞臺上呢？爲什麼到了姚雪垠的長篇小說《李自成》，對這個人物的歌頌竟超越了任何古人呢？這就是因爲各時代、各階級的意識形態不同。茅盾充分肯定《李自成》恐怕主要也在意識形態（包括審美處理）方面。但是意味深長的是：在《李自成》中的李自成作爲領袖

人物而日趨成熟，還有高夫人也成熟到頂的時候，讀者對這兩個人物反而減弱了原有的興趣，有的甚至反感起來，原因是這兩個人物頗近於無產階級英雄。這就是後半部沒把好「度」即不適度。作者似乎把自己的意識形態（特別是階級論）硬往人物身上貼，正患了茅盾所中肯地批評過的強加於人物的毛病。文藝作品中的人物是意識形態的載體。「只恐雙溪舴艋舟，載不動許多愁」，〔註38〕在李清照是那愁載不動也得載，並因此玉成了千古絕唱；但如果過多地不適當地把意識形態往人物身上堆，重得「載不動」，那人物就要癱掉了。

　　歷史上的人和事本來就會複雜的，創作上處理這人和事就更複雜。歷史人物的思想生活和性格又是多側面的，審美處理則是多角度、多層次的，這可說是增加了審美選擇的自由度，可同時也可說是增加了審美處理的難度。茅盾在關於《李自成》的通信中提到盧象升和孫傳庭兩個人物，這兩個人物在書中一正一反。其實，盧、孫二人不過歷史機遇不同而已。盧是在明王朝不得意的情況下被派主抗滿戰場，成為「抗戰」英雄的，真是一種幸運；孫則進入「討賊」陣地，從而也就成了農民革命的對立面。如果盧、孫的使命對換一下，那麼盧在「討賊」方面的努力怕也不會下於孫，而孫在幹別的事時至少算不了反派。在盧、孫自己來說，「抗清」和「討賊」都是自己應盡之職，都是忠於朝廷的正常事業，並非人格分裂，所以吳梅村就兩人都歌頌。我們時代的革命作家就不同了，孫傳庭既是李自成的對立面就只能否定（寫孫的別方面也許尚有可肯定處）；盧既為抗清而死，就只能歌頌。這就是意識形態的作用，而且作者是用得適度的。由此推及別的歷史人物，如岳飛，在他自己來說抗金和鎮壓楊麼起義都是精忠報國，是一致的。可是用我們今天的意識形態來衡量這是兩種相反的力，對前者可放手歌頌，對後者倘有要寫楊麼起義，那岳飛就只能以反面人物出現了，最多只能看在民族英雄的份上，採取適當的藝術途徑而有保留地否定。再如鄭成功祖、子、孫三代，對鄭成功（或捎帶其子鄭經），今天也仍然應該肯定，但即使是同一個革命作家在抗戰時期寫與在今天寫，在藝術處理上就會不一樣。至於孫子鄭克塽，從舊觀念看，他不承祖業是為不孝，放棄反清復明大業是為不忠，應該否定；但從我們今天的意識形態看，則應當說鄭克塽是順乎潮流（他降清已是康熙二十二年），歌頌也許無此必要，否定卻不應該。

〔註38〕李清照《武陵春》。

　　茅盾曾提到「古人的行事儘管和我們今天的行事表面上有相似之處」，但不能據此「虛構爲本質上的一致」，此話本身無需懷疑，但除了「表面上有相似之處」以外，我們是否還可以想想歷史和現實之間有無相通之處呢？馬克思說：「人們自己創造自己的歷史，但是他們並不隨心所欲地創造，並不是在他們自己選定的條件下創造，而是在直接碰到的、既定的、從過去承繼下來的條件下創造，一切已死的先輩們的傳統，像夢魘一樣糾纏著活人的頭腦。」〔註 39〕儘管馬克思接著把話從正面轉入反面，但無論如何，傳統之所以成爲傳統而對我們有用，那麼或者正面或者反面，歷史與現實之間總有相通之處。這相通處也許正是歷史題材創作的根本依據，也就是古代人事和當代意識得以融和的催化劑。茅盾對莎士比亞和古典主義都有過評論。對後者如前所說肯定其除舊布新一面，對其唯理論、形式主義、死板規條則進行了中肯有力的批判。對莎士比亞，他不曾有微詞。古典主義作爲一種創作方法早已被人們拋棄，古典主義作家即使是少數幾個具有世界意義的人物如高乃依、拉辛，他們的悲劇今天愛讀、愛看的不多，唯有大大突破古典主義規範而頗具現實主義精神的喜劇作家莫里哀的作品，其世界性的聲譽似乎長盛不衰，但也難匹莎士比亞作品的感人。古典主義悲劇作家都取材於歷史，但如茅盾所說，只是「藉古人的嘴巴，說作者自己想說的話」。莎士比亞同樣大量地採用歷史題材，而且在處理的隨意性上較之古典主義作家有過之而無不及。看或讀莎劇，人們往往只知其取材於歷史，其古人古事於歷史中卻很難查考，甚至事件發生在何時何地也只有淡淡的影子，人物的思想感情和情緒願望則都是莎士比亞自己時代的（更具體點說是那時代的英國的），就是說是用他那時代的意識形態塑造又反映當時的意識形態的。情況就是這樣，兩者處理題材的態度差不多，效果卻大不相同。原因之一就在於歷史與現實的共通之處莎士比亞要大於或多於古典主義作家。儘管莎士比亞的歷史題材多數並非來自古希臘、羅馬，但他是按當時意識形態戰士的眼光看古希臘、羅馬文化的。而在希臘、羅馬那較之中世紀要自由、民主得多的傳統，與文藝復興時期同資本主義萌芽相應的人文主義要求如張揚個性、發展自然人性等，是頗多共通之處的。同時，古希臘、羅馬文化那種生動活潑、富有生命力的特點，也是他所需要充分地吸收的。文藝復興時期的鬥士們需要的是生動活潑的生命力，多姿多色的生活，自由發展的人性，而不需要僵死的規律、固定的程式、單

〔註39〕同註 36，第 1 頁。

調的色彩。因此莎士比亞的人物雖然穿著古代的服裝，與當時的意識形態卻是合拍、協調的，性格是生動豐富的。古典主義作家就不同，他們感興趣的不是古希臘的傳統，而是藉古人之口以一吐胸中的「理性」，古希臘的傳統與他們的需要距離也實在太大，就是說他們沒有或很少甚至不想找到傳統與現實之間的共通之處。他們反對中世紀的王權和教權的統治，但又想依藉君主制來束縛人們的手腳。理性主義對他們來說既是武器又鐐銬，創作方法是呆板的，結果筆下的人物性格是固定的，環境是不變的，文字也是滯重的。這樣當然就難與莎士比亞的作品匹敵。

　　茅盾要求作家「在自己所探索得的歷史真實的基礎上進行藝術構思，並且要設身處地，跑進古人的生活中來進行藝術構思」，這無疑是應該做到的，否則就保證不了歷史真實，就會失去古人古事的真面目。問題在於如何才能探索得歷史真實，如何才能「跑進古人的生活中」去？我們想，只能站在今天的時代高度上根據當代意識看歷史，才能探得歷史真實。眾所周知，羅貫中並沒有否認曹操的軍事、政治才能，從這方面說《三國演義》是符合歷史上真實的曹操的，但他又總要讓曹操遜於諸葛亮一籌，即使他的計謀與諸葛亮想到一起也要讓他遲一步，為什麼？因為他有個正統思想。你說錯嗎？是錯的，因為由此會導致違背歷史真實。但就羅貫中自己甚至他那時代來說是真實的，他忠實地按自己的意識形態看歷史，歷史本就如此。而且維護正統與東漢末年的歷史是相通的，不是嗎？曹操自己就有正統思想，正是這樣他可以行漢帝之權，卻遲遲不敢廢漢帝之位，於是不廢則「挾之」——挾天子以令諸侯，因為他知道取漢帝之位就會成為「天下共誅」的對象，劉備則恰好利用這一點廣找便宜。反之，我們今天就不能用羅貫中乃至曹操的正統思想看東漢末和三國的歷史，而只能用我們的歷史觀亦即我們的意識形態來看，才能保證歷史真實。至於「設身處地跑進古人的生活中」，當代作家不可能以純粹的自然人「跑進古人的生活中」，他必然根據自己的人生經驗設身處地地揣摩古人的生活。比如他只有觀察或體驗了現實人生中的狡詐或精細的人，才能描摹古人的狡詐或精細。作品所需要的大量細節，更需從現實中提取材料。可見，一概地顧忌現實還是不行的。

　　與上面說的有關，茅盾對「以古諷今或以古喻今」的看法，如前所說，若從革新角度看是很有意義的，但我們時代是否就不能用，卻還值得考慮。從理論上說，只要諷刺還有存在的理由，那麼「以古諷今」也就難說絕對不

行。社會主義階段特別是初級階段，國內還存在著階級和階級鬥爭，愚昧、落後尚未完全擺脫，國際上的鬥爭更是錯綜複雜。在這樣的社會條件下，會有人變質、有人動搖、有人伺機反動，對於這些諷一諷、刺一刺有何不可？至於「喻」，說實在的只要以文藝形式把古人古事推到讀者面前，或多或少都帶有喻的味道。「影射現實」，一般說確是不可用，因為這往往帶有敵對性質。不過也可有例外，如對「四人幫」。這伙人壞事幹絕，人們敢怒（甚至不敢怒）不敢言，在那種情況下要是有人出來「影射」一番，不僅無妨，還需要勇氣。

　　最後我們想說，茅盾把歷史題材創作的目的歸結為「用歷史唯物主義反映了歷史真實」，「對人民進行了正確的歷史教育和愛國主義思想教育」，這在當時因「左」的思潮影響而把歷史與現實隨意附會的情況下，是顯示了巨大的理論勇氣的。但也不能排除由於過分重理性、急於糾偏而忽視了審美功能，忽視了文藝功能的特殊性。我們知道，文藝的功能是多方面的，如認識功能、教育功能、鼓動功能、欣賞功能等，還要從情感、情緒方面影響讀者和觀眾，而一切功能都要藉審美功能而實行。正是這樣，除了歷史科學還需要歷史題材文藝。倘若不顧審美功能，那麼人們會說：以歷史真實為內容對群眾實施歷史教育和愛國主義教育，只要讓歷史學家去做就行了。

　　上面，出於困惑，在深感茅盾理論貢獻重大的同時，也談一些探討性意見，目的是為了更好地理解茅盾，更好地繼承也留給我們的精神財富，從而也更好地發展我們的文藝理論和美學理論。

第三節　藝術美與功利性

　　前面我們已經說過，文藝作為意識形態的一個特殊部門，它是歷史地形成和發展的。人類所以需要它，就因為它有用。歷史上一些文藝家、文藝理論家和美學家反對文藝的功利性，可是正是在他們反對功利的言論中卻反映了他們的功利目的。實際上反對功利本身，就是一種功利觀。

　　我們知道，茅盾一開始文學生涯就十分重視文藝的革命的功利性。標榜「為人生」的文學，要求文學「表現人生，指導人生」，就是一種很突出的功利要求。但文藝是美的產品，它需要藝術性，需要美，它的功利內容及其實現途徑都有別於其他意識形態部門。茅盾的功利內容是什麼呢？怎麼看待文藝的功利性和藝術美的關係呢？這就是本節要探討的問題。

（一）

茅盾的文藝功利觀是前後一致的，但也有個發展過程。最初是從「五四」的思想啓蒙需要出發提出功利要求，其中也包括革新文學觀念的強烈要求。其要點是要求「文學家應當有傳播新思潮的志願」，文學「欲把德謨克拉西充滿在文學界，使文學成爲社會化」，〔註40〕「目的總是表現人生，擴大人類的喜悅和同情，有時代的特色做它的背景」。〔註41〕在他看來西洋文學「一步進一步的變化，無非欲使文學更能表現當代全體人類的生活，更能渲泄當代全體人類的情感，更能聲訴當代全體人類的苦痛與期望，更能代替全體人類向不可知的運命作奮抗與呼籲」。〔註42〕這時候茅盾的功利觀的核心好像也是改造國民性，與魯迅有些相似。他說：「我們覺得文學的使命是聲訴現代人的煩悶，幫助人們擺脫幾千年歷史遺傳的人類共有的偏心和弱點，使那無形中還受著歷史束縛的現代人的情感能夠互相溝通，使人與人之間的無形的界線漸漸泯滅。」〔註43〕到1922年8月他還說：「我以爲在我們現在這樣的社會裡，最大的急務是改造人們使他們像個人。」〔註 44〕可以說，茅盾初期功利觀的特點是從思想啓蒙的需要出發提出要求，少有社會革命的要求，更談不上階級鬥爭的要求。

從1922年下半年開始，社會改革的內容在茅盾的功利觀中有了較明顯的表現，這可以發表在這年12月的《樂觀的文學》爲代表，其中有這樣一段話：

> 我們要迷信：我們要迷信茫茫漠漠的將來。我們要像藍煞羅一樣，定了眼睛對黑暗的現實看，對殺人的慘景看。我們要有鋼一般的硬心，去接觸現代的罪惡。我們要以我們那幾乎不合理的自信力，去到現代的罪惡裡看出現代的偉大來！

這時候的茅盾，在共產黨內已擔負著重要的工作，可說是文學家和社會革命家一身而二任，但是社會革命思想和文藝思想並不完全合拍，而在文藝的功利觀上則已開始向社會改革思想方面靠攏。此後，如前所說，雖然1925年就

〔註40〕 《現在文學家的責任是什？》，《東方雜誌》第17卷第1期，1921年1月。
〔註41〕 《文學和人的關係及中國古來對於文學者身份的誤認》，《小說月報》第12卷第1號，1921年1月。
〔註42〕 《新文學研究者的責任與努力》，《小說月報》第12卷第2號，1921年2月。
〔註43〕 《創作的前途》，《小說月報》第12卷第7號，1921年7月。
〔註44〕 《介紹外國文學作品的目的》，1922年8月1日《時事新報》附刊《文學旬刊》第45期。

寫出《論無產階級藝術》這樣的文章，這當然也表明他力圖使自己的文藝思想和社會革命思想一致起來，使文藝的功利也與中國革命的需要統一起來，但總的說在文藝觀上還不是馬克思主義的，在文藝功利觀上雖加進了階級內容，但並沒有有機地融入他的整個文藝思想體系中。

在關於革命文學的論戰中，他雖然對創造社、太陽社同仁的思想以及他們對他自己的批評，作出有力的反批評，但他對革命文藝問題還是進行了深入的思考，對自己已往的文藝主張也進行了反思，《從牯嶺到東京》、《讀〈倪煥之〉》這兩篇著名的反批評論文，正是這種思考的成果。在功利的問題上，最明顯的一個特點就是對表現時代有了更全面的認識，對時代本身的看法也顯示出階級分析的階級論特點來。從 30 年代初開始，也即從日本回國以後，由於大革命後的深沉思索和不懈探求，他建立起馬克思主義世界觀，文藝思想和社會革命思想趨於一致，文藝的功利觀和社會革命需要也趨於一致，階級鬥爭的內容自然就突出了。

但是作為忠誠的革命者和真誠的現實主義者，同一個革命功利主義，在具體的提法和要求上，又是隨著各革命階段的任務不同而不同的。如果以新中國成立為分界線，那麼解放前和解放後是有不同的。解放前茅盾面對的是舊中國的黑暗現實；後來有了解放區，他也仍然生活在國民黨反動統治下的國統區；所以他的主要要求是要揭露黑暗、描繪光明和黑暗的鬥爭，可以說解放前這是貫穿在他的功利思想中的一條主線。茅盾在《讀〈倪煥之〉》中甚至說，寫小資產階級的「落伍」這一類的黑暗，在感人——或是指導這一點上，恐怕要比那些超過真實的空想的樂觀描寫，要深刻得多罷！」當然，隨著新民主主義革命各階段的中心任務不同，茅盾的功利要求在具體提法上也是有調整的。在 20 年代，主要是要求作家通過對現實的描繪，讓人們不忘「自身實在是住在豬圈裡」，不忘「自己身上帶著鐐銬」。到 30 年代初和抗戰前這段時間，主要是要求揭露國民黨統治的反動本質以及由此帶來的災難，表現人民革命的合理性和必然性；在民族矛盾上則要求反對「攘外必先安內」的反共賣國路線，激勵革命人民的反帝決心和熱情；而中心則是要描繪出半封建半殖民地的中國現實的真實面貌，以及改變現狀的必由之路。在抗日戰爭時期，歌頌人民英勇抗戰和揭露國民黨反動派投降賣國以及發國難財等反動行徑，自然就提到了首位。國民黨的文藝政策是只能歌頌不能暴露，茅盾則針鋒相對，主張暴露，並揭露國民黨所謂「歌頌」的反動實質。這種對立本

身就是不同的功利目的之爭。解放戰爭時期，茅盾的功利要求先是落實在反內戰，爭民主、自由上，隨著形勢的發展又表現為頌讚中國共產黨領導的人民解放事業必勝，揭示蔣家王朝必將覆亡的命運。這些，就是解放前茅盾的功利要求的發展概況，各時期的基本精神是一致的，具體側重點則有所不同。至於解放後，他的功利要求總的說就是為社會主義革命和社會主義建設服務，這是大家都知道的，不需贅述。

但是，問題的要點還不在茅盾有怎麼樣的功利要求，而在於既是功利的，又是美的，兩者如何統一。如果只介紹上面講的那一面，而不涉及這更重要的另一面，那就難免要歪曲茅盾的文藝思想。下面就來探討這個問題。

（二）

文藝要求美，它的多種功能都要求在審美功能的基礎上實現，這實際上也就是要求在藝術美中必須蘊含功利價值。但在現實生活中、在人的觀念中，有功利價值的卻不一定是美的。這有種種情況：有的事物有實用價值卻不一定美；有的事物形式是美的而內容卻不一定合於功利目的；有的內容上合乎功利目的而形式卻是醜的。特別是現實現象，往往具有多方面的屬性，如一棵樹，可供建築用、可作燃料、可供研究用、可供觀賞用等等，就看你如何去運用它。當然，文藝上的功利，除了建築、工藝美術（這些不屬於純文藝）外，一般是精神性的作用。但是精神性的功利與美是很容易出現矛盾的。精神性的功利在許多情況下往往與歷史地形成、世代相傳的概念相聯繫，或者是與現實的抽象相聯繫，如某些倫理道德準則。我們還知道，文藝上的功利在很大程度上歸入善的範疇，或與善相聯繫。於是又出現了困難：在現實生活中往往善惡並雜，難以區分；而惡又不能不進入文藝作品，這惡又怎樣成為美並且轉化為功利即善呢？所以這些，都容易使藝術美與功利性產生矛盾。

茅盾如何解決這種矛盾使之統一呢？如果要用一句話來概括茅盾在這方面的主張，那就是：通過完整的藝術形象自然地或者是潛移默化地影響人。

茅盾一生，一方面強調文藝的革命功利作用，一方面又不遺餘力地反對公式化概念化，其目的就是要使美和善統一起來，通過藝術美自然地達到功利目的。

茅盾說：「作者千萬不要將自己的嘴巴插進書裡去發議論，也不要將自己的嘴巴插進書裡去『作結論』。」為什麼呢？他申述道：

一位作家的「世界觀和人生觀」應當而且必須表白在他的作品
中；一位作家應當而且必須用他的作品來批評社會，來憎恨那應得
憎恨的，擁護那應當擁護的，讚頌那值得讚頌的：──這都沒有問
題。但是，要記住的是：因為他是作家而且寫的是文藝作品，所以
應當把他的「世界觀和人生觀」融合在他的藝術形象中，就是要從
作品中「人物」的行動上表白出來，而不是用作者自己的嘴巴插進
書裡去「發議論」。

對於「作結論」，茅盾限制得更為嚴格，他說：「不但作家把自己的嘴巴插進
書裡去『作結論』是不行的，就是他借用書中『人物』的嘴巴來『作結論』，
也是不應當。」這又是為什麼呢？這是「因為藝術品的教育作用，不是『宣
講式』的注入，並不是像解答一個代數方程式那麼『公式』的地，而是使讀
者不但在掩卷以後對於書中的『人物的運命』深深思索，並且對於周圍的活
人的（連他自己的）運命也深深思索」。〔註45〕

這些話看起來普通，實際上卻包含著深刻的美學意義。

原來，審美感知必須而且只能從具體感性中獲得；功利則不一定與具體
感性同在，特別是功利作用可以從抽象的概念中獲得。藝術美不僅要具體可
感，而且形象必須是完整統一的，其內涵是綜合性的；功利在多數情況下恰
恰要從對象的整體中分離出來，茅盾要求作家不要用自己的嘴巴發議論，而
要通過人物的行動來體現，就是要使功利與美的物質載體聯繫起來，而不是
從美的具體性中抽象出來。茅盾所說的「人物的運命」，就是個別、具體而又
完整有機的典型形象。功利就在這樣的形象中。

功利和美可能衝突，但從馬克思主義看來，革命功利和美又存在著統一
的可能性。這是因為，從精神上說革命功利總是與人類的進步、社會的進步
聯繫在一起的，總會有利於人類從「必然」向「自由」挺進。同樣，美按照
馬克思的說法也意味著人的自我確證，與人性的復歸聯繫在一起。茅盾所說
的把作家的憎懷所應憎恨的、讚頌所應讚頌的連同他的人生觀世界觀注入人
物形象，就是要求這兩者在共通性的基礎上統一起來。

完整的藝術形象往往是一種多側面、多層次的綜合體，這體現為形象內
涵的豐富性。功利作用就包含在這綜合體中。這不是說功利目的總是被動地
受制於美、被動地由美來決定的。茅盾十分強調作家的世界觀的作用，強調

〔註45〕《創作的準備》。

作家在審美選擇和整個審美處理過程中的主觀能動性；這就是說，完整、豐滿的藝術形象、藝術美本身就是主觀努力的結果。作家無疑是帶著傾向性和功利目的去塑造他的藝術形象的，就是說作家的功利要求本來就是形象的內在因素，功利目的必須要反作用於藝術美。

作家的能動作用和功利目的對藝術美的反作用，在成功的形象塑造中都不是強加的。作家在審美選擇和藝術概括的過程中，他認爲對象的某種屬性富有本質意義、具有特殊價值，他就突出、強調有關的特徵。這也就是人物的主導和核心性格，功利目的也就隱含其中了。當作家的這種「突出」和「強調」不是從對象的整體中分離出來，更不是抽象出來，而是在形象的各種屬性的內在聯繫中加以突出和強調時，這種「突出」和「強調」並不損害形象的豐富性；相反，成功的形象塑造只會因此而加強形象各種屬性的有機聯繫，同時也使形象更完滿更豐富。正是這樣，典型形象往往既有內涵的規定性，同時又有多義性，會大於思維，使作家得到「額外收入」。這正如黑格爾所說的：「性格的特殊性中應該有一個主要的方面作爲統治的方面，但是儘管具有這個定性，性格同時仍須保持往生動性與完滿性，使個別人物有餘地可以向多方面流露他的性格，應適應各種各樣的情境，把一種本身發展完滿的內心世界的豐富多采性顯現於豐富多采的表現。」〔註 46〕所以，茅盾在談了上面讓讀者從人物的行動中自然地得出結論後又指出，即使結論泊納在人物的系列行動即「消納在故事的發展中」，「也不必特別巴結，再來正面的說明」，以免「損害了藝術的暗示力與含蓄性」，要有「引起讀者的思索的餘地」。對於人物的個性也是如此，一方面「必須寫得明晰」，另一方面又不能爲求明晰而「盡量細描」，同樣要做到「耐人思索」。把茅盾的這些話與前面說過的似某甲非某甲，似某乙非某乙——同中有異、異中有同等話聯繫起來看，與黑格爾的意見是一致的。

茅盾還曾提議：「把新文學中幾部優秀作品的各色『人物』，各以類聚，先列一個表，然後再比較研究同屬一社會階層的那些『人物』在不同作家的筆下，有什麼不同的『面目』；於是指出何者爲適如其分，銖兩相稱，何者強調了非特殊點而忽略了特殊點，何者甚至被拉扯成『四不像』。」〔註 47〕這話的用意雖然是在要求通過比較研究而總結經驗，但也體現了他的美學思想。

〔註46〕《美學》第 1 卷第 104 頁。
〔註47〕《大題小解》，《時代文學》第 1 卷第 2 期，1941 年 7 月。

這就是藝術形象必須要有特殊性，必須是有機的完整體而不是拼湊的「四不像」，作家所強調的不僅是恰該強調的，而且是適如其分的。文藝的功利性就依藉這種經過作家強調而又是特殊、有機的完整形象來實現。這也就是藝術美和功利性的統一。

（三）

文藝家的功利觀，是與他的政治思想傾向緊密相聯的，簡直可說兩者是二而為一的東西。

茅盾經常強調世界觀的作用，認為對同一事物從不同的世界觀和不同的立場來看，就會有不同的結論，從而也就會採取不同的態度。也還曾說，沒有正確的傾向性就不會有真實，所以對那種以旁觀者冷眼看世界的態度，他是極為反感的。世界上「有製造葉子牌、麻將牌乃至春畫的人；也有製造鋤頭、斧頭、鐮刀、鋸子的人，現社會上充滿了這些矛盾」。〔註48〕作家應該站在哪一邊？應該歌頌什麼？反對什麼？必須作出抉擇；一抉擇就難免有傾向。而人們的善惡愛憎又是那樣的不同：「有些人稱之為乾爸爸者，在另一些人眼中卻是敵人。」〔註49〕可見，有不同的愛憎、不同立場，就有不同的選擇。傾向是不可避免的。

所謂傾向，簡單地說就是在世界觀、階級立場的作用下，對社會現實所採取的基本的迎拒態度。正確的傾向性是建立在對於社會發展規律的正確認識的基礎上的，並有相應的思想體系——對革命作家來說就是馬克思主義——為指導，對於光明與黑暗、前進與倒退、新與舊等等基本矛盾有明確的認識、明確的愛憎態度，並在此基礎上自覺地採取行動，對創作來說也就是付諸創作實踐。

但傾向性與功利性應當與藝術規律統一起來，成為藝術規律的有機成分，只能有利而不能破壞藝術美的創造。文藝上的傾向性在表現形態和客觀效果上都是有別於其他意識形態部門的。在文藝作品中，它與美同在，不露痕跡地通過完整的藝術形象影響人們的思想、感情、情緒和意志。恩格斯在給拉薩爾的信中說：「我們不應該為了理想而忘掉現實，為了席勒而忘掉莎士比亞。」〔註50〕

〔註48〕 《雜談文藝現象》，《青年文藝》第 1 卷第 2 期，1944 年 9 月。
〔註49〕 《文藝修養》，《文藝修養叢刊》之一《文藝修養》，1946 年 6 月。
〔註50〕 《馬克思恩格斯列寧斯大林論文藝》，人民文學出版社 1959 年版，第 14 頁。

在給明娜・考茨基的信中又說：「我認爲傾向應當是不要特別地說出，而要讓它自己從場面和情節中流露出來，同時作家不必把他所描寫的社會衝突的將來歷史上的解決硬塞給讀者。」〔註51〕這些我們都是很熟悉的。恩格斯這些話的核心就是傾向是必需的，但決不能因傾向而忘了藝術，忘了形象，損害了藝術美，所以他在給拉薩爾的信中還特別聲明「我是從美學的觀點和歷史的觀點」提出要求的。茅盾也有類似的說法。上面已經提到過，他認爲功利目的要消納在人物的行動裡。而行動，在茅盾那裡與情節是同一回事。故事根據生活的可然律，用行動組成。他說：「自製故事，用『動作』來表現這故事」，〔註52〕同時也就傳達了作家的傾向性。恩格斯要求作家不要「爲了席勒而忘掉莎士比亞」，茅盾則根據普希金對拜倫和莎士比亞的評論提出「不做拜倫，而做莎士比亞」，〔註53〕理由是莎士比亞的人物「一個個是活的人，在社會中可以找出來；而拜倫寫的人物，往往是他自己的化身」。這就是莎士比亞的人物是豐滿的，體現了生活的豐富性；拜倫的人物只是本身性格的部分外化，不僅單薄，而且這樣也容易以主觀偏好來代替社會功利和政治思想傾向，有成爲「時代精神的傳聲筒」的可能。

作家的傾向性往往與他的審美理想聯繫在一起。所謂審美理想，據我們的理解就是社會理想和藝術追求的統一。傾向性納入審美理想，才能避免傾向性和概念化結爲孿生姊妹。

正如傾向性有正確和錯誤之分，審美理想也有個是否合乎時代潮流的問題。凡與社會發展方向、人類的終極目的一致的，是正確的、進步的，反之就是錯誤或反動的。茅盾的社會理想是實現共產主義；藝術上是追求完美的藝術形式和藝術形象，以激勵人向美好的方向前進；所以屬於前者，是革命的。

審美理想既包含社會理想，自然就不會單是作家個人的，而必然帶有階級、階層的性質。但是另一方面，這理想既是審美的，那麼無論是人和現實的關係，還是人與人的關係，便都表現爲審美關係，所以它也可以看作是某一階級、階層審美經驗的總結和審美關係的展望。它存在於人的意識中，表現於人的行爲中，其中包括心靈性的活動。因此，傾向也就與具體可感性聯

〔註51〕 同上書，第 52 頁。
〔註52〕 《創作與題材》，《中學生》第 32 期，1933 年 2 月。
〔註53〕 《雜談文學修養》，《中學生》第 55 期，1942 年 5 月。

繫在一起。

到此，我們再回過頭去看《告有志研究文學者》中說的「整齊和調諧正是宇宙間的必然律，人類活動的終極鵠的」，其含義就可明白了。原來這是就審美理想說的。所以我們說，把它作為審美導向是可以的，卻不是美的現實內涵，因為無法把這「終極鵠的」作為現實來表現。這從人性方面說，就是追求「理想的人性」，人性的「復歸」也就是「理想的人性」的實現。文藝創作就要在這「理想的人性」燭照下，揭開人性中的蕭艾得以滋長的條件，從而沒法拔除之；同時也要展示出人性中的芝蘭得以含苞挺秀的條件，進而設法培養之。〔註54〕這就是美，就是善，也就是真。

同樣，社會發展的理想是共產主義，但是這理想的社會還沒有到來，現實中光明和黑暗還交織在一起，進行著激烈的鬥爭，因此既要「有所歌頌，亦必有所暴露」，問題只在「作者站在哪一種立場上去歌頌或暴露，去理解那光明面和黑暗面」。〔註55〕毫無疑問，那美好的理想社會就是導向，就是確定歌頌或暴露的標準。在現實中「到處展開了善與惡的鬥爭，前進與倒退的矛盾，光明與黑暗的激蕩」，如果「單單挑出一面來寫，就非現實」。但這又不是純客觀的描寫，而應該在審美理想導引下以鮮明的革命傾向加以表現，要使人「從光明中間看出有隱藏著的黑暗，要是不提高警惕，那潛伏著的黑暗是會擴張起來的；同時也要透過了濃厚的黑暗，看出那現在雖然還居於劣勢但是正在且必然壯大起來的光明勢力」。只有這樣，文藝「才盡了它指導生活的任務」。〔註56〕

但是，這又不是說不能專寫生活的醜惡面。「一個作家用對於醜惡的無比的憎恨與忿怒寫出來的暴露作品，其反映一定是積極的」，因為，「文藝的教育作用不僅在示人以何者有前途，也須指出何者沒有前途；而且在現實中，那些沒有前途的，倘未加以打擊，它不會自己消滅，既有醜惡存在，便不會沒有鬥爭，文藝應當反映這些鬥爭又從而推進實際的鬥爭。我們不能作『信天翁』！」〔註57〕醜惡的對象一進入文藝作品，由於經過作家審美標準的權衡，在審美理想的燭照下經過審美處理，成為具體、個別而又內涵豐富的完

〔註54〕 參見《「最理想的人性」》，《筆談》第 4 期，1941 年 10 月。
〔註55〕 《如何擊退頹風？》，《文萃》第 1 卷第 2 期，1945 年 10 月。
〔註56〕 《從百分之四十五說起》，《中原》第 1 卷第 4 期，1944 年 2 月。
〔註57〕 《八月的感想》，《文藝陣地》第 1 卷第 9 期，1938 年 8 月。

整的藝術形象，它就具有了藝術美。而從揭示了本質說，則又是眞的；從客觀效果即從社會功利說，同時又是善的。這就是通常說的化醜為美──不過嚴格地說這種提法並不確切，因為並非醜惡本身「化」成了別一種非醜惡的東西；這「化」只能限定在審美化的含義上才是合理的。所以，正確的說法應該是醜惡的東西審美化或藝術化了，從而轉化為審美對象。

這裡不禁使人想到車爾尼雪夫斯基關於美的定義：「任何事物，凡是我們在那裡面看得見依照我們的理解應當如此的生活，那就是美的。」〔註 58〕這與其作為美的定義，還不如作為審美理想來看更為合適。但就是作為審美理想看也會帶來很多副作用。因為從藝術創作角度看，首先，「依照我們的理解」為準，那就把美、把文藝創作的源泉都歸入主觀，就把現實生活排除在外了；其次，根據「應當如此」來生產美的產品，那同樣意味著美以主觀為轉移，而似乎可以不顧生活的客觀規律；而如果把這「應當如此」理解為未來的理想，那麼它又必然要脫離現實，即使是浪漫主義也是脫離現實的浪漫主義。茅盾的提法則是「文藝家的任務不僅在分析現實，描寫現實，而尤重在於分析現實描寫現實中指示了未來的途徑」。〔註 59〕這提法是理想和現實的統一，並且是以現實生活為文藝的本源的，是符合馬克思主義美學原則的，遠遠高出車爾尼雪夫斯基的論斷。可是車爾尼雪夫斯基還有一個提法：「凡是出類拔萃的東西，在同類中無與倫比的東西，就是美的。」〔註 60〕這眞有點像美的定義，但同樣是經不起推敲的。按「出類拔萃」的固有意義看，只有最傑出的時代英雄才是美的，才能進入文藝作品，那就「一半」的現實也沒有。只有當我們把這四個字的原有含義改掉，作為最有代表性解，即充分集中了「類」或「族」、「種」的各種屬性，具有典型的豐富性，還勉強可以成立；不過，這也只能作為典型「類」的依據，卻難以作為美的定義而存在。總起來說，車爾尼雪夫斯基的《藝術與現實的審美關係》有著明顯的多元論的性質，在理論邏輯上也有些混亂。我們不否定它曾經起過積極的作用，但像過去那樣作為金科玉律來看卻大可不必。

〔註 58〕　車爾尼雪夫斯基《藝術與現實的審美關係》，人民文學出版社 1979 年版，第 6 頁。
〔註 59〕　《我們所必須創造的文藝作品》，《北斗》第 2 卷第 2 期，1932 年 5 月。
〔註 60〕　同註 58，第 4 頁。

（四）

人們有理由說，沒有感情就沒有藝術，沒有藝術美。文藝，總是感情化的；情感，濡染文藝作品的每個細胞，是內容的重要方面。正是這樣，它才具有其他意識形態部門產品所沒有的感染力。

平常有人議論，認為茅盾重理性、重功利而忽視以至排斥情感。我們全面地學習了茅盾的理論著述後，覺得這是一種極大的誤解。情況恰恰相反，茅盾十分重視文藝的情感價值。在他的某些理論概括中也許會脫略情感內容或者強調得不夠，但把他的理論作為一個整體來考察，卻可發現，他是把情感看作貫穿文藝生產全過程的必備條件的，認為情感濡潤著藝術品的內外周身，也影響藝術欣賞的全過程。

茅盾作為一位卓越的作家和文藝理論家，對於情感的這種關注，其實是理所當然的事。文藝可以說是一種塑造人的工作。一方面它以現實的人和人的現實為對象、為創造原料；另一方面文藝家的生產也就是要塑造有生命的藝術形象和生命賴以活動的形象世界。可以說，文藝家是以自己全部的精神活力包括情感來孕育藝術形象的，因此不能不情感地予以對待，其產品也就必然要產生情感效益。所以傾向性乃出於必然，毋須強加，作家不可能對自己筆下的人物以至各方面賦予愛憎之情。反之傾向性又強化了文藝的情感性，迫使作家不能不作出情感選擇、情感判斷。

從功利方面看，茅盾還在青年時期就強調文藝要從感情以至情緒上影響人。「擴大人類的喜悅和同情」，〔註61〕「文學是人精神上的糧食，它不但使人欣懷忘我，不但使人感極而下淚，不但使精神上得相感通，而且使人精神向上，齊向一個更大的共同的靈魂。」〔註62〕諸如此類的話，在茅盾早期的言論中是一再出現的。到他建立起馬克思主義世界觀以後，對於情感自然就有了明確的階級區分，但並不因此而忽視文藝的感情功能，而總是把「感人」作為文藝功態的先決條件，而且，進入30年代以後，茅盾還注意了情感的多種形態。比如他評《他的子民們》，以「悲壯」〔註63〕來肯定其感情和情緒效果；對《春天》的人物以「可憎恨，可愛的，可笑的」來綜合其情感的多元

〔註61〕《文學和人的關係及中國古來對於文學者身份的誤認》，《小說月報》第12卷第1號，1921年1月。

〔註62〕《一年來的感想與明年的計劃》，《小說月報》第12卷第12號，1921年12月。

〔註63〕《關於鄉土文學》，《文學》第2卷第2期，1936年2月。

性；〔註 64〕在爲《沒有結局的故事》作序時，又用了現有的美學範疇難以概括的語言來概括此書的感情特點，他說：作者「給我們聽一個靈魂的呻吟；感情的波浪掩蔽於漠然的苦笑之下，有旋律，然而多麼舒徐，淒惻，像靜泉汩汩，決不是奔流四濺……」〔註 65〕這是把感情特點連同表現形式一起表達出來了；在評《暗流》時，則用「苦悶」、「掙扎」、「呻吟」等來概括人物的感情、情緒特點；……

毫無疑問，文藝作品的這種情感效果，取決於作家的情感關注和情感傾向。在茅盾看來，作家流注於作品的感情，是從生活中來又在生活中蓄積而成的。「我們從生活經驗中，——就是從我們的工作中接觸到的各式各樣的人以及各式各樣的所做的種種事情裡頭——感得了有可恨的，有可笑的，可歌可泣的，而且感染力很強，以至隔了多時，我們還能喚起活生生的回憶……我們寫成了，心裡暢快得很，好像把要傾吐的東西傾吐出來，這樣產生的作品，就是所謂瓜熟蒂落，因而也不會是公式主義的。」〔註 66〕這分明是說，作家體驗生活不能只有理性的觀察和分析，更不能冷靜而純客觀地積累素材，而必須有深入的情感體驗，有情感傾向和判斷；而作品的是否公式化，與作家的感情是否飽滿有密切關係。只有作家本身進行了深入的情感體驗，在作品中注入深厚感情，作品推向讀者的時候，才能「震撼著他們的靈魂，使他們痛苦的哭，痛快的笑，提高他們的情緒至於白熱」。〔註 67〕

文藝規律就是這樣，傾向性促進創作激情的產生，制約著作家的情感態度和情感判斷；而情感態度和情感判斷則一方面突出、強化了傾向性，另一方面又使傾向隱蔽起來以至騙過了讀者，使讀者同情和接受了本來他不願同情和接受的東西。

但是，正如茅盾的創作是富有個性的，他的理論也是有特點的。首先，在茅盾那裡，感情是受理智制約的。他反對「濫情」，反對與時代、與人民大眾格格不入的純然個人感情。還在青年時代，他就把感情是與人民大眾共同的還是作家個人的，作爲區別新舊觀念的重要標誌。他說：「文學作品中的人也有思想，也有情感，但這些思想和情感一定確是屬於民眾的，屬於全人類

〔註 64〕　《春天》，《工作與學習叢刊》之二《原野》，1937 年 3 月。
〔註 65〕　《序〈沒有結局的故事〉》，見《沒有結局的故事》，1944 年。
〔註 66〕　《公式主義的克服》，《文藝陣地》第 2 卷第 7 期，1939 年 1 月。
〔註 67〕　《如何擊退頹風？》，《文萃》第 1 卷第 2 期，1945 年 10 月。

的，而不是作者個人的。」〔註 68〕舊文學如名士派文學不是沒有情感，但僅僅是「個人的」，舊文人是把文學當作「個人寄慨」的工具，所以要不得。而作為無產階級革命作家和理論家的茅盾，他所要求的感情則是一種革命化的感情。他說：「一個前進的藝術家在民族的英勇鬥爭中親身體驗了鬥爭的生活，他的喜悅，他的悲憤，他的鬥爭時的快感，他的對於最後勝利的確信，是他個人的，然而亦就是全民族的，他由心靈的激動而來的『呼喊』，一定是代表了時代精神的藝術。」〔註 69〕革命人生產革命作品，革命作品具有革命情感。革命作家帶著革命情懷投入生活，這情懷本身就是包含著革命傾向的。戰鬥生活激發了他的革命感情，產生創作激情，投入創作。他的作品就是「心靈的激動」的產物。他的感情是與全民族的命運相通的，本來就是時代精神孕育了他的感情，所以注入作品也就成了時代精神的體現，是真的、美的同時也是善的。

茅盾的第二個特點是，他反對作家把「嘴巴插進書裡」發議論，也不主張作家脫離情節和性格的自然發展而跳出來直抒胸懷。如本書前面所說，他主張作家與正面人物同愛憎，把自己的愛憎通過正面人物（語言、眼光等）表現出來。說得更明白些就是，茅盾一方面要求作家有深厚的感情，卻又要設法隱庇自己的感情。他認為把正反面人物對比著寫是可行的，以便作家在他「所愛護的『人物』」身上表現他的愛，在他所憎惡的人物身上表現他的恨。但文藝創作並不是總有這種現成的對比的，特別是像解放前那樣黑暗的社會條件，可能出現的人物都是反派，就像華威先生那樣；那也不要緊，「作家儘管寫他所憎恨的人物，但必須把他寫得極可憎可鄙，使讀者認清而唾棄這樣的人物及其所代表的意識思想」。〔註 70〕

茅盾曾多次用酒來比喻文藝作品的情感效應和功利效果，這也許更能見出他對於情感性和功利性、傾向性的特點。茅盾在談到「力的文學」時曾說，「文藝作品本以感動人為使命」，但這「並不在文字表面上的『劍拔弩張』。譬如酒，有上口極猛的，也有上口溫醇的」，「並不是說上口極猛的文藝作品就要不得」，但後勁不足，所以不能以此「為滿足」。「真正有力量的文藝作品

〔註 68〕 《文學和人的關係及中國古來對於文學者身份的誤認》，《小說月報》第 12 卷第 1 號，1921 年 1 月。
〔註 69〕 《向新階段邁進》，《文學》第 6 卷第 4 期，1936 年 4 月。
〔註 70〕 《創作的準備》。

應該是上口溫醇的酒」，因爲它蘊含著充實的內容。〔註71〕過了近八年，茅盾又把那種「太天眞的單純的叫著『勇敢、壯烈、犧牲』」的、「只有熱情」的作品比作劣酒，說「譬如劣酒，上口甚猛，其實缺乏持久的力量」。〔註72〕這裡似乎有三種酒，劣酒、溫醇的酒，還有一種「上口極猛」卻未稱「劣酒」的酒。它們都是酒，都有酒味，都可喝，但效果不同。這種比喻本身並非隱含有什麼美學上的微言大義，卻能說明茅盾在功利觀、傾向性和情感性方面的要求特點，這就是：要深沉有力、含而不露，而不要淺薄空洞、浮泛表面，感情也要藉藝術形象透出。

〔註71〕參閱《力的表現》，1933 年 12 月 1 日《申報》「自由談」。
〔註72〕《如何加強我們的抗戰文藝》，《大眾生活》新 8 期，1941 年 7 月。

第三章　藝術審美創造

　　在討論了茅盾對藝術美本質諸問題的見解以後，現在該對茅盾有關藝術美的展示過程——藝術審美創造活動的特質、創造要求等問題的看法作一番探析了。

　　藝術作為一種審美創造，基於文藝家不同的審美觀念、不同的藝術表現手段，會呈現出品類繁多、形態各異的創造現象。因此，審美創造的本質是什，它是經由何種途徑而獲得此種創造的，向來是聚訟紛紜。誠如黑格爾所說：「美可以有許多方面，這個人抓住的是這一方面，那個人抓住的是那一方面；縱然都是從一個觀點去看，究竟哪一方面是本質的，也還是一個引起爭論的問題。」〔註1〕看來，對審美創造本質的認識，的確是從哪一個角度「抓住」美、創造美的關鍵。

　　茅盾對於藝術審美創造的理解並不是單純、劃一的，倒是表現出一定程度的複雜性。本書第一章就說過，他重視藝術對於客觀世界的反映，特別強調審美的社會性本質，然而，他也不是單純的「美在客觀」論者，在闡述人對客觀世界的藝術掌握時，又重視創造者的主體作用，是主客觀的統一論者。在藝術對於生活的展現方式上，他基本上是取與「表現」相對的「再現」模式，但「再現」既非對客體的簡單摹寫，也不是停留在客體表層的形象化反映，而是主張創造主體用嚴格的、規整的「理性化」實施對生活、對社會的深層透視，這就同一般的「再現」方式大異其趣了。凡此都足以說明，茅盾對藝術美創造的要求並不簡單，而是有著豐富複雜的內涵，體現了作家藝術思想和美學追求的相當程度的深刻性與執著性。同這種對於創造本質的深刻

〔註1〕黑格爾《美學》，第1卷，第21頁。

理解相關聯，茅盾對審美創造的具體要求也有與之相對應的辯證看法，如在強調藝術創作必須是對客觀社會生活的眞實反映的同時又必須注重發揮創作者的主體創造精神；主張藝術創作的理性化，但又十分重視藝術的形象化，提出了邏輯思維和形象思維兩種思維相滲透、相交融的理論；等等。因此，對茅盾的藝術美創造思想作深入的探析，揭示其基本觀點和見解的獨特性，是很有必要的。

第一節　藝術創造把握客體的要求：充分的「社會化」

在前兩章探討茅盾藝術美本質的認識時，我們已經指出：作爲一個社會責任感與歷史使命感很強的嚴謹的現實主義作家，茅盾是特別重視藝術的社會性本質的。此種認識也必將反映在他對藝術創造活動的理解上：既然藝術是社會性本質的充分演示，那麼作爲此種演示過程而展開的藝術創造活動，也必須是充分「社會化」的，文藝家對於生活的把握，首先應是一種「社會」把握；不僅創作視野應落在整個社會上，就是在藝術表現過程中，也要時時顧及社會性的是否充分。茅盾的這一藝術創造要求，可以說是他認識整個藝術創造活動的基點，他的主張藝術創造主體應有對社會現象的全面而本質的認識，他的注重創造者注目於社會的活躍而開闊的藝術思維特徵，他要求於文藝家反映社會生活本質的藝術典型性選擇等，幾乎都是以此爲出發點的。因此，茅盾提出藝術的「社會化」要求，是他審美創造思想的一個重要特徵，這裡所顯現的正是一個集中體現了藝術社會學觀念的作家在審美創造活動認識上的獨特性所在。

（一）

茅盾對藝術美創造提出「社會化」要求，是基於他堅定的現實主義美學觀和文學創作主張，因而這種觀念就顯現出特別鮮明的色彩。

從茅盾藝術美學思想的總體考察，其審美哲學基礎是唯物論的反映論，因此，同一般遵循唯物主義美學觀的文藝家一樣，他是肯定美的客觀性、自然性和社會性的，主張審美創造實現藝術對社會生活的反映和改造，主張直面人生去發掘「國民共有的美的特性」，並使之「發揮光大起來」。〔註2〕幾乎

〔註 2〕《新文學研究者的責任與努力》，《小說月報》第 12 卷第 2 期。

是從走上文學道路開始，他便是人生派文藝的堅定不移的鼓吹者，在西方文
藝思潮中吸收的主要是自然派和寫實派的文學藝術主張，而對於注重主觀情
感的神秘派、表象派、唯美派等等則大抵持批評態度。這種文藝思想可以說
是貫穿在他畢生的文學活動中，貫注在他的整個文藝思想體系中。由此不難
認定茅盾的藝術美學思想是以現實主義爲基礎的，在藝術創作中注重表現的
是在現實生活中、特別是在社會歷史實踐過程中客觀地形成的事物的審美特
性。然而，同一般的客觀反映論者比較，茅盾是特別主張審美的社會性本質
的，所謂「客觀反映」，其審美客體的選擇，既不是現實的自然屬性，也不是
孤立的「客觀存在」，而是人類社會中最本質的關係——社會關係；因而他的
審美觀照就不是落在客體的各別現象、零碎現象上，而是著眼於通過對社會
的宏觀透視去把握社會的各個環節，包括活動在社會中的各種人——簡言
之，他是注重以藝術對生活的「社會」把握來實現藝術對客觀世界的本質反
映的。如果對於他所要求的藝術創造所能表現的各種美的素質作一番比較分
析，那麼明顯可以見出他的選擇是在美的社會性一面。

其一，在藝術表現「自然美」與「社會美」之間，茅盾所重在「社會美」，
即使表現「自然美」，也要求其盡力透示出社會性特徵。美的客觀性之所在，
首先是自然現象的客觀性之所在，因此「自然美」作爲一種客觀存在，必然
會進入藝術家的藝術視野之內。溫柔的清風，朗照的明月，巍峨的高山，波
濤洶湧的大海，乃至飛禽走獸、花草蟲魚，都是能引起人們不同審美感受的
審美對象，也是歷來爲文藝家們所樂於表現的。茅盾並不一概反對藝術作品
表現「自然美」，倒是認爲「自然界之美之巧，被觀察學習而取以爲創造文藝
作品之技巧」，是藝術創造的「資本」之一。〔註3〕因此，即使純粹以描寫「自
然美」而獲得成功的作品，他以爲也是應當被「珍視」的。然而，茅盾對藝
術作品表現「自然美」的肯定是有限度的，並不認爲可以將「自然美」置於
「社會美」之上，甚至也不能同等對待。在他看來，表現「自然美」不應當
成爲藝術的終極目的，只有當它依附於「社會美」而存在的時候，它才有更
高層次的美學意義；文藝作品僅僅表現「第一自然」在藝術上是很原始很古
老的，只有從「第一自然」躍進到了體現人類實踐活動的「第二自然」，藝術
表現才「取得了軌範，而使描寫技術更複雜更完備」。據此，他得出結論：「現
在我們的描寫技術更複雜更完備」。據此，他得出結論：「現在我們的描寫技

〔註3〕 《談描寫的技巧——大題小解之二》，桂林《文藝雜誌》第 1 卷第 1 期。

術和古人相比，最顯著的不同是古人富於靜的美，我們則富於動的美，古人『取法自然』，而我們則『近取諸身』。」〔註 4〕所謂「近取諸身」，當然是指表現現實社會，茅盾是把它當作高層次的藝術表現而予以推崇的。正是基於如此認識，當純粹表現「自然美」的意義被誇大到了不適當的程度，或者藝術創作只流連在「自然美」中而希圖超塵脫世的時候，茅盾都給予了激烈的批評。20 年代初，有些文藝作品純粹以西方超脫現實的藝術主張為旨歸，以表現與世隔絕的「自然」自樂，茅盾就指出：「這恐怕是近年來文學家提倡讚美『自然美』的流弊。因為有了一個讚美『自然美』的成見放在胸中，所以進了鄉村便只見『自然美』，不見農家苦了！我就不相信文學的使命是在讚美自然！」〔註 5〕在另一處他還指出只提倡「自然美」並不是一種眞美：「有些作家，尤其是空想的詩人，過富於超乎現實的精神，要與自然為伍，參鴻蒙而究玄冥，擾攘的人事得失，視為蠻觸之爭，曾不值他的一顧」，這些作家追求的只是夢想中的「幻美」，是人們「所不能瞭解的」。〔註 6〕那時候他對於唯美主義的批評，也側重在此派藝術觀點的非社會傾向和單純表現「自然美」上，曾以如此明確的語言給予了抨擊：

> ……還有所謂唯美派的，他們痛罵文學的社會傾向，以為是功
> 利主義，是文學的商品化；他們崇拜無用的美，崇拜疏狂不羈的天
> 才派的行為，在他們自己，以為這是從西洋來的新花樣，不知其實
> 已經落了中國古來所謂名士風流的窠臼了。更有甚者，滿口藝術，
> 滿口自然美，滿口唯美主義，其實連何謂美，何謂藝術，都不甚明
> 瞭呢。〔註 7〕

這裡，茅盾把那些表現超脫「社會」而存在的「自然」的美稱之為「幻美」、「無用的美」，甚至連是否可以謂之為美都值得懷疑，就表明了他的確定不移的觀點。這當然不能說這是茅盾對於「自然美」的簡單的否定，因為這裡並非是對「自然美」本身的針砭；然而就茅盾所特別看重的「文學的使命」言之，則他對於缺乏社會性的「自然美」的批評自然也是可以理解的。由於茅盾的藝術專注點是在「社會」上，重視藝術的社會性本質和它蘊有的社會功

〔註 4〕《談描寫的技巧——大題小解之二》，桂林《文藝雜誌》第 1 卷第 1 期。
〔註 5〕《評四五六月的創作》，《小說月報》第 12 卷第 8 期。
〔註 6〕《介紹外國文學作品的目的》，《時事新報》附刊《文學旬刊》第 45 期。
〔註 7〕《什麼是文學——我對於文壇的感想》，原載 1924 年松江暑期演講會《學術
　　　講演錄》第 2 期。

能性，自然要求創造藝術美必須重在「社會美」的展示上。

其二，在「形式美」與「內容美」之間，茅盾主張內容與形式的統一，但也特別注重對於形式主義的批評，反對脫離「內容」而專講「形式」之美，其目的也是旨在保證藝術創造能夠表現充足的「內容美」，使藝術作品具有相應的社會意義與價值。在藝術作品中，內容與形式應是辯證統一的，兩者的互相滲透、相輔相成方能構成一個有機的藝術整體。徒有形式之美而內容貧乏的作品，算不得好的藝術品；反之，有好的內容而無相應的藝術形式作支撐，也不能算是完美的藝術品。茅盾對藝術作品的內容與形式的關係的看法是辯證的，比如在談到無產階級的藝術形式時，就說過「我們先須有一個『形式與內容必相和諧』的目的來作努力的方針」。〔註 8〕但基於茅盾的鮮明的藝術社會性觀點，他的批評顯然是重要在單純追求「形式美」一面上。早期對現代主義文藝思潮的批評，除指出其逃避現實的缺陷以外，便是在集中攻擊其「形式主義」之病。他對於諸如未來派、意象派、表現派等等藝術派別，並不否認「他們有極新的形式」，謂之爲是「幾個帶著立異炫奇的心理的新派」；但也毫不客氣地指出，這種藝術形式「只是傳統社會將衰落時所發生的一種病象」，斷言這派藝術隨著「內容的衰落」，「生活呈枯燥虛空的病態，藝術的泉源將要枯竭了」。〔註 9〕這裡所說，當然有切中肯要的一面，現代派藝術往往表現病態的或變態的心理，包括藝術形式在內的「病象」特徵是顯而易見的；但認爲此派藝術一無可取，它是屬於「已經腐爛的『藝術之花』」，〔註 10〕並從內容得出藝術形式必然枯竭的結論，顯然是基於他的堅定的社會寫實派立場而對其他藝術形式的摒棄。基於同樣道理，他對於當時我國文壇出現的不同「文學與人生間關係如何」，只在追求「形式美」的弊端，自然是「很不滿意」的：「我覺得現在大多數的愛美者，實在已經誤走進了『假美主義』的牛角尖裡；他們雖然自誓獻身給美，要做誠心頂禮『美之宮』的 Pilgrims，可是他們實在不很明白最淺淺的一個問題：一篇文字緣何而美？」〔註 11〕他把那種只講求詞藻之美，或以「用典爲美」，稱之爲「假美主義」，批評是頗尖刻的。聯繫到後來他評論徐志摩的詩作，雖不

〔註 8〕　《論無產階級藝術》。
〔註 9〕　《論無產階級藝術》。
〔註 10〕　《論無產階級藝術》。
〔註 11〕　《雜感——美不美》，《文學週報》第 105 期。

掩其「形式上的美麗」之所長，但終究對於那種「圓熟的外形，配著淡到幾乎沒有的內容，而且這淡極了的內容也不外乎傷感的情緒」，而表示了深深的遺憾，〔註12〕看來都是一脈相承的主張。若單就對形式主義的批評而言，茅盾的觀點並無怎樣奇特之處，因爲過分追求形式之美以致損害了內容的表達，在藝術上終究是一病，是爲多數文藝家所不取的；茅盾的獨特性是在於：他的批評側重點主要是在單純追求「形式美」一面，而對內容好而形式缺陷較嚴重的創作現象則比較地肯原諒。這同樣是同他注重創作的社會涵量、思想涵量的美學追求相一致的。

這裡需要指出的是，茅盾有如此見解，是基於他對「形式美」構成的獨特理解，此種理解反映在他對「技巧」一詞的解釋上。「技巧」，茅盾是稱之爲「作品的形式」〔註13〕的，顯然是指作品「形式美」之所寄。通常人們對「技巧」的理解，往往是指表現技術、表現手法；但茅盾卻反對「把技巧看作等於技術，把文學創作過程中的掌握技術的問題看作等於手工業品製造過程中的掌握技術的問題」，認爲「技巧不同於技術。技巧中包含技術，但掌握了技術不一定就有技巧」。他舉演員演戲爲例：一個演員唱白和做工都合規格，算是有了「技術」，但如果表演還缺乏「神韻」，不能恰到好處演出人物隨時在變化中的「思想情緒」，還不能算是掌握了「技巧」。技巧應是「演員的豐富的生活經驗，以及長期的藝術實踐積累的深湛的藝術修養等等的高度集中的表現」。從這個意義上，他同意法捷耶夫對技巧的論述：「重要的藝術技巧問題是要依賴作者人生觀的深度，和它包羅生活現象的廣度，來解決的。」〔註14〕由是，已不難看出：茅盾所認定的「技巧」的成熟和藝術「形式」的構成，實際上是同創作者豐厚、深廣的生活積累與藝術積累聯繫在一起的，甚至還同創作者的人生觀、思想修養緊密相關，因此所謂「形式美」就決不是脫離「內容美」而孤立存在的東西。茅盾的這個觀點，一方面是對藝術創造規律的揭示：作爲對生活實施藝術把握的藝術創作，思想和藝術往往是同步成熟的，兩者有機結合、密不可分地給創作以影響。這種創造活動的特殊性，當然有別於諸如工業品的製造過程，因此藝術「技巧」當然不能等同於「技術」，對由「技巧」構成的「作品的形式」，提出不能同「內容」相脫離

〔註12〕 《徐志摩論》，《現代》第2卷第4期。
〔註13〕 《怎樣閱讀文藝作品》，原載《語文教學講座》，大眾書店1950年版。
〔註14〕 《關於藝術的技巧》，《文藝學習》1956年第4號。

的要求是順理成章的。另一方面也的確反映了茅盾堅持藝術創造中的「社會要求」的執著性，唯其認為文藝家的主要責任是「社會責任」，作品是否有充足的社會內含、有進步的思想是創作者首先應考慮的問題，他才特別強調「形式美」必須服從「內容美」，藝術創作必須表現充分的社會性。

（二）

綜觀上述，茅盾選擇藝術美的反映對象是在於一個「社會」，對於審美創造的要求是在於通過對生活的「社會」把握以實現藝術蘊有的社會功能，已無疑義。這裡所顯現的正是一個嚴峻的現實主義作家堅持美的客觀性、社會性和功利目的性的堅定、執著與一絲不苟的精神。

然而，僅僅一般地談藝術的社會要求，茅盾審美創造要求的獨特性還沒有得到充分顯示。因為堅持藝術反映社會的觀點，幾乎是現實主義文藝家的共同特點，雖然在把握現實、反映社會上仍有程度之別、隱顯之別。茅盾的獨特性還表現在另一方面：他不只是對藝術提出一般的社會要求，而是將它提到更深更廣的層次上，這就是藝術的「社會化」。關於「社會化」要求，茅盾在其早期的文學論文《現在文學家的責任是什麼？》一文中就提出來了，其後又多次使用「社會化」用語，足見同樣具有一貫性。所謂「社會化」，當然不只是對社會的淺層把握，「化」者，完全、徹底之謂也，就是要使藝術創作更充分、更完整、更深入地反映社會、表現社會。茅盾提出藝術創造的「社會化」要求，是建立在他對藝術表現社會的特殊功能深刻認識的基礎之上的。他要求於創作者的是對社會的多層次多角度多側面的把握。通觀茅盾的主張，其「社會化」要求主要當指下述幾個方面。

一是要求藝術創造棄「小我」而就「大社會」。在藝術美是表現「小我」與表現人類的共通情感之間，茅盾的選擇是後者，並主張通過表現人類的「普遍的情感」去把握真實的社會人生。文學藝術是社會生活的反映，「小我」作為一種社會存在，當然也是反映對象之一。信奉浪漫主義、現實主義的文藝家便是重「自我」、尚「個性」的，他們的創作也或多或少、或隱或顯地反映了現實。但茅盾從「社會化」的要求出發，力主文學藝術表現的應是「社會」而不是單純的「自我」，即使把「自我」擴大為「身邊的瑣事」也為他所不取，主張應表現「身邊」以外的「大社會人生」；從文藝表現創作者的情感說，則應排斥只寫「小我」的瑣屑情感，而必須是與人類、與社會普遍相通的情感。

他就是以這個標準來判定新舊文學作品的性質差異的：「新文學作品，重在讀者所受的影響，對於社會的影響，不將個人意見顯出自己文才。新文學中也有主張表現個性，但和名士派的絕對不同，名士派只是些假情感或是無病呻吟，新文學是普遍的真情感，和社會同情不悖的。」〔註 15〕這裡所說的「名士派」，包括傳統文學中以「玩世飄忽」或表現「天然的任性」為務的「斗方名士」，也包括當時文壇跡近古「名士派」的鼓吹藝術「無目的」、表現一己情感的文學派別，自然就包含了對某些浪漫主義或現代主義文學的批評。由此可以見出茅盾的文學主張同歸屬別的文學流派的作家是頗不相同的，即使在現實主義作家中，也以一絲不苟地信守藝術的社會性原則而顯出其獨特性。正是基於此，他對「美」的解釋、對「創造美」的要求，也必然是棄「小我」而就「社會」的尺度，就如本書第一章已經引錄過的，茅盾強調「『美』使人忘了小我，發生為全人類而犧牲的高貴精神，不是使人『怡然忘我，遊心縹緲』。」〔註 16〕若美的功能只是自我陶醉就失卻了表現「美」的要義了。茅盾強調擴大美的表現功能，使人人得有向上的美德，其目的顯然是在使藝術作品對推動社會的進步產生積極的效果，而此種推動顯然是在擴大了藝術表現的社會涵量以後獲得的。現實主義作家注重創作的社會使命感，茅盾提出的「社會化」主張作家走出「小我」，面向「大社會」，顯然是意在強化這種使命意識。

二是要求藝術創造反映社會的「全般」性。這是對「小我」以外的「社會面」提出進一步的要求。所謂社會的「全般」性，是指從廣度上表現社會肌體的完整性。茅盾認為，文學藝術要忠實地反映社會人生，就必須努力反映和關注「全般的社會現象」和「全般的社會機構」，在創作題材上要注意「描寫社會的各個方面」，而不能僅僅偏執於社會的一角一隅。這「全般」性要求，便反映了茅盾對於藝術表現社會的理解的確並不簡單。它至少包含兩層涵義。其一，注重藝術對生活的宏觀透視和全方位反映。在茅盾看來，藝術既然是社會的反映，而社會——一個多層次、多側面的複雜組合，活動在社會中的人有不同的階級、階層，社會生活也包含政治、經濟、軍事、文化、教育等「各個方面」，藝術作品反映社會就應當力求「廣闊」和「全面」。他自己

〔註 15〕《什麼是文學——我對於文壇的感想》，原載 1924 年松江暑期演講會《學術講演錄》第 2 期。

〔註 16〕《告有志研究文學者》，《學生雜誌》第 12 卷第 7 號。

的創作就是體現了描寫「全般社會」的勃勃雄心的，在自述其《子夜》、《虹》、《霜葉紅似二月花》、《鍛鍊》等作品的創作計劃時，都提到他意在「大規模地描寫中國社會現象」，或打算寫「力所能及的廣闊畫面」，或計劃對一個時期社會的重大政治、經濟、革命鬥爭「作個全面的描寫」等。正因為如此，才使他的創作以包容了巨大的社會歷史內容而著稱於世。其二，藝術的注視點由「小世界」轉移到「大社會」。對反映社會作「全般」要求，在某種意義上是在打破表現社會生活面褊狹的局限，使創作者擴大藝術表現視野，以適應作品反映廣闊社會的要求。茅盾對第一個十年文學創作弊病的批評，其中一個重要方面就是創作題材的狹窄，即作者大都只描寫身邊的那個小世界，而這小世界中又只側重在愛情生活一邊；相反，對魯迅的小說拓展了題材領域，把筆墨伸展到農村，塑造出閏土、祥林嫂、愛姑、阿Ｑ等一批農民形象，則表現了極大的欣喜，認為「這一切人物的思想生活所激起於我們的情緒上的反映」，只覺得「這是中國的，這正是中國現在百分之九十九的人們的思想和生活，這正是圍繞在我們的『小世界』外的大中國的人生」。〔註17〕由是已不難看出，茅盾對社會面的要求是力求其大，大到何種程度，需同社會生活中人們生活的廣泛性相對應，如此，才真正稱得上是表現社會的「全般」性了。

　　三是要求藝術創造反映社會的整體性。所謂整體性，是指社會的整體聯繫性，即把社會視為一個部分相聯、環節相通的有機整體，創作者在宏觀審視社會的基礎上，對其進行綜合性的整體性的研究，從而達到有效地把握社會，揭示社會的本質。這一點，茅盾是強調得更為突出，其見解也尤為精闢的。早期，他推崇「西洋寫實派後新浪漫派作品」，認為其可取的一點便是此派藝術是「綜合地表現人生的」。〔註18〕此後，對現實社會進行綜合的研究，更成為他執著的藝術追求了。他曾多次強調：「觀察一特定生活，必須從社會的總的聯帶關係上作全面的考察。」〔註19〕這裡，把「全面考察」置於對社會作「總的聯帶關係」的認識之上就非常重要。因為社會生活的諸部分儘管現象各異，姿態萬千，但都受特定的社會生活的本質所支配，形成了既矛盾又統一的狀況。從「總的聯帶關係」上去考察，把社會看成一個互相關聯的

〔註17〕《魯迅論》，《小說月報》第18卷第11期。
〔註18〕《新文學研究者的責任與努力》，《小說月報》第12卷第2期。
〔註19〕《創作的準備》。

整體，就有利於揭示事物之間的有機聯繫，從而就能有效地把握社會生活的本質，也能使作品成爲一個有機的藝術整體。匈牙利著名的社會文化學家阿諾德‧豪澤爾，曾用藝術社會學的觀點對藝術創作提出「生活的整體性和藝術的整體性」要求。他認爲：「只要藝術保持與具體的、現實的、不可分割的生活整體的聯繫，它就能構成正常審美行爲的基礎。真正的審美現象包括人對生活整體性的全部體驗，這是一個創造主體與世界、與真實的生活保持一致的能動過程。」〔註 20〕茅盾的「社會化」要求注重對社會生活作整體性認識，也不妨說是「構成正常審美行爲的基礎」。他自己的創作就提供了成功的範例。如所周知，茅盾的小說以具有濃重的社會剖析特徵著稱。社會剖析，便是對社會作宏觀透視，又在整體性要求的目光嚴密注視下進行的。他從來不孤立地看取社會生活中的人和事，總是把它們置於大的時代和社會環境中，展開與之相關的複雜社會關係的描寫，把握社會生活的本質。他在 30 年代寫的小說，目光集中在注視日益殖民地化的中國社會動向，小說反映社會的聲勢和規模更加壯闊，對社會的剖析也不限於一個特定的社會階層，從而形成了從城市到鄉村、從政治到經濟、從現狀到歷史的整體性的社會剖析，使社會剖析達到了相當深刻的程度。《子夜》當然是最好的例證，那種全方位審視生活的態勢，那種把城鄉交錯、政治鬥爭與經濟鬥爭更迭的藝術畫面如此嚴密無間地糅和在一起的藝術表現，使人不能不嘆服這既是一個氣勢宏偉的「生活整體」，同時也是一個構圖巧妙的「藝術整體」。誠如捷克漢學家普實克所說的，茅盾的作品「總是能夠創造出一幅整體性的，充滿行動的大幅壁畫」。〔註 21〕由此看來，對社會生活作「整體性」反映，的確是實現「社會化」的有效途徑；從藝術社會學層面上講，也是注重反映「社會」的藝術創作獲得審美創造的不可或缺的環節。

第二節　藝術創造須充分發揮創造者的主體創造精神

　　茅盾提出「社會化」的審美創造要求，主要是就藝術的反映對象而言的，其中包含了茅盾對創造者與社會現實關係的一種深刻理解。然而，藝術創造是一種複雜的精神生產，它不僅表現爲人對現實的一種認識，更主要的是反

〔註 20〕阿諾德‧豪澤爾《藝術社會學》第 2 頁，居延安譯編，學林出版社 1987 年版。
〔註 21〕轉引自《普實克和他對我國現代文學的論述》，《文學評論》1983 年第 4 期。

映出人與現實的精神聯繫，傳達人對客觀現實的審美體驗，因而是一種充滿主體生命的審美創造。茅盾對藝術創造的要求，當然不會僅止於「客觀」一面，相反，基於他對藝術創造是一種特殊精神生產的理解，倒是非常注重創造者的主體創造精神的。他對創造者在藝術創造中的主體作用有精闢的論述，還就主體如何把握客體以實現藝術的「再現」，主體在藝術典型化過程中如何發揮創造性功能等，都有較完整的闡述。這裡所顯示的，正是茅盾審美創造思想的全面性和豐富性。

（一）

茅盾對於藝術創造必須充分發揮創造者主體精神的理解，也是從藝術社會學觀念出發的，其認識有一個漸趨辯證、日益深化的過程。

藝術社會學認為，藝術與社會的關係，是「藝術作為社會的產物」與「社會作為藝術的產物」的「互動關係」，〔註22〕離開社會，藝術將失去依存，同時也將失去表現對象和表現目的。那麼，藝術反映社會必須是經由何種途徑才得以實現的呢？我們認為藝術是社會的產物，但它決不是社會環境的直接產物，社會條件為藝術創造提供了機會，然而並非有了客觀條件就可以構成藝術創造，兩者並沒有形成必然性的因果關係。這裡就涉及審美創造主體在審美創造過程中的作用了。誠如阿諾德‧豪澤爾所說的「儘管『藝術外』的條件對藝術作品的產生有決定性的意義，但藝術作品在總體上仍可被看成兩相對應的事實的產物，一方面是『藝術外』的條件——客觀的、物質的社會現實；一方面是『藝術內』的因素——形式的、自發的、創造性的意識活動。不管外界引發的母題如何重要，藝術的自發作用仍是不可縮小的。自發與誘發的對立、主觀與客觀的矛盾構成了藝術創造的基本方法。」〔註23〕他所說的「藝術外」條件，就是客觀的社會現實，「藝術內」條件，就是創作者的主觀創造因素；就創造過程來說，前者是「誘發」（或者可以說是他發）的，後者則是「自發」即發自創作主體自身的，兩者也是一個辯證的「互動」過程，形成既矛盾又統一的狀況。只有堅持客體與主體的融合，客觀與主觀的統一，藝術創造才能最終完成。應當說，從藝術社會學觀點看問題，如是表述，是比較接近於藝術創造本質的，它至少可以同把藝術創作看成是社會生活純客

〔註22〕阿諾德‧豪澤爾：《藝術社會學》第 35 頁、10 頁。
〔註23〕阿諾德‧豪澤爾：《藝術社會學》第 35 頁、10 頁。

觀反映的庸俗社會學見解劃清界線。

茅盾對於藝術創作中主客觀關係的闡述，的確有比較偏重客觀的一面。比如在談到他自己的創作時，總是強調他是在進行「客觀的描寫」，反映的是「客觀的眞實」，〔註24〕等等。在藝術對於生活的反映方式上，如果有注重客觀的「再現」與注重主觀的「表現」之分，那麼他所取的就是「再現」方式，對「表現」有所非議，尤其反對純粹的「表現主義」理論。在眞、善、美三者關係的闡述上，他有堅持三者統一的觀點，但就比較而言，更多的說法還是把眞置於善、美之上。他推崇自然主義（實際上還包括現實主義）理論，就在於其「最大的目標是『眞』」。而「眞」之所以值得重視，就因爲它是經過創作者「實地觀察」又進行「客觀描寫」而獲得的。譬如，他認爲「左拉等人主張把所觀察的照實描寫出來，龔古爾兄弟等人主張把經過主觀再反射出的印象描寫出來；前者是純客觀的態度，後者是加入些主觀的」；茅盾認爲，相比之下「左拉這種描寫法，最大的好處是眞實與細緻。一個動作，可以分析的描寫出來，細膩嚴密，沒有絲毫不合情理之處」。〔註25〕茅盾在不同時期、許多場合說過藝術創作需偏重於「客觀」一面的話，是毫不奇怪的，現實主義的創作主張使他特別重視藝術反映生活的眞實性，堅持唯物論的反映論的美學觀念自然也會使他格外看重反映的客觀性的。

然而，作爲一個深知創作甘苦的作家，茅盾對藝術審美創造過程的認識是不會僅僅停留在「客觀」一面的；創造的完成只是走著「生活→藝術」的單一路徑，當然是不可思議的。其實，在創作過程中，創造者的主體參與及其對於完成審美創造所起的作用，茅盾還是有比較清醒認識的。雖然此種認識多半不是表現爲對審美客體和審美主體之間的關係的闡述，但細究起來，實際上是涉及到了對此類問題的看法。比如，在前面已提到過的《論無產階級藝術》一文關於藝術產生的「方程式」中，所謂「新而活的意象」，是指新鮮活潑的社會生活在創作者頭腦中反映的產物，此種產物要成爲藝術，既要經社會的選擇（即要受到當時社會觀念的「鼓勵與抵拒」），又要經創作者個人的選擇，即個人主觀意識的取捨，這樣，藝術之所由產生，便不是單由客觀社會一面決定的。這裡，茅盾對創作過程中創作者主觀因素的作用，已作了初步的闡發。《告有志研究文學者》一文，從前面已經引錄過的關於「意象」

〔註24〕《從牯嶺到東京》。
〔註25〕《自然主義與中國現代小說》，《小說月報》第 13 卷第 7 期。

和「審美觀念」那段話中，已可見茅盾對文學藝術產生的必要條件和途徑，作了多方面的闡述。首先，茅盾認為意識是由「外物」決定的，「外物」愈豐富，意識也就「不斷」滋生，這說明他對於藝術產生的認識仍是以反映論為基礎的，與他一貫堅持的唯物主義美學觀念相一致。其次，他又認為，由意識所產生的「意象」，並不能直接成為藝術，因為它未經創作者「個人選擇」以前，還只是一種處在「自在」狀態的物質，因此它只能是自生自滅、忽起忽落的；意象只有為創作者所捕捉的，並加以「整理」，才能成為藝術的元素。再次，也更重要的是，他還認為，創作者對意象的選擇，還不是一般意義上的選擇，而應是一種審美選擇，必須根據「和諧」的美學原則取捨、整理各種意象，最後用藝術的手段表現出來。不難看出，茅盾把包括文學創作在內的藝術創作是作為一種審美創造來認識的；既是審美創造，當然離不開創造者的主體作用，尤其不能忽略主體所應有的「審美觀念」。這樣，他對於藝術創作既是客觀的反映，又是同主體意識相結合的反映，就表述得相當清楚了。

　　隨著認識的日漸深化，隨著創作實踐的不斷累積，茅盾對於藝術創造中主觀和客觀相統一的觀念，認識更趨明晰，表述也更為完整，原先在認識上的某些片面性和表述中的某些矛盾現象，也日漸得以克服。所謂認識的深化，是指現實主義觀念的深化。如果說，他早期還劃不清自然主義和現實主義的界線，提倡現實主義而往往援用自然主義的理論，因而對左拉等人所主張的「純客觀的態度」也一體接受和提倡；那麼，到後來隨著對現實主義理論的正確把握，認識到生活真實與藝術真實等諸種關係以後，當然就不會再堅持純客觀反映的主張了。統觀茅盾的文藝美學思想，他對於主、客觀關係的認識，即使在自覺遵循現實主義的文學主張以後也並非沒有倚輕倚重的看法，但就大體而言，他是主張藝術創作中主觀與客觀相統一的觀點的。其中特別值得注意的是，他對於創作主體能動地反映生活、「再現」生活有切中肯綮的闡述，他對創作者發揮主體作用提出了切實的要求，這對於主體有效地把握客體，最終完成藝術創造的使命，的確是至關重要的。

（二）

　　由於從總體上明確了藝術創造中發揮主體創造精神的重要性，茅盾對主體如何有效地把握客體，使藝術創作在尊重藝術規律的道路上行進，便有了明晰的認識。他對於藝術與生活、創作主體與反映對象之間的關係，就有較

為深入的理解，其側重點是突出了在「反映」過程中創造者的主體作用。這主要反映在下述兩個方面。

第一，反對單純的生活決定論，重視創作主體能動地把握生活的作用。

自從唯物主義美學家提出藝術是生活的反映、「美即生活」等命題以後，藝術等同於生活的看法就甚為普遍；表現在藝術創造上，則是把藝術視為生活的直接產物，以為創作者只要有了生活，就必定會產生出藝術作品，生活越豐厚，藝術作品的成就就越高。這種對藝術與生活關係的庸俗理解，便是藝術創作產生公式主義之弊病的重要原因所在。茅盾對於文藝創作中公式化、概念化的毛病一直都是給予了批評的，並對病象的成因作過深刻的剖析。他認為，「這一切的弱點，向來的議論，似乎只要『生活』去負責，似乎一有了那種生活，便什麼都成，殊不知『生活』固然要緊，而一個真能觀察、分析、綜合、體驗的好好地武裝過的頭腦，卻尤其要緊」。〔註26〕這無疑是一語中的。藝術創作之不能成功，生活固然要「負責」（指未有充實的生活積累），但創作主體更應「負責」，誠如茅盾所說，由生活而融鑄為藝術作品，是需要經過創作者觀察、分析、綜合、體驗等種種環節的，某一環節出了偏差，就要影響到創作，這中間，創作主體豈能辭其咎？20 年代後期開始出現的某些「革命文學」創作，就存在著嚴重的公式主義毛病。茅盾指出其病有兩條：一是「缺乏社會現象全面的非片面的認識」，二是「缺乏感情地去影響讀者的藝術手腕」。〔註27〕這對那些自詡為有「革命生活實感」的作家來說，無異是當頭棒喝。茅盾的批評是不無道理的。有生活，並不等於就有創作，更不必說是成功的創作了。如果創作者只有對生活的片面的（非全面的）認識，則生活的本質不能得到反映；如果創作未有創作者豐富的情感滲透，從而產生對於讀者的「感動力」，也勢將使作品成為毫無生氣的東西。茅盾指出的這兩條，都是從創作者本人如何駕馭生活的角度提出的，顯見他更重視的還在把握生活時創作主體所發揮的作用。

重視創作主體對客體的把握，還表現在茅盾對創作者如何對待生活的認識上。在茅盾看來，創作固然要以生活為基礎，但創作者對生活的獲取，不能僅僅停留在「認識生活」上，更重要的是要「理解生活」。「理解」又包括多方面：諸如理解人與人的關係，人與歷史的關係，生活環境對人的影響，

〔註26〕《談技巧、生活、思想及其他》，原載《奔流》新集之二《橫眉》。
〔註27〕《〈地泉〉讀後感》。

人怎樣改造自己的生活,等等。這樣,要求創作者對生活有深層把握,就不是單純的客觀反映了,其中就包含創造主體對生活的透闢分析和研究,主體的作用就被置於更重要的位置了。正是從「理解生活」的要求出發,茅盾對生活的把握甚至有寧可求其深而不可求其廣的看法。他在談到「理解生活」的必要性時指出:「要達到此種目的,不一定要跑到一個自己所不熟悉的地方,不一定要把自己的生活範圍擴大。自然能擴大生活範圍也很好,假如僅把範圍擴得很廣,卻不能對它理解得深,那就達不到向生活學習的目的,還不如不擴大範圍,專從理解深刻入手為好。」〔註28〕這見解,對於特別強調生活的廣闊性和豐富性的現實主義作家來說,是有一定獨特性的;茅盾在不少場合談的也是生活的寬廣性,要求於作家的也是面向於一個「大社會」。然而,就生活的深度與廣度相比較,他以為應以求深度為要,這只能說明他所要求的不是對於生活的浮面反映,而是能夠突入生活的底蘊,以實現創作主體對生活客體的最有效的把握。

第二,對創作主體把握生活的深層認識,只主張溶「我」於「人」,達到主客體的完全融合。

正是由於對藝術與生活的關係有一種更趨深層的把握,茅盾對藝術創作中主觀與客觀相統一的辯證關係便有了更深入的理解,在論述創作者對生活的駕馭時就能用明確的語言從主客觀的關係上給予正確合理的解釋。他認為,通常所說的「向生活學習」,實際上就是創作者的主觀經驗和他的實地觀察「統一起來」的過程:「『經驗』本是主觀的,但須要時時以客觀的態度來分析研究;從『觀察』一邊說,須要愼防或有意無意地把自己和被觀察的對象對立起來,而成了旁觀者的態度」。〔註29〕這裡所闡述的主客觀統一,是如此緊密不可分割,以致到了完全融合的地步,很難分清哪一個環節是主觀因素在起作用,哪一個環節又是純粹的「客觀態度」。這是對一種創作規律的精闢揭示。藝術創作本是文藝家在外部客觀事物的觸發下調動主觀創造因素進行藝術創造的過程,在這過程中創作者運用主觀經驗和進行客觀觀察常常是既自覺又不自覺的,唯如此,才能有對生活的過細咀嚼,形成獨特的

〔註28〕《認識與學習——一九四三年三月十八日在中央文化會堂講話》,原載《文藝先鋒》第2卷第4期。
〔註29〕《論如何學習文學的民族形式——在延安各文藝小組會上演說》,《中國文化》第1卷第1期,1940年7月。

藝術創造。倘是把這過程人為地分割為兩個互不相關的部分，說主觀分析時不允許有「客觀的態度」，說客觀觀察時不允許主觀介入，只能純取「旁觀者的態度」，勢必使創作形成這樣的狀況：要麼僅僅把客觀材料當作納入主觀意念框架的充填物，造成作品的概念化；要麼只是鏡子般地反映生活，使作品只成為生活原樣的翻版——這兩者都不可能產生具有審美意義的藝術品。茅盾從主客觀融合的角度談兩者的「統一」，無疑是揭示了藝術創造本質的。

在論及藝術創作中主觀和客觀統一時，茅盾的更可取的見解是這兩者在哪一個基點上統一。他的確定不移的看法是：所謂主觀和客觀的統一，最重要的是統一在社會生活中的主要客體對象——「人」身上。在談到創作者對生活作多種「觀察」時，他認為最重要的是「應當使『我』溶合於『人』的生活中，憂人之所憂，樂人之所樂，在生活上，『我』雖是第三者，但在情緒上，『我』和他們不分彼此，換言之，『觀察』雖是客觀的過程，但須要以主觀的熱情走進被觀察的對象」〔註30〕這裡所說的溶「我」於「人」，「人」、「我」合一，當是對主客觀統一的最有力的說明。馬克思說：「人的本質並不是單個人所固有的抽象物，在其現實性上，它是一切社會關係的總和。」〔註31〕人既然是作為「一切社會關係的總和」而存在的，那麼，以揭示現實社會關係為主要目標的現實主義創作把人確定為反映的主體對象，自然也就毫不足怪了。在這一點上，茅盾是有清醒認識的。他曾多次講過，文學創作主要表現的是「人和人的關係」，對於創作者來說，「第一目標」應當是「研究人」。然而，從主客觀關係觀一的角度談在「人」身上的「溶合」，卻有別一層意義。在這裡，「人」是作為一個被反映的對象，同時又是一個活生生的存在；它不像一般反映物那樣只是消極地被反映，而是必須做到同反映者在「情緒」上互相溝通，以致達到「不分彼此」、完全「溶合」的程度，這樣，主體和客體、反映者和被反映者之間壁壘分明的界線就蕩然無存了。以「人」為目標的文學藝術創作就能夠達到如此主客觀統一的程度，自然也就不難產生上乘之作了。

那麼，如何做到溶「我」於「人」即創作主體和反映主體的完全融合呢？

〔註30〕《論如何學習文學的民族形式——在延安各文藝小組會上演說》，《中國文化》第 1 卷第 1 期，1940 年 7 月。
〔註31〕《關於費爾巴哈的提綱》，《馬克思恩格斯選集》第 1 卷第 18 頁。

對此，茅盾作過很多闡述，其中以「生活的三度」說見解最爲精到。所謂「生活的三度」，是指生活的廣度、深度和密度。廣度和深度，容易理解，無須細說；在廣度和深度以外又有一個密度，倒是頗爲新奇、獨到的發現。此說雖不是茅盾首倡的，但他對此說的理解卻有其獨到的見地。按茅盾的解釋，「『密度』是說『貼近人民』，亦即托爾斯泰所謂『用心去同情』；『貼近人民』用中國成語，就是『近人情』，倘用現代一句流行語，就是『全心靈和人民擁抱』」；堅持生活的「密度」，應有兩方面的要求：「在己就是事事認眞，興味濃厚，對人則是體貼，則是『疼』」，從這個意義上說，「密度又是深度廣度的基礎」。〔註32〕綜合這些意見，不難看出，所謂「密度」，正是就創作主體和主要反映客體——「人」之間的關係而言的。如果說，提出生活的廣度和深度要求，是專指閱世之廣和閱世之深，說的還是對於一般社會生活面的把握；那麼，「密度」之說，就突入了一個更深的層次，涉及到對社會生活中最本質部分的把握。它要求於創作者的不僅是熟悉生活、瞭解生活，更重要的是要熟悉、瞭解生活中的人；而對於人的熟悉和瞭解，還不只是把人作爲單純的反映物去看待，而是要用「全心靈和人民擁抱」，實現主體和客體間的情感交流與貫通。能夠做到這一點，創作者深入生活的自覺程度就會提高，對生活求深求廣的要求也不難達到，所以茅盾把「密度」看成是「深度廣度的基礎。應當說，這是茅盾對創作者與生活關係的一種更爲深入的認識與理解。通常對生活面的理解，以爲有深度與廣度兩個方面的把握，就頗不錯了；茅盾對「密度」說表述了自己的獨特理解，側重從創作主體一面提出要求，重視把握客體時主體的作用，無疑是一種認識上的深化。其意義是在於昭示創作者在把握生活時主體精神滲透的重要性，同時也對作家透視生活的程度提出了更高的要求。

（三）

對於藝術創造中發揮主體創造精神的重要性，茅盾除了從創作主體與反映對象之間關係的處理上作了充分論述外，還從創作「內部」——藝術構思中的典型化處理、藝術表現中的主觀情感滲透等方面作了精闢闡述。基於堅定的現實主義創作原則，茅盾是主張藝術對於生活的「再現」；然而「再現」

〔註32〕《論所謂「生活的三度」》，《中原》第 1 卷第 2 期，1943 年。

並非對客體的簡單摹寫和複製，而是滲透著作者強烈主觀感受的創造。茅盾同庸俗反映論者的根本區別就在對主體創造精神的尊重，因而對創造過程的認識同樣注重創作者主觀情感、思想意識的滲透，以真正實現藝術上的「再現」。

藝術作為一種審美創造，是貫注著創作者充沛情感的產物。創作者在攫取生活、熔鑄形象的過程中，唯有用豐富的主觀情感相滲透，方得形成具有獨特個性的藝術創造。誠如李博所說的，情感因素不僅「配合著創造的不同階段」，而且「還要成為創造的材料」，「詩人、小說家、劇作家、音樂家，甚至雕刻家和畫家，都能感受到自己所創造的人物的情感和慾望，和創造的人物完全融合為一，這是一個眾所周知的事實，幾乎也是一條規律了」〔註33〕李博是從情感因素參與的角度談藝術創造規律的，他所說的創造者和被創造的人物在情感上「完全融合為一」的現象，實際上也可以看成是創造過程中主觀和客觀的一種統一。茅盾對這個問題的看法，前後期稍有不同。前期的文藝思想側重於向真求實，對「客觀描寫」的闡述較多，對創造社作家所鼓吹的「靈感主義」、「表情主義」、「天才論」等就多有批評。在後期，情感參與創作的論述明顯增多了，且多有辯證的看法。下面這段論述就是從主客觀關係談情感參與在「再現」中的作用的：

> ……一切「人為的藝術品」之創造，都經過一定的過程：社會人生種種色相通過了作家的主觀作用（愛憎，取捨，解釋，褒貶），而後再現出來，依靠形象化的手法，成為某一文藝的式樣。一位作家對於社會人生種種色相既有所愛憎，即有所取捨，有所取捨，有所取捨即有所解釋，有所解釋即有所褒貶；這就是一位作家對於社會人生所抱的態度，所取的立場。古今中外，絕對沒有對於社會人生抱純客觀態度而真正「無所容心」的作家；自謂他是純然客觀，「無所容心」的作者，倘非自欺，即意在欺人。〔註34〕

這裡所說的「主觀作用」，就是包括愛憎、褒貶等情感因素在內的；而且側重點是在對主觀的肯定，對「純客觀態度」的否定。關於主觀情感對創作的滲透，茅盾在別處還有不少論述。可見，情感作為「人為的藝術品」之創造過程中的一個重要因素，茅盾是給予充分重視的，這當然是他要求主體創造精

〔註33〕《論創造性的想像》，《外國理論家作家論形象思維》第186頁。
〔註34〕《如何辨別作品的好壞》，《中學生》復刊第91期，1945年6月。

神滲透於創作活動的一個重要方面的透示。

　　值得注意的是，茅盾所說的藝術創造中的主觀因素，除了情感因素以外，所指更多的是思想因素，所謂主觀作用，主要也是指對生活素材的綜合、改造等。上文所說的主觀因素就包括「作家對於社會人生所抱的態度」、「所取的立場」，主觀作用也包含對人生「種種色相」的「有所取捨」、「有所解釋」等。這實際上已涉及到藝術典型化過程中的主、客觀關係，在茅盾看來，重視創造者的主體創造精神，是主觀有效地把握客觀、實現藝術典型化的關鍵。茅盾認為，任何一種藝術創造都是「經過了作家主觀的分析整理、用藝術手段再現出來的」，「作家和客觀現實的關係當然不是『複印』（copy）而是『表現』；作家有權力『剪裁客觀的現實，而且注入他的思想到他所處理的題材』；〔註35〕因此在某種意義上說，藝術典型化的過程，實際就是恰當地處理主客觀關係的過程。他曾如此詳盡地闡述這兩者之間的關係：「沒有一個作家是純然客觀地觀察生活的。紛紜複雜的現實，在作家頭腦中所產生的各種各樣的反應——他所接受的，或者排斥的，喜歡的或者憎恨的，喚起他想像或者引導他作推論的，都是受他的身世、教養、生活方式等等所形成的思想意識的操縱。作家按照他自己的世界觀去解釋現實，分析現實，並且從現實中揀出他認為是主要的、能夠說明他的思想的東西，經過綜合、改造、發展的程序而最後成為作品的題材」，直至「在『典型的環境』中表現了『典型的人物』」。〔註36〕很顯然，這裡的每一個環節都是在主觀對客觀的選擇、取捨中進行的；選擇、取捨得好，典型化程度就高，反之則低，這是無需論證的。茅盾特別強調典型化的過程是受「思想意識的操縱」，是在突出世界觀對於創作的指導作用——此種作用已是為人們所普遍承認的，即使從主體對客體的有效把握來說，它也是無可非議的。

　　當然，典型化過程中的主觀因素參與，也並非僅僅是思想立場、世界觀等「思想意識」的參與；藝術創造作為一種審美活動，是創作者對生活的審美把握，還應當包括作者獨具的藝術修養、藝術素質。茅盾曾經指出：在典型化過程中，「作者用什麼方法可以找出普遍性或典型性的人和事呢？用通俗的話說，即須有『眼光』。茅盾認為藝術家有不同於一般人的「眼光」，體現在三個方面：一是「淵博的學識」，二是「豐富的經驗」，三是「寬大的胸襟」；

〔註35〕　《〈西柳集〉》，《文學》第 3 卷第 5 期，1934 年 11 月。
〔註36〕　《關於藝術的技巧》，《文藝學習》1956 年第 4 號。

有此三者，即使政治主張稍有落後，也能有一副「不自欺的『眼光』」，寫出優秀的作品來。他舉巴爾扎克為例：巴爾扎克在政治上是一個保皇黨，但在作品裡卻寫出了保皇黨之非沒落不可，「原因之一就在巴爾扎克的政治思想雖然落後，他卻有一雙能看到典型的與普遍的『眼光』」。〔註 37〕由此可見，在藝術創造過程中，要使現實生活典型化，創造出有生命力的藝術典型，文藝家有其獨有的藝術修養所形成的藝術「眼光」，的確是至為重要的。這從另一個方面證明：要充分發揮創造者的主體創造作用，光有先進的世界觀和正確的思想立場還不夠，還必須具備由學識、經驗等構成的藝術修養和體現出能憎能愛、有強烈正義感等特徵的文藝家的素質、品格；唯兼有此二者，才能實現真正的藝術創造。

綜上所述，在藝術審美創造中，堅持主觀和客觀的統一，正是對創造規律的正確揭示。黑格爾說：「獨創性是和真正的客觀性統一的，它把藝術表現裡的主體和對象兩方面融合在一起，使這兩方面不再互相外在和對立。」〔註 38〕藝術創造當然離不開對外部客觀世界的認識，但同時也必須承認它是由創作者發揮主觀因素能動地把握外部世界的過程，只有堅持內外融合、主客觀統一，創造才能完成；任何把兩者割裂開來或對立起來的看法，都是背離藝術規律的。堅持唯物論的反映論、特別看重創作「社會化」要求的茅盾，在審視藝術創作過程的時候，卻對創作者的主體作用有足夠的認識，基本上堅持了主觀與客觀相統一的觀點，並在這個事關創作成敗的問題上提出了頗有見地的看法，這說明他的文藝美學思想確有獨到之處。也許，這正是使他的創作在充分尊重客觀真實的基礎上，又形成自己獨特的藝術創造的一個重要原因之所在。

第三節　重視「理性化」——藝術創造對社會的深層透視

在藝術審美創造活動中，重視創作者對生活的理性把握，是茅盾文藝美學思想中又一個突出特點。這特點，也正是對上述兩種審美創造要求在認識上的進一步深化：惟其藝術是對生活的「社會」把握，創作者要透視社會的

〔註37〕《從思想到技巧》，重慶《儲匯服務》第 26 期。1943 年 5 月。
〔註38〕黑格爾《美學》，第 1 卷第 373 頁。

深層，揭示社會的本質，就必以深邃的理性觀念爲前導，缺乏理性指導是很難達此目的的；又惟其藝術創造是一種在主客觀統一中對對象世界的認識和反映，其中創作主體起著重要作用，因此主體是否有清晰的理性思路去精確地反映客體，同樣顯出極重要意義。不妨說，茅盾對理性化的重視，既是他藝術審美創造思想中的一個獨特之處，實際上也是堅持科學意義上的藝術社會學觀念的作家藝術家所必須遵循的藝術創造要求。

（一）

　　茅盾重視藝術創作中的「理性化」是相當突出的，其重視程度遠過於一般作家，甚至也遠過於同他藝術主張相近的現實主義作家。他對這一藝術觀點的堅持，可以說是一絲不苟、一以貫之的，且滲透在他的整個文藝思想體系中。在他的前後期文藝論著中，都對理性參與創作的現象和要求作過闡述，只是理性的內涵及其對於創作的參與方式在認識上稍有不同。在早期文藝思想中，他對於文藝的要求，除了強調眞實性以外，便是強調科學性。寫於 1920年的《對於系統的經濟的介紹西洋文學底意見》一文，就認爲文藝創作有三種功夫是不可缺少的：一是觀察，二是藝術，三是哲理，而這三者都離不開科學性，具體地說，就是「用科學眼光去體察人生的各方面」、「用科學方法整理、佈局和描寫」、「根據科學（廣義）的原理，做這篇文學的背景」。在稍後寫出的文字中，更認爲堅持文藝創作的科學性，幾乎是一個時代文學的標誌，是現實主義文藝創作的重要使命：「我終覺得我們的時代已經充滿了科學的精神，人人都帶點先天的科學迷，對於純任情感的舊浪漫主義，終竟不能滿意。」〔註 39〕在他看來，科學性，是現實主義的一個重要品格，是不同於浪漫主義、現代主義創作方法的重要區別之所在。因爲現實主義強調對於生活的眞實反映，「純任情感」顯然是不行的。唯有用科學的精神去觀察、分析生活，乃至用「科學方法」去藝術地表現生活，眞實性才能得以實現。那麼，如何才能達到藝術對生活的科學把握呢？茅盾認爲，重要的一條是創作者必須有對社會科學理論的深入研究：「舊文學家是有了文學上的研究就可以動動筆的，新文學家卻非研究過倫理學、心理學（社會心理學）、社會學的不辦。」〔註40〕「我們應該學自然派（這裡所說的「自然派」，實際上是包括現實主義

〔註39〕 《自然主義與中國現代小説》。
〔註40〕 《現在文學家的責任是什麼？》。

在內的──引者）作家，把科學上發見的原理應用到小說裡，並應該研究社會，男女問題，進化論種種學說」；以此爲出發點，他批評了藝術直覺論之不確：「作社會小說的未曾研究過社會問題，只憑一點『直覺』，難怪他用意不免淺薄了。」〔註41〕從這些意見可以看出，幾乎是從踏上文學道路開始，茅盾對於西洋文學的介紹和研究，對當前創作的評論和指導，都表現出一種清醒的理性精神。從理性出發，他反對藝術直覺論，推崇應用科學原理於創作的自然主義、現實主義；從理性出發，他強調作家藝術家掌握科學原理的重要性，以爲捨此就無法進行創作；也是從理性出發，他把科學原理的應用看成是貫穿在整個創作環節中的活動：從觀察生活到佈局描寫，到哲理對全篇的滲透，都是無可或缺的──這是一種不折不扣的藝術對於生活的理性把握。自然，茅盾這時候強調的科學性，還帶有泛指性，即泛指應用一般的社會科學理論，諸如倫理學、心理學、社會學、進化論等等，尚無明確的世界觀和階級內涵，所謂理性指導，應以怎樣的確切思想去指導，也無更明確的表述。

　　自從確立馬克思主義藝術觀後，茅盾對於創作的理性化要求，強調得更爲突出，認識也更趨深化。首先是科學性涵義由泛指性趨於特指性。如所周知，茅盾的文藝思想有一個從「爲人生」的藝術觀到無產階級藝術觀的轉變，這轉變主要表現在對藝術本質的階級屬性的理解上。此時他已站在無產階級立場上，看取藝術的特質、功能、使命等，勢必會認爲：藝術創作「應以無產階級爲中心而創造一種適應於新世界（就是無產階級居於治者地位的世界）的藝術」；〔註42〕也勢必會對文學使命提出如此要求：「文學者目前的使命就是要抓住了被壓迫民族與階級的革命運動的精神，用深刻偉大的文學表現出來，使這種精神普遍到民間，深印入被壓迫者的腦筋」。〔註43〕這樣，他要求於創作者所掌握、所應用的科學理論，當然不會只是泛指的、籠統的社會科學，而必然是帶有鮮明的階級內涵和政治內涵的，具體言之，就是馬克思主義的階級學說、社會革命鬥爭學說。雖說茅盾後來對無產階級藝術、對革命文學並沒有作狹隘理解，因此在當時和後來都很遭一些人的非議，但並不能就此否認茅盾所堅持的理論武器是馬克思主義。理性指導，以更先進的思想

〔註41〕《自然主義與中國現代小說》。
〔註42〕《論無產階級藝術》。
〔註43〕《文學者的新使命》，《文學週報》第190期，1925年9月。

作武器，自然將更具科學性。其次，對創作者的思想——理性要求，從理論、學識修養上昇到確立進步的人生觀、宇宙觀，以便真正實現對生活的科學的理性把握。越到後期，茅盾越強調作家確立進步的人生觀、宇宙觀的必要，而且這也多半是從更有效地從事創作的角度說的。他指出：「有了進步的宇宙觀，然後能有深刻透視的眼力」；光有生活經驗豐富還不夠，光有足夠的學識修養也不行，因為「世間不乏這樣的人：言論是進步的，『思想』是進步的，然而一碰到實際問題，不免迷亂自失，不能站穩在前進的人民大眾的立場上」。〔註44〕顯然，他把創作者獲得同前進的人民大眾的立場相一致的人生觀、宇宙觀，是看得比單純掌握思想理論武器更為重要的。正是從這一點出發，他認為作為「人類靈魂工程師」的文藝家，「除了需要有冷靜的頭腦，還需要有一副熱烈的心腸」，即具有同人民大眾感情相通的「闊大的胸襟，偉大的氣魄」，這樣，作家的人格修養問題就顯得相當突出了。這裡，茅盾把創作者自身修養從單純的理論修養擴展為包括思想修養、人格修養在內的有著更豐富內涵的修養，顯然是為藝術創作實現更有效的理性把握提出了更高的要求。再次，對於理性參與創作、指導創作的現象闡述得更為充分，參與、指導的程度也強調得更為突出。在後一時期，茅盾結合自己的創作實踐，反覆論述了文藝創作總是在某種思想觀念、理論觀念的直接參與下完成的，這種參與特別表現為社會科學理論對創作的滲透、干預，乃至自覺的指導、支配。為此，他提出了「主題至上」、「思想在先」、創作是「先從一個社會科學命題開始的」等頗為出格的主張。這類主張大體上都可從他自己的創作實踐中得到印證。這說明，隨著茅盾現實主義理論的深化，創作的「社會化」要求更趨強烈，用文藝批評社會、寄託愛憎的目的更加鮮明，要求用「理性化」的藝術思維去科學地把握藝術創作的自覺性也表現得更明晰、更突出了。

由此看來，一以貫之的「理性化」要求，在茅盾的文藝思想中的確帶有相當大的獨特性，反映了他藝術追求的不同尋常。然而，把理性引入藝術創作，卻並非茅盾的獨創，在我國的傳統美學和西方文藝思潮中，理性因素在藝術創作中的作用是早為文藝家們所認識並加以反覆闡述的，在這方面的理論建樹也可謂汗牛充棟。茅盾的獨特性是在於：在堅持創作的理性要求方面，他比一般文藝家做得更為出色，堅持得更為充分，且使理性灌注了充滿生氣的內容，在一定程度上豐富和發展了現實主義文藝理論。考察茅盾對「理性

_____

〔註44〕 《對於文壇的一種風氣的看法》，《青年文藝》新 1 卷第 6 期，1945 年 1 月。

化」理論的闡述，不難看出其「理性化」思想體系，是在總結前人創作理論和實踐的基礎上，聯繫我國新文學建設的實際，經作家的獨特思考而逐步確立的。在我國的傳統藝術思想中，向來就有主智和主情兩說。主智（或稱主志）派創作以《詩經》為發端，所謂「詩言志」是也；主情派創作則以《離騷》為源頭，稱其為「明己遭憂作辭」〔註45〕即是。這兩派文學創作在其各自的發展途程上都有過輝煌的成就，產生過不少優秀的傑作。然而，由於傳統文學理論的不完善性，人們對於「志」與「情」的理解往往具有片面性。主智派文學大抵不忘現實社會人生，以自己的「言志」之作參與改良世道人心，其中固然不乏驚世駭俗的作品，但大多由於世界觀的局限，「智」的內涵不免淺薄；特別是自韓愈提出「文以載道」說之後，把「智」納入規範的封建道統之中，使文學只成了宣傳聖經賢傳教義的東西，理智對創作的參與更失卻了應有的意義。茅盾就指出，只要隨便翻一翻主智派「文學者的集子，總可以看見『文以載道』，一類氣味的話」，雖然這也可算是「有為而作」，但「文章是替古哲聖賢宣傳大道，文章是替聖君賢相歌功頌德，文章是替善男惡女認明果報不爽罷了」，這不能不說是對文學本質的「誤認」。〔註46〕至於主情派文學，也同樣為茅盾所不取。從強烈的「社會化」要求出發，他對於單是個人「寄慨寫意」的古來文學作品向來就持批評態度，更何況此種「寄慨寫意」之作到後來發展為玩味個人性情的「名士派」的「消遣品」：「得志的時候固然要藉文學來說得意話，失意的時候也要藉文學來發牢騷」，當然更為茅盾所反對。他把這種文學稱之為「是和人類隔絕的，是和時代隔絕的，不知有人類，不知有時代！」〔註47〕針對舊文學的這兩種狀況，不難理解：要建設具有現代意義的新文藝，對傳統文藝觀念的改造和更新是勢在必行的。因為就增強文學藝術的社會功能而言，單純「主情」的文藝固不能適應，即便是標榜「主智」卻未有足夠的智力足以參與社會、啟迪心智的文藝也不能擔此重任。茅盾在對我國古代文藝理論深刻認識和透闢分析的基礎上，提出了自己的「理性化」主張，並給理性以深層意義上的認識，無疑是對我國傳統文藝理論的重大發展。另一方面，還應看到，茅盾闡述的「理性化」觀

〔註45〕 班固《離騷贊序》。

〔註46〕 《文學和人的關係及中國古來對於文學者身份的誤認》，《小說月報》第12卷第2期，1921年2月。

〔註47〕 《文學和人的關係及中國古來對於文學者身份的誤認》，《小說月報》第12卷第2期，1921年2月。

點，有相當部分是對西方文藝思潮中的非理性傾向的批評而言的；因此不妨認爲：這也是茅盾在中西方文化交匯中對外來文藝思潮有所揚棄而欲重構中國新文藝理論所作的努力。對於當時蜂湧而入的各種外來的主義與思潮，茅盾獨尊現實主義而排斥非理性主義，是經過一番「窮本溯源」的探究而作出的選擇。概而言之，是基於兩種考慮：一是引進外來文藝思潮必須切合中國文學實際。他以爲，對本國文學的改造是應根據「舊張本依次做去」的，斷不能超越階段「唯新是摹」；儘管那時在西方寫實主義文學「已見衰歇之象」，但中國尚未有過寫實主義「眞精神」、「眞傑作」，「所以中國現在要介紹新派小說，應該先從寫實派、自然派介紹起」。〔註48〕二是通過對諸種文藝思潮的比較研究，看到了非理性主義的種種「病象」，認爲它實在不適爲當時中國文學的楷模。包括唯美主義、象徵主義、直覺主義、神秘主義等在內的種種非理性主義文藝派別，最大的病根是缺乏科學的理性精神，只憑「直覺」寫一點別人無法把捉的情感，這於社會、於人生有何助益？茅盾說，「在現在我們這樣的社會裡，最大的急務是改造人們使他們像個人」，而文學灌注以清醒的理性的確能起到「喚醒」人的作用，「我們迷信文學有偉大的力量」。〔註49〕這樣，與非理性主義反一調，旗幟鮮明地提出「理性化」創作主張，便是極自然的事。從外來文藝思潮的獨特選擇中，所顯示的正是茅盾依據國情、依據文學現狀尋找一條切合中國文學自身發展道路的可貴的探索，他的注重「理性化」的藝術創造思想也更見出獨特和精到。

（二）

由於是從縱向、橫向兩面的審視、比較、取捨中來確定自己的藝術選擇，此種選擇又是以切合民族的審美要求、完成獨特的藝術使命爲前提的，這就決定了茅盾所堅持的「理性化」主張必有著自己的鮮明特色。無論是理性的內涵，還是理性在創作中的參與方式及其所起的作用，都是既不同於我國傳統的主智派理論，也不同於西方一度盛行的理性主義哲學、美學思想。綜合考察其觀點，可歸納爲以下三個特點。

一曰規範理性。即是說：其理性內涵，是經社會科學理論所規範，不同於西方的自由理性——純粹只是個人自由意志的表現。就大體而言，中西方

〔註48〕《小說新潮欄宣言》、《〈小說月報〉改革宣言》。
〔註49〕《介紹外國文學作品的目的》。

人在價值觀念的取捨上有著明顯的差異：中國人注重類本位或社會本位觀念，西方人則重於個體本位觀念。由是，所崇奉的理性精神，前者必滲透著類的意識或社會的意識，後者則崇尚自我的精神意志。茅盾所遵奉的理性觀念，爲社會觀念所規範，不獨是一種東方思維模式的表現，同時也是由他一開始就信守文學「社會化」的現實主義主張所決定的。特別是當「類」的意識更具體化爲集團的意識、階級的意識以後，理性觀念的規範性程度自然也就更高。茅盾在早期提倡自然主義、寫實主義理論時就提出，藝術創作以理性爲指導，就是要讓它納入社會科學理論的軌道；爾後，他轉變爲自覺的馬克思主義者，社會觀念有更明確的集團意識、階級意識，所謂理性指導也有了更顯著的特指性：即以馬克思主義的宇宙觀、人生觀指導創作，社會科學理論也就有了更明確的理論規範。理性的規範性，是在於合於理性的科學性，使創作成爲尊重客觀規律、反映客觀規律的藝術創造性。馬克思主義思想體系，是人類歷史上最先進的科學，以此作爲創作的理性指導，必將使文藝作品更深刻、更本質地反映社會。在這一點上，茅盾自己的創作實踐是得益非淺的。他寫於 30 年代的《子夜》、《春蠶》、《林家舖子》等一批社會剖析小說，就是嚴格按照「社會科學命題」的指導而創作成功的。而此所謂的「社會科學命題」，恰恰就是馬克思主義的科學命題，就是按照馬克思主義的基本觀點對社會的政治、經濟現狀展開廣泛的分析研究，得出科學的結論而後給予藝術的表現。藉助於科學的規範理性，無疑是使創作獲得成功的重要原因。自然，對理性的規範性也不能作狹隘理解，如果把「規範」看成是限制自由創造的戒律，從而使理性只成爲某的教條或教義的注腳，那麼「文以載道」也是一種規範，然而它只是宣傳「聖經賢傳」的某種「教義」，不可越此雷池一步。茅盾強調用馬克思主義指導創作，側重點是在馬克思主義的世界觀和方法論，沒有對理性的內容作更死的「規範」，沒有要求創作非要去宣傳某種「教義」不可，只是要求以某種原則爲指導或支配，創作者的主體創造精神同樣是應該也可以得到充分發揮的。不過，需要指出的是，理性一經「規範」，畢竟也缺乏寬延性，不可能上昇到更高的哲學層次；而且，如果創作者只是囿於「規範」，毫無自己對生活的獨特發現，使創作只成爲某種「規範」的圖解，就勢必會窒息創造力，也難於避免創作的概念化。正由於此，強調藝術創作是貫注主體創造精神的勞動，就顯得極爲重要了。

　　二曰實用理性。西方文藝思潮中的理性主義，大多帶有純思辨色彩，其

研究對象往往不是現實世界，而是抽象的「理性世界」，因此是一種更富哲學意義的理性精神。康德曾把理性分爲「純粹理性」和「實踐理性」兩種，所謂「純粹理性」就是用先驗範疇整理感性知識，認識、理解源於經驗的不可知的「現象」世界，以實現探究宇宙萬物無窮奧秘的渴望。黑格爾則把理性看成是作爲超越時間、空間、自然、人類和社會的純粹思維而存在的「絕對精神」或「理念」，藝術的目的就在於「把永恆的神性和絕對眞理顯現於現實世界的現象和形狀」。〔註50〕這種帶有純思辨色彩的理性觀念，探索的是超現實的「定在」，把它引入藝術，就是要用藝術手段去表現諸如宇宙本源、人的價值、生命意識之類形而上的哲學命題。茅盾不是哲學家，當然無意去研究抽象的「理性世界」，他所說的理性，也不可能是康德、黑格爾之類的「純粹理性」；他感興趣的是用理性去探索現實人生問題，提出的理性觀念就具有對現實的觀照力量，因此不妨說這是一種「實用理性」。儘管茅盾不是一個哲學家，但他對現實人生的深入、透闢研究並使之融入創作實踐，同樣充滿了哲學意識。以思想深度著稱的現實主義作家對生活作哲學研究的現象，並不神秘。丹納在提到巴爾扎克的傑出成就時就作過這樣的評論：「在他身上哲學家和觀察家結合起來了……他對人生作了哲學研究。」〔註51〕茅盾也是主張對人生作哲學研究的，只不過在研究對象上同主張非理性或「純粹理性」的文藝家有極大的不同：他是把現實人生作爲哲學研究「底子」的，所謂理性把握，就是對現實的理性把握，而且是一種對生活實際盡可能逼近的有效把握。他認爲，對社會人生的研究，以「歷史的必然」爲遁詞，寄託於虛無縹緲的存在，無異於將「社會的活力」置於「沙上的樓閣」，是注定不會有成效的；對於作家來說，重要的是「應該凝視現實，分析現實，揭破現實」，提出一些對於現實生活有影響的「重大的問題」。〔註52〕准此，即使是那些現實主義作家創作的探索「人生究竟是什麼」的「問題小說」，他都覺得太空泛，「觀念化」。〔註53〕這說明，他所主張的對生活的理性把握，應當是貼近現實人生的、有具體內涵能對讀者產生實際觀照意義的把握；作爲體現鮮明時代性特徵的藝術創作，所謂理性分析，就應當是一種「時代性分析」。〔註54〕基於如此認

〔註50〕　黑格爾《美學》第三卷下冊第 334 頁。
〔註51〕　丹納《巴爾扎克》，《文藝理論譯叢》1957 年第 2 期。
〔註52〕　《寫在〈野薔薇〉的前面》。
〔註53〕　《中國新文學大系・小說一集導言》。
〔註54〕　《讀〈倪煥之〉》。

識，他自己的創作對人生作哲學研究，就是以當代社會生活及當代重大事件作爲觀察、分析、研究的對象，並在藝術表現中寄託自己深沉的理性思考。他的創作所蘊有的理性力量，就能給人們以現實的啓迪，從而迅速轉化爲一種認識社會、改造社會的現實力量。

三曰直觀理性。這是指理性的可感知性、可接受性。茅盾善於將可感受的情感融於理性，使理性成爲一種浸透豐富情感內涵的東西，從而增強了爲讀者所能夠接受、樂於接受的能力；這同西方的理性主義將理性訴諸於純抽象的精神境界，往往使理性具有不可知性、甚至陷入神秘主義也是判然有別的。別林斯基說：「藝術，就它的哲學定義是：對於眞理的直感的觀察。」〔註55〕藝術創作同一般社會科學的區別就在於，它對於生活的表達方式應是一種形象化的藝術表達，即使浸透豐富的理性觀念，也不應是抽象的科學演繹，而必須轉化爲可以感知的直觀形象。而直觀性之形成，情感的滲透與參與特別重要，因爲浸透著情感的形象將在創作者和讀者之間實現進一步的心靈溝通，因此別林斯基又把藝術作品中的理性觀念稱爲「詩情觀念」。茅盾對理性觀念的直感性有較充分的認識。他多次談到文藝作家與社會科學家在觀察生活、「說明」生活時都有截然不同的特點，其中最重要的不同，是文藝作家「說明」生活時，是「雖不作結論而結論自在其中」的，〔註56〕因爲創作者已經將可以感知的又寄寓著自己獨特思考的形象推給讀者了。在談到理智與情感相依附而存在的創作現象時也指出：這兩者在藝術創作中是不應當被分割理解的，人們讀一部作品，倘對於作品表述的思想觀念只是「理智地得出來的，而不是被激動而鼓舞而潛移默化於不知不覺」，則創作的目的並沒有達到；因爲這觀念不可能爲所有的人所接受，「惟在已有政治認識的人們方能理智地去讀完這本書而已有所會於心」，對於一般人則「只是白紙上有黑字罷了」。〔註57〕這見解是頗爲精闢的。因爲如此的思想觀念參與，實在只是硬貼標籤，讀者並沒有被理解，更談不上被激動，自然也不可能被接受。在茅盾的小說創作中，思想觀念的參與是明顯的，這可由他的大量作品作證；然而，他並不讓觀念採取直接參與的方式，而是寄寓在滲透著豐富情感的藝術形象身上，體現了藝術傳達的直覺性和生動性，因此不妨說這樣

〔註55〕別林斯基《藝術的觀念》，《別林斯基全集》第4卷第592頁。
〔註56〕《創作的準備》。
〔註57〕《〈地泉〉讀後感》。

的思想觀念也是地道的「詩情觀念」。

第四節　提倡兩種思維相結合的藝術思維結構

　　在談到茅盾對藝術審美創造的理性化要求時，不能忽略與之相關的另一個方面的要求——形象化。因為作為用形象反映方式去把握對象世界的文藝創作，理性在創作中的參與是有條件的，它並非可以獨來獨往地孤立進行；具體地說，它必須依附於、滲透於形象中，豐富和深化形象的內涵，才能真正發揮藝術上的作用。上一節末尾我們在談理性的直觀性時就已指出，茅盾所主張的理性參與，並不是用那種純思辨的抽象理性去參與，而是把理性寄寓在充滿生氣、灌注情感的形象身上，這實際上已提出了本節所要闡述的一個問題：在藝術創造活動中，文藝家的創作思維呈怎樣的獨特形態？對此，茅盾是持何見解的？

　　從一以貫之的藝術思想考察，可以說，茅盾是強調藝術創作中形象思維與邏輯思維並存，且是兩者交互著起作用的。早期，他沒有使用過形象思維和邏輯思維的用語，但從表述的某些觀點看，已揭示了此種思維的某些特徵。比如在《論無產階級藝術》和《告有志研究文學者》兩文中，提到文藝創作是受著「合理觀念與審美觀念的取締或約束」；談到文學「構成的原素」，不外是「我們意識界所生的不斷常新而且極活躍的意象」和「我們意識界所起的要調諧要整理一切的審美觀念」兩條。這裡所說的兩種「觀念」的約束和支配，「意象」經審美的「調諧」和「整理，同通常所說的兩種思維的作用是相去不遠的。儘管作為一種藝術創作規律，形象思維和邏輯思維對於創作的參與是早為文藝家所認識的，但在我國，「形象思維」卻是 50 年代才開始廣泛使用的一個外來術語，因此茅盾在那時未能從兩種思維的結合上去闡明自己的觀點，是不足為奇的。至後期，特別是晚年，茅盾對於形象思維和邏輯思維相結合的過程就闡述得比較清楚了，而且還就兩種思維結構的結合方式、結合程度等問題提出了頗有見地的看法。

　　別林斯基曾經指出，在藝術作品裡，思想觀念、理性觀念對創作的參與往往可以「顯現」出兩種方式：一種是，「觀念延伸到形式裡面去，從而在形式的全部完美性中透露出來，溫暖著並照亮著形式，——這種觀念是富有生命力的，富有創造性的」；另一種是，「觀念跟形式漠不相關地產生在作者的

頭腦中——形式被他另外單獨地製造出來，然後，再配合到觀念上面去。其結果是：一部作品，按觀念說來（也就是按作者的意圖說來）是很可取的，但在形式上卻一點也引不起人們的注意」。〔註58〕這說明，單純看到或指出藝術創作中有兩種思維並存的現象，還沒有真正揭示藝術創作的規律；如果認識僅及於此，那麼，觀念與形式、理性與形象被分割地「並存」於創作中也將被認為是允許的，藝術創作中的觀念化（或概念化）也就不再是一病了。只有認識到兩種思維的結合，確如別林斯基所會的是觀念向形式（形象）的延伸、滲透乃至融合，做到兩者之間的水乳交融，這才是一種完美的結合，按此結合方式才會產生富有生氣的藝術創造。

綜觀茅盾對兩種思維結合的理解，大體上是遵循別林斯基所說的前一種結合方式的，即注重觀念與形式的滲透與融合。歸納其觀點，下述三點是最突出的。其一是堅持兩種思維相「伴隨」進行的觀點。他在寫於 1943 年的《從思想到技巧》一文中就指出：「文學創作上所謂『思想』是離不開『形象』的，一個作家腦海中出現了一個『主題』的時候，『形象』必伴之而來，在創作過程中，決沒有什麼不與形象相伴隨的光桿的所謂『思想』。」這段文字雖沒有提到思維問題，但「思想」和「形象」相「伴隨」進行的說法，是不難理解為是就兩種思維結合而言的。在後來表述這一觀點時，就從思維的角度來談了：「文學作品的技巧問題包括生活素材的分析、綜合、提煉，主題思想的確定，主要是邏輯思維在起作用，但伴隨著，也有形象思維。至於塑造典型環境中的典型人物，人物性格細節的描寫，社會環境和作品主角活動場所的具體描寫等，則主要是形象思維在起作用，但伴隨著，也有邏輯思維。」〔註59〕這裡所說的兩種思維相「伴隨」，就決不是一種分割的說法。應當承認，在創作的不同階段，例如構思階段和具體描寫階段，兩種思維的運用是會各有所側重的：在對生活現象作綜合分析時，理性思考的份量會多一些；而在創造人物形象時，則自然是以形象思考為重。然而，茅盾並不認為這兩者是各自獨立進行的，在進行邏輯思維時就不能有形象思維，反之亦然；恰恰相反，這兩者始終是相「伴隨」進行的。他特別指出即使在提煉主題時，形象也必「伴之而來」，這就避免了片面性，至少不會出現形象被「另外單獨地製造出

〔註58〕別林斯基《符拉基米爾·菲里莫諾夫的〈難以理解的女人〉》，《別林斯基全集》
　　　　第 5 卷。
〔註59〕《漫談文藝創作》，《紅旗》1978 年第 5 期。

來」的現象。其二，堅持兩種思維是反覆、交叉結合的觀點。茅盾曾經談到，文藝家與社會科學家在分析社會、把握社會上有不少相用之處，兩者的根本不同是在運用不同的思維方式上——就此而言，文藝家要「多做一層功夫」。社會科學家對社會現象作縝密觀察、分析、綜合後得出科學結論便可完事，而文藝家在作同樣的觀察、分析、思考後，還得「再倒回去」，再進行一次理性與形象相結合的思考。其具體過程是：「當其開始，是由具體到抽象，由表象到概念，而後復由抽象回到具體，由概念回到表象，在這回歸之後，才是創作活動的開始」。〔註60〕這裡所述的創作活動，就是一個相當複雜的過程，其中表象與概念、形象與抽象的交互作用，並非進行一次，而是要作反覆多次的融合才能最終完成。自然，僅從這段文字看，也有令人費解的地方，所謂「再倒回去」，是不可能再倒回到原來的「出發點」上的，那樣的思維只是以概念去印證表象，仍然難以避免概念化。如果不是作此理解，聯繫茅盾在另一處說的：當經第一次觀察，心頭已「閃動」著形象的「面影」時，還必須再「到社會上去留心觀察同樣性格的人，把他們的面目也一一勾下來」，直到「形相大半成熟了」，方可「佈局」來寫〔註61〕——則可知：他所說的思維，是指寄寓在不同形象身上的反覆觀察、研究、思考，其中形象與抽象兩種思維自然也必是多次反覆、交叉進行的。其三，認爲兩種思維的結合對創作者來說是一種「不自覺」的心理活動。他曾提出這樣的觀點：「在作家的構思過程中，邏輯思維和形象思維並不是自覺地分階段進行而是不自覺地交錯進行的。」以題材的成熟爲例：「作家的世界觀決定了他從最熟悉的社會生活中選擇其最能反映時代精神的部分，作爲題材，這便是邏輯思維」；但同時，「題材決不是以抽象的方式憑空跳出來的，而是作家在長期深入生活」，充分感知了生活中的人和事，以至於「使他興奮，使他時刻難忘，甚至睡夢中也參加這些事件」，「作家渴望而且感到有把握進行寫作的就是這些人和事，從而進行了初步的構思，這便是形象思維」。〔註62〕這樣說來，兩種思維的運用完全是呈膠著狀態的，是密不可分地聯繫在一起，連創作者自己也分不清楚究竟什麼用了哪一種思維。這恐怕是最理想的兩種思維的結合了：創作者並不把思維人爲地分割成不同的「階段」，而是讓自己處在一種「不自覺」狀態中，

〔註60〕《談技巧、生活、思想及其他》。
〔註61〕《創作的準備》。
〔註62〕《漫談文藝創作》，《紅旗》1978 年第 5 期。

使兩者自然而然地融合在一起，使形象與理智的交融眞正達到「羚羊掛角，無跡可求」的地步，理想的藝術創作自然也就不難完成了。這該是茅盾從創作實踐中總結出來的經驗之談，對藝術創作是頗有啓迪意義的。

由上可見，茅盾對於藝術創作中思維規律的獨特性是有著自己的深切理解的。這種理解，既是基於他對藝術固有特質的把握，也取決於他的堅定執著的現實主義創作主張：惟其藝術注重對生活的形象反映，他看重藝術的「形象化」，而且經常把「形象化」置於非常突出的位置；惟其現實主義要求創作者對生活有精確的把握，他也強調創作的「理性化」，在這一點上比別的作家有更清醒的認識。而要同時實現兩方面的要求，唯一的途徑是把兩者有機地統一起來。因此，堅持實現兩種思維結合、相交融的觀點，不妨可以看成是茅盾現實主義文藝觀的一個重要特徵。

正由於茅盾對藝術思維規律有著自己的獨特理解，他對於創作者如何有效地進行藝術思維、從事藝術創造，也便有他的獨特認識與要求。他認爲文藝家應「對事物有與眾不同的敏感和超出尋常一般人的理解力、想像力」，〔註63〕藝術思維能力應有特殊要求；又認爲藝術思維是貫穿在整個藝術創造過程中的，對文藝家來說也應有多種能力的培養。對於藝術創造者所應具備的能力，茅盾作過多次闡述，例如，「先須養成發見矛盾，洞明變化的觀察力」，〔註64〕還須有「理解力，綜合力，想像力，而尤其是創造力」〔註65〕等等。這種種能力，茅盾都是以養成獨特的藝術思維習慣的角度提出的。

觀察力是指對事物的感知能力。創作者要對生活作藝術的反映，自然免不了對客觀事物的觀察與感知，但文藝家「與眾不同」的是，他對生活的觀察並不只是一般地「搜羅材料」，而應是一種審美觀照：善於從生活中發現美，發現藝術所需要的東西。茅盾指出，如果「你心上老釘著一個『找材料』的念頭」，或者「像負了『訪查』什麼的責任，——像報館訪員似的，一天之內定要『得了』些什麼算能安心；這樣太機械的心有所注的辦法是很糟的」，因爲這不是用作家所應有的「銳利的視力」去觀察，至多只盡了新聞記者的「責任」。〔註66〕這種區別不同性質的「觀察」，對於說明藝術創作的特殊性，是

〔註63〕 《漫談文藝創作》，《紅旗》1978 年第 5 期。
〔註64〕 《大題小解》，重慶《時事新報》副刊《青光》，1942 年 6 月。
〔註65〕 《個性問題與天才問題》，《中學生》復刊第 88 期，1945 年 5 月。
〔註66〕 《創作的準備》。

至爲重要的。至生活中去「尋找」——意味著只是用既定的觀念去用相關的「材料」加以印證，這是社會科學「說明」生活的辦法；到生活中去「發現」——包含文藝家特有的藝術敏感，從中發現別人沒有發現的東西，就能形成獨特的藝術創造。基於這個道理，茅盾認爲培養作家具有獨特的藝術感覺能力就特別重要，而觀察與感覺又是相輔相成的：「觀察能敏銳深入，感覺自然新穎俊逸」；「一般人以爲現實所有無不平凡」，但「在現實主義的藝術家的眼光中，現實的一切，充滿了不平凡」。〔註67〕原因就在文藝家有獨特的藝術感覺，善於發人所未發，善於從平凡中見出不平凡。這樣說來，所謂觀察力，還不只是一般地擷取生活的能力，實際上也是文藝家所應有的審美感知能力。

理解力是在觀察力基礎上的一種昇華。茅盾在談到閱讀文藝作品的感覺時說：「大底第一篇看的時候，只是情感上受感動，看第二遍的時候就會想到有社會問題在內了，這是理智的感動。」〔註68〕藝術創作的過程也大底如是：創作者從對生活的獨特觀察中，激起了某種不可抑止的創作衝動，然而要使衝動成爲創作實際，還必須對情緒進行「理智的」調節與整理，以達到對生活的眞正理解。茅盾不止一次談到：觀察的目的是在於理解，而認識之深化的標誌也在於理解。理解力顯然是比觀察力更重要的一種能力。需要指出的是，茅盾所說的理解力，並非僅僅是一種理智的因素，而是理智與形象反覆交融形成的能力。一方面，他認爲：所謂理解，就是「從生活中眞正領會到了眞味」，這是由「把生活經驗重新拿出來咀嚼」而獲得的，「這樣的心理過程，可以名之爲『體驗』」。這是對通常所說的「體驗生活」的合理解釋。體驗，實際上是一種「咀嚼」著以主生活經驗、融化了自我深切體會的心理活動，經此「體驗」，認識自將進一步深化。另一方面，他又指出：「正像咀嚼食物不可缺少唾液一樣，咀嚼生活經驗的時候，也需要一種『唾液』，這就是進步的宇宙觀人生觀，沒有這種『唾液』，被咀嚼的東西還是不會起化學分解作用，結果只是白嚼一頓。」〔註69〕這後一層意思所說的就是純粹的理性活動了，即在科學理論指導下，對生活現象（包括自己的「體驗」有更合理的認識。經過如此的反覆「體驗」、「咀嚼」，創作者對生活的理解能力會自然養成，並使之日臻提高。

〔註67〕　《大題小解》，重慶《時事新報》副刊《青光》，1942 年 6 月。
〔註68〕　《雜談文學修養》，《中學生》第 55 期，1942 年 5 月。
〔註69〕　《論如何學習文學的民族形式》。

綜合力是對生活進行分析、整理、概括的能力。對於十分注重創作的社會分析功能的茅盾來說，特別強調這一點是不足為奇的，因為他所認定的創作對客觀生活的「再現」，「應該是社會現象通過了作家的意識經過分析整理的再現」，〔註70〕分析和整理，就是「再現」過程中一個不可或缺的環節。但作為創作者所應具備的一種能力來認識，茅盾所說的「綜合力」，除了對現實主義作家提出的社會分析能力以外，更主要的恐怕還是指藝術概括能力。藝術概括是滲透在整個藝術構思活動中的，包括選取題材、提煉主題、熔鑄形象等，都要進行藝術的「綜合」。茅盾對於素材的「綜合、改造」，形象的「綜合、歸納」，都發表過精闢的見解，其中特別精到的是要求創作者具有「立體思維」能力的闡述。所謂「立體思維」，包括兩個方面：一是對社會生活現象必須「作全般的的鳥瞰」，二是分析這些現象時必須「從社會的總的聯帶關係上作全面的考察」，從而達到對社會的「立體」認識；〔註71〕而所謂「立體」，又包括縱橫兩方面的整體把握：橫的方面是「社會生活的各環節」，縱的方面是「社會發展的方向」，歸結到一點，是在把握「全面」的基礎上「深入一角」。〔註72〕不難看出，茅盾所要求的綜合力，其著眼點放在對「全般」的總體認識上，不是一般的認識，而是通過細密的分析完成對社會生活現象的各種複雜關係及其發展趨向的明晰把握，這顯然是一種要求很高的開闊性思維能力。具備此種能力，能夠從四面八方、縱橫交錯的社會生活現象中作綜合的、立體的觀察與思考，藝術創作要揭示生活的真諦也就不難做到了。

想像力，是作家藝術家進行形象思維不可或缺的能力，或者說是形象思維的重要內涵。高爾基說：「想像在其本質上也是對於世界的思維，但它主要是用形象來思維，是『藝術的』思維；可以說，想像——這是賦予大自然的自然現象與人物以人的品質、感覺、甚至還有意圖的能力。」〔註73〕注重形象思維的茅盾，自然也是重視藝術創作的想像活動的。他曾說過「生活經驗是重要的，但也不可以為除了自己實實在在『經驗』過的範圍以外，便一字也不能寫，我們要知道『經驗』之外，還有『想像』。有許多心理狀態，作家是沒有經驗過的，就要靠想像。」〔註74〕但作為創作思維活動看，茅盾

〔註70〕 《談題材的「選擇」》，《文學》第 4 卷第 2 期，1935 年 2 月。
〔註71〕 《創作的準備》。
〔註72〕 《〈茅盾選集〉自序》，開明書店 1952 年版。
〔註73〕 高爾基《談談我怎樣學習寫作》，《論文學》第 160 頁。
〔註74〕 《談人物描寫》，桂林《文藝青年》第 1 卷第 1 期，1942 年 10 月。

所說的「想像」，也不是把它同邏輯思維完全對立的一種思維活動去認識的。他認為，想像既不能離開對生活「透徹的觀察」而憑空產生，同時也必須受到理智的制約與調節。他在批評創造社作家「太偏重於靈感主義」時就指出，其「最大的病根在那些題材的來源多半並非由親身體驗而由想像」，使創作成為『『靈感忽動』時『熱情奔放』的產物」。〔註75〕由此可見，無論是靈感還是想像，茅盾都不願意把它們當作與理智無關的、純屬主觀隨意性的東西而任意調遣。想像只有同理性結合，才能使之有更合理的內核，使思維結晶為一種更富哲學意味的東西，這是早經作家理論家所闡述的。歌德就曾經指出：「想像一發覺向上還有理性，就牢牢地依貼著這個最高領導者。……它愈和理性結合，就愈高貴。到了極境，就出現了眞正的詩，也就是眞正的哲學。」〔註76〕茅盾所要求於創作者的想像力，也正是這樣一種浸透了豐富理性內涵的思維能力，這正同他一貫主張兩種思維相結合的藝術觀點是完全一致的。

此外，還有創造力。此處所說的創造力，當指藝術獨創性而言，並非泛指全部藝術創造能力——因為上面所說的諸種能力，說的都是藝術創造力。茅盾對於藝術獨創性的重視也是十分突出的，他在談各種藝術創作經驗（諸如描寫技巧、語言運用、結構安排等）時，都一再強調獨創性的重要；特別是還從審美的角度談獨創，認為藝術「以獨創為美」、「以新鮮活潑為貴」等等。對此，本書第一章已有專節探討，此處就不再贅說了。但不妨指出一點：獨創能力是藝術創造活力之所存，也是文藝家獨特藝術個性之所在，茅盾認為創作者應具備諸種能力，「尤其是創造力」，把「創造力」居於更突出的位置，這正是對藝術規律的深刻揭示，也是深知藝術創造甘苦的一語中的之論。

〔註75〕《關於「創作」》，《北斗》創刊號，1931 年 9 月。
〔註76〕歌德《致瑪麗亞・包洛芙娜公爵夫人書》（1817 年），引自《外國理論家作家論形象思維》第 35 頁。

第四章　文藝批評觀

　　文藝鑒賞和文藝批評，是人們對文藝作品的具體把握，它同審美創造一樣，是審美活動的主要形態之一。如果說，審美創造是通過文藝家的能動性創造感受、反映生活中的美；那麼，審美鑒賞和審美評價，就是讀者和批評家感知、掘發這種美，使文藝發揮和實現它所蘊含的多種功能。因此，作爲審美評價的一種重要形式的藝術批評，實乃藝術審美活動中不可或缺的環節，自然也是批評家美學思想重要之所寄。當我們較爲全面地審察茅盾的文藝美學思想時，其文藝批評觀是不可不予充分重視的。

　　在文藝批評方面，茅盾有幾十年的批評實踐，在中國現代文壇上曾以一個卓越的文藝評論家爲世矚目。從他的獨具卓見的大量文藝評論文章中，固然可以窺見其文藝美學思想的各個側面，自然也顯現著他對於文藝批評本身的眞知灼見。他對於藝術批評作爲一種審美再創造的高度重視，他堅持馬克思主義的「歷史——美學」批評的文藝批評原則，他的注重批評家作爲審美主體在審美評價中的作用，以及他把文藝批評活動作爲「運動中的美學」認識的精闢論述等，都是既同他一貫堅持的藝術社會學觀念相一致，又顯示出相當突出的藝術批評個性的，形成了茅盾式的富有獨創性的較爲系統的文藝批評觀。評析、總結茅盾的藝術批評觀，既是對作家藝術美學思想體系一個重要側面的考察，同時也是對一種典型的社會批評模式的透視，從中汲取其經驗，對於繁榮社會主義文藝批評必當有所助益。

第一節　文藝批評是一種審美再創造

　　文藝批評作爲在藝術鑒賞基礎上深化的一種審美活動，其意義在於對文

藝作品作出具體的審美評價，引導和提高欣賞者的藝術鑒賞能力，並通過審美反饋對文藝家的創作施加深層的影響。因而，這是一項同藝術創造具有同等價值的藝術活動。茅盾對文藝批評的重視，就是把它提到審美再創造的高度加以認識的，由此構建起一種全新的現代文藝批評意識。

在我國傳統的文學藝術中，文藝批評向來是比較薄弱的。按照茅盾的說法，「中國一向沒有正式的什麼文學批評論；有的幾部古書如《詩品》、《文心雕龍》之類，其實不是文學批評論，只是詩賦、詞贊……等等文體的主觀的定義罷了」。〔註1〕這也許是一種苛責，因為無論是《詩品》或是《文心雕龍》，甚至比這更早的陸機《文賦》，總還是有理論軌跡尋的。然而，比之於西方自柏拉圖、亞里士多德以來文藝批評學派紛起、理論體系完備的情狀來，我國傳統文藝批評理論的確是相形見絀的。其中最主要的弱點，是批評缺少理論的建樹，大多以零碎的評點式或印象式的批評取代對文藝作品、對作家藝術家的整體把握。由於對傳統的文藝批評弊端看得深切，又置身在中外文化交融的文藝新潮中，茅盾從登上「五四」文壇開始，便顯示出「取精用宏」重構中國新文藝批評論的建設者氣魄。作為當時有影響的文藝批評家，他既重批評實踐，尤重批評理論的建設，力圖確立自覺的文藝批評意識，提高文藝批評的自身價值，把它視為推進和繁盛新文藝創作之重要途徑。他以開放性的眼光接納世界文藝新潮，試圖為建構全新的現代文藝批評理論作出建樹。早在 1919 年，他就寫出第一篇文章評論《托爾斯泰與今日之俄羅斯》，其意就在藉用「他山之石」，通過介紹外國文藝思潮，評介托爾斯泰等文學大師所取得的傑出文學成就，為我國新進的文學創作提供某些可資借鑒的經驗。1921 年初接編《小說月報》，可以視為他專力於文藝批評之始，他對於文藝批評推進新文學創作的重要功用有了更為明確的表述。在《〈小說月報〉改革宣言》中，他便旗幟鮮明地把「論評」與「創作」置於同等重要的地位，力陳批評實為新文學發展之必需，認為：「西洋文藝之興蓋與文學上之批評主義（criticism）相輔而進；批評主義在文藝上有極大之威權，能左右一時代之文藝思想。……我國素無所謂批評主義，月且既無不易之標準，故好惡多成於一人之私見；『必先有批評家，然後有真文學家』此亦為同人堅信之一端；同人不敏，將先介紹西洋之批評主義以為之導。」這裡，茅盾對文藝批評的重要性作了極明確的闡發，提出「必先有批評家，然後有真文學家」，顯見他重

〔註1〕《「文學批評」管見一》，《小說月報》第 13 卷第 8 期，1922 年 8 月。

視的是批評對於創作的導引、激勵作用；同時，有鑒於我國素來缺乏文藝批評論的狀況，以先引進西方文藝批評理論作爲構建我國文藝批評論的借鑒，也是極有建設性的意見。而且，就是在這時候，茅盾對於文藝批評與藝術創造之間的辯證關係就有較爲清醒的認識：批評是旨在促進創造，並非扼殺創造。在同一文中，他接著說到：「然同人固皆極尊重自由的創造精神者也，雖力願提倡批評主義，而願爲主義之奴隷；並不願國人皆奉西洋之批評主義爲天經地義，而扼殺自由創造之精神。」雖然其時茅盾對文藝批評的本體功用尚未作出更深入的闡述，但這裡所說，已明顯見出他並沒有把批評家的批評與藝術家的自由創造置於對立的地位上，這同他後來特別強調文藝批評的目的是在於促進審美再創造的思想，是大體一致的。

從批評促進創造的角度著眼，茅盾在建構現代文藝批評論時，特別重視理論上的多方面吸收和批評方法的多元化，以推進「自由批評」之風的形成，促進作家、藝術家的眞正「自由創造」。〔註 2〕茅盾的這一思想的形成，也是受歷史教訓啓迪的結果。他審視我國的文藝批評史發現，死守數千年的儒家「道統」使得「中國傳統的文藝批評的內容論始終不出於『詩有六義』的掌握」，這種源遠流長的「文藝流派的一源主義」嚴重地阻礙了文藝批評的發展，同時也正是「中國自來文藝不進化的原因」。因此，茅盾再次肯定了「五四」提出「文藝批評理論方面的『從新估定價值』的口號。〔註 3〕這「重新估定」便集中反映在對「一源主義」的否定，反對那種只會沿襲成見、缺乏批評家自主意識的文藝批評，提倡文藝批評發揮批評家的獨立創造精神。

綜觀茅盾的文藝思想，他對於表現形態不一的西洋文藝批評論固然也有所選擇，從他的堅定的寫實主義立場出發，不妨說他的選擇是偏重在「社會批評」一面；然而，以開放性的眼光看取世界文藝新潮，決定了他對批評理論的選擇也是兼容並蓄的，主張在多學派競爭中促進文藝批評的興旺發達。這一思想在《「文學批評」管見一》一文中表述得最爲清楚。在這篇文章中，茅盾首先從批評觀念上列舉了西方的三種批評學派：一派是以丹納爲代表的「科學的批評論者」，其說是把文藝批評看成是「說明」一件作品或一個作家；另一派是以亞里士多德爲代表的「評判的批評論者」，其說是把文藝批評視爲「品評」一件作品或一個作家；還有一派是以蓋忒斯爲代表的「欣賞的批評

〔註 2〕《關於「創作」》。
〔註 3〕《關於「創作」》。

－139－

論者」，其說則純然把批評等同於「欣賞」，是批評家「把作品內蘊藏著一切好處解釋給同時代人聽」。其次他又從方法上列舉了不同的批評學派，其中有「應用科學方法」的，有「主張應用美學上的理論以定文學批評的標準」的，更有「主張用比較研究的方法」的，等等。對於這種種學派以及「永無止息的笛師的爭論」，茅盾以明確的語言指出：「我們也要明白，爭論雖然不息，進步卻在進步，而且也可以說：「正惟其多紛爭，不統一，文學批評才會發達進步。」在這裡，茅盾對西方諸多批評學派的概括雖尚嫌粗疏，但他提倡文藝批評多層次、多側面的意向卻是絕不含混的，他所主張的正是批評功能的多樣性，認為批評兼有「說明」（判斷）、「品評」（評價）、「欣賞」（鑒賞）等多種功能；又認為批評方法也不妨多樣化，可以是科學方法、美學批評、比較研究方法等的自由「紛爭」，並在「紛爭」中求得「發達進步」。這無疑是頗有見地的評述。對於各種學派從不同角度批評文藝作品的肯定，顯然是揭示了批評所蘊有的多種潛在功能，批評的意義將因此而得以拓展，也勢必提高了批評的自身價值。至於多樣化批評方法的提倡，則更是擺脫傳統習見的有效途徑，批評不再是人云亦云地在一個模式中打轉，批評家的創造力也必將得到充分發揮。因此，如果這樣的批評格局得以構建，那麼，以批評指導創作，則文藝上的自由創造自不難得到實現。需要提出的是，茅盾在成為自覺的階級論者以後，對於文藝批評的本體意義與前期有不盡相同的看法，即強調了批評的階級性特徵，即使仍然認為文藝批評的「紛爭」是必要的，但也認為無產階級藝術的批評論必須將「自居於擁護無產階級利益的地位而儘其批評的職能」放在首位，〔註4〕顯然是注重了批評的階級性選擇。然而，基於他對批評功能的深入探析，在闡述批評的階級性特徵的同時，仍強調批評方法的多樣化，強調批評指導創作、促進創造的重要意義。比如，他對於「空洞、高調，貌似『前進』而實迴避現實」的「文藝批評的公式主義化」的批評，對於那種只會將普列漢諾夫、伊里奇、高爾基等的「嘉言」作「尋章摘段」的所謂「批評家」的批評，對於「只把『進步現實主義創作方法』等等術語搬來搬去」的「新八股」式的批評方法的批評，等等，〔註5〕都是表現了他的創造性批評理論的。在茅盾看來，應用馬克思主義文藝理論於批評實踐，並不意味著可以用一個固定不變的「公式」去套變化萬千的文藝創作。在正

〔註 4〕 《關於「創作」》。
〔註 5〕 《論無產階級藝術》。

確理論指導下的文藝批評，仍將是發揮批評家主體創造精神的「腳踏實地」的批評，這仍同批評的模式化傾向、公式主義之病等劃清了界線。

　　茅盾在闡述文藝批評的本體意義時，關於藝術批評與藝術創造之間直接關係的論述，也許是最具卓見的。從一般意義上講，文藝批評的目的是在指導創作，促進文藝的創造，這是很普通的道理，無需細加解釋。然而，文藝批評本身也是一種創造，它同文藝家的創造在表現形式上儘管很不相同，但就創造所顯示的實際意義及價值方面言，卻頗多相同之處──在這一點上，恐怕未必都是人人能理解的。茅盾揭示批評的本體功用之深刻之處就在於：認為文藝批評從本質上說，是批評家對客觀世界的藝術把握，它是在文藝家所完成的藝術創造基礎上的一種再創造。這顯然是對批評所蘊有的創造功能的深層揭示。在介紹外國無產階級文藝思潮並融進了自己獨特思考的《論無產階級藝術》一文中，茅盾就有如下精闢的闡釋：

　　　　自來文學家對於批評論的本體及功用有多種不同的說法；在功
　　用這一點上，他們有一個比較的通行的說頭，乃謂批評論的職能有
　　兩方面：一為抉出藝術的真相而加以疏解，使人知道怎樣去鑒賞；
　　一為指出藝術的趨向與範疇，使作家從無意的創造進至有意的創
　　造。這種說法，我們可以同意。但在解釋批評論的本體這一點，我
　　們應該提供一個新的說法。我們要說批評論就是上面所說的「社會
　　選擇」之系統的藝術化的表現；而所謂「社會選擇」又不過是該社
　　會的治者階級所認為穩健（或合理）思想之集體……

這段文字所述，包括茅盾對以往批評功用說法的讚同和他自己對批評論本體意義上的一種獨特見解，兩者互相補充構成了他對「批評論的本體及功用」的較為完整的看法。仔細分析，不難發現：這裡實際上是就文藝批評的三種對象──文藝作品的接受者（讀者）、文藝批評的對象（作家和作品）、文藝批評的主體（評論家）──論說了批評的職能和藝術創造的要求。因此，不妨認為：從茅盾的文藝批評觀看來，批評作為一種審美的再創造，實際上是調動了三個方面的因素並使之協同動作，再創造才最終得以實現的。

　　首先，就文藝作品的接受者言，批評的功用是指導鑒賞，使讀者懂得怎樣去再創造。文藝作品是寫給讀者看的，讀者作為接受主體，其鑒賞力程度如何，能否從閱讀的作品中感知、領悟藝術的真諦，直接關係到作品的社會價值和美學價值的能否被「發現」。從這個意義上說，作為在鑒賞基礎上深化、

又負有指導讀者鑒賞重任的文藝批評，其意義就不止是對作品進行品鑒，實際上是參與並指導讀者對文藝作品的審美發現，也可以說是同讀者一起完成了審美創造活動。除此而外，還有另一種讀者的鑒賞，是同藝術創造直接相關的。茅盾曾經指出，對於初學寫作者來說，養成對於文學名著的「鑒賞能力」，懂得「這本書的好處在什麼地方？它和其他名著比較起來，它的特點是什麼？它的主題是什麼？」等等，實際上就是對自己寫作能力的一種檢驗。因為「鑒賞力之高低和一個人的學問修養的深淺成正比例。在寫作方面說，也和寫作能力之大小成正比例」；因此，「分析一部書的內容，欣賞一部書的技巧的能力，掉一個方向就是寫作的能力」。〔註6〕對於這一這部分人來說，鑒賞就更不是一般意義上的閱讀和欣賞，而是在既成的藝術作品中進行藝術體驗，提高鑒賞力就是培養創造力。正因為藝術鑒賞同藝術創造如此攸切相關，茅盾就特別看重文藝批評在指導鑒賞方面的功用。那麼，如何才能有效地指導鑒賞？茅盾指出：要「抉出藝術的眞相而加以疏解」。這是對藝術批評提出的較高要求。人們對藝術作品的把握，理解其表層意義也許並不困難；然而要揭示「藝術的眞相」，可不是件容易的事情。而優秀的文藝作品，其藝術意蘊常常不是外露的，特別是那些內容含蓄、深邃、豐富的藝術品，更難於「抉出」其眞相。這也就是藝術鑒賞、評價活動中，非有訓練有素的獨具鑒賞力、判斷力的批評家不可的原因之一。正如杜勃羅留波夫指出的「批評之所以存在，就是為了說明隱藏在藝術家創作內部的意義」；〔註7〕由是，茅盾提出批評的任務是在「抉出藝術的眞相」，也可以說是對一種規律的揭示。而對批評家提出如此要求，顯然是在提倡一種切實、有效的批評，期望文藝批評有眞正的審美發現，把作品中為一般欣賞者所不易把握的獨特創造揭示出來，對作品的社會價值和美學價值作出切中肯綮的判斷和評價，使批評眞正發揮在指導鑒賞、完成審美創造中的應有作用。

其次，對文藝作品的創造者來說，批評的功用是在促進創造者的再創造。文藝批評所提供的創造，除了發現潛藏於藝術作品深處的不易為常人所發現（有時甚至連創作者本人也不一定感覺到）的東西以外，另一個就是對創作活動本身的創造。這種創造，當然不同於文藝家的直接創造，它只是一種間接的創造。如果對批評家也提出類似作家那樣塑造形象、營構意境之類的創

〔註6〕 《需要腳踏實地的批評家》、《生活星期刊》第1卷第14號，1936年9月。
〔註7〕 《個性問題與天才問題》，《中學生》復刊第88期，1945年5月。

造要求，就無異於茅盾在《作家和批評家》一文中所指出的那樣——倘只是如此發泄對批評家的不滿：「既然你會指謫這不是，那又不對，就請你自己來動手罷！」——這「實在難乎其爲批評家」了。〔註8〕賀拉斯對文藝批評的功用有過如此形象的描述：「……我不如起個磨刀石的作用，能使鋼刀鋒利，雖然它自己切不動什麼。我自己不寫什麼東西，但是我願意指示（別人）：詩人的職責和功能何在，從何處可以汲取豐富的材料，從何處吸收養料，詩人是怎樣形成的，什麼適合於他，什麼不適合於他，正途會引導他到什麼去處，歧途又會引導他到什麼去處。」〔註9〕這裡所指出的批評本身「切不動什麼」，卻能「指示」別人創作歸趨的功能，就同茅盾所概括的批評是在「指出藝術的趨向與範疇，使作家從無意的創造進至有意的創造」，是頗爲接近的。兩者都說明：批評本身並不直接提供藝術創造，卻爲藝術創造貢獻了力量。這論述，無論是從調整創作與欣賞關係的角度，還是從對於創作的促進作用講，都是極有道理的。這是因爲：批評作爲欣賞與創作之間的重要中介，它反映了欣賞者的需要，集中了欣賞者的要求，批評家通過文藝批評，把欣賞者的這種審美需求反饋到創作者那裡，必將使創作與欣賞的關係趨於協調，從而提高了文藝創作爲讀者所歡迎、所接受的能力，此其一。其二，批評「指示」創作的歸趨，是從理性上對文藝創作實行整體把握，這就有可能打破創作者往往只能從自身的狹小視角觀察、表現生活的局囿，有可能提高自覺掌握藝術規律的能力，使創作從自在狀態走向自爲狀態，或者說從無意的創造進至有意的創造，這必將使創作的「鋼刀」更加「鋒利」。由此看來，茅盾揭示批評對於促進創造者的再創造意義，委實是精到之見。

　　缺〔註10〕位置

　　再次，就文藝批評的主體——批評者方面說，茅盾對批評者在充分發揮批評作爲審美再創造活動的主體作用中提出了切實的要求。其總體要求是批評的「社會選擇」，這是同茅盾主張文藝的「社會化」，要求相一致的。文藝創作的社會性選擇，當然必須由文藝批評的「社會選擇」與之對應；唯如此，才能在同一的價值判斷上揭示藝術創造的意義，也才能最終完成文藝批評對

〔註8〕　杜勃羅留波夫《黑暗的王國》，《杜勃羅留波夫選集》第 1 卷第 248 頁，新文藝出版社 1957 年版。
〔註9〕　《作家和批評家》，《申報月刊》第 2 卷第 5 期，1933 年 5 月。
〔註10〕　賀拉斯《詩藝》，《〈詩學〉〈詩藝〉》第 153 頁，人民文學出版社 1962 年版。

於藝術的再創造。然而，在「社會選擇」的總前提下，要眞正實現文藝批評的再創造功能，還必須有更切實、具體的要求。茅盾認爲，注重「社會選擇」的文藝批評，既是一種「系統的藝術化的表現」，又必須是在充分體現階級性特徵的「穩健（或合理）思想」指導下的批評，也就是要求切合階級需要的藝術創造。文藝批評必須是「藝術化表現」，顯然是對文藝批評自身規律的揭示：它是實施對於文藝作品的藝術把握，本身也必須具有藝術性。那種缺少藝術眼光、不可能揭示藝術眞諦的批評，固算不得好的批評；就是缺少「藝術化表現」，在表現形式上枯燥呆板、毫無生氣的批評，也稱不上是眞正的文藝批評。另一方面，批評也必須具有科學性。因爲從本質上說，批評是一種理論的闡發，是批評家依據一定的文學藝術原理，對文藝作品客觀的社會價值和美學價值作出評估。在這裡，依據的理論之是否準確，理論分析之是否精當，便直接決定了價值判斷之是否合理，藝術的創造性元素之能否被揭示。

綜觀上述，茅盾是把文藝批評視爲一種藝術活動，並認爲這種藝術活動同樣具有審美創造的意義。這無疑是把文藝批評置於較高的價值層次上給以獨特的地位，這是一種嶄新的文藝批評觀。它同傳統的文藝批評觀不可同日而語，同時也體現了鮮明的現代文藝批評意識。正是由於如此重視文藝批評，茅盾才會長時間身體力行從事文藝批評實踐，也會對文藝批評本身作出更系統、全面的闡說，以圖實現對文藝批評本質的規律性揭示。

第二節　批評的「社會選擇」：一種批評模式的營構

基於對文藝批評論的本體及功用的獨特認識，茅盾在批評的方法論上也形成了與此相對應的較爲系統的看法。上一節我們已經談到：在論及批評的本體意義時，茅盾注重的是批評的「社會選擇」；圍繞這一命題，茅盾還有大量論述論及文藝批評與社會、時代、歷史的廣泛聯繫性，論及應在社會思潮觀照下評價文藝創作的文藝批評方法。把這些意見集中起來，不妨可以看成是我國現代文藝批評中一種典型的批評模式的呈示。

在近、現代世界文藝潮流中，由於人們從不同的視角看取文學藝術的本質，就形成了流派迭起、思潮紛爭的局面，在文藝批評中也形成了多種多樣的批評模式。其中流行最廣、影響最著的是社會批評、心理批評、原型批評、形式主義批評、結構主義批評五種，它們被視爲是世界文藝批評中的五大模式。從接

納世界文藝新潮的角度看，茅盾最容易吸取的自然是社會批評模式。幾乎從踏上文學道路開始，他就是個「社會化」觀念極強的作家，因此在文藝批評方式上，最得他青睞的也必是社會批評模式。明顯的例證是他早期較多地接納、推崇丹納的批評理論。丹納批評觀的核心是把種族、環境、時代看成是文學藝術產生的三要素，由此構建起完備的社會批評理論體系。在西方，丹納是被奉爲社會批評的鼻祖的。〔註11〕茅盾就多次介紹過丹納的理論，並在自己的論著中應用其基本觀點闡釋文學的本質。1925年前後，茅盾接受無產階級藝術觀後，在批評觀念上也有所變化：不再只取與西方社會批評模式單一認同的態度，而是開始用馬克思主義文藝批評觀去分析、評價文藝創作。其中最顯著的特徵是把階級分析引入文藝批評，已不再像過去那樣使用籠統的「人性」、「人種」概念，而是從確定的語氣指出：「我們應該承認文藝批評論確是站在一階級的立點上爲本階級的利益而立論的」。〔註12〕然而，由於馬克思主義文藝批評觀同樣注重批評的社會內涵，認爲文藝是一種「意識形態的形式」，屬於社會上層建築，爲一定的社會經濟基礎所決定，並受著一定的社會時代環境的制約；因而，馬克思主義批評同社會批評之間是頗多相似之處的。西方的某些持社會批評觀念的學者就沒有細劃這兩者之同的差別，有的還直接從馬克思主義創始人的言論中尋找其理論的支架。〔註13〕茅盾在自覺接受馬克思主義文藝觀後，也沒有最終拋棄社會批評觀中的某些基本觀點。他給「文藝的批評論」下的定義，無非也是：「人爲的選擇」加上「社會的選擇」，〔註14〕即強調批評是批評家個人的主觀理解同整個社會思潮的一致。由是觀之：如果取比較寬泛的概念，以當今世界文藝批評中的五大模式視之，把茅盾的文藝批評觀納入社會批評模式的範疇，似乎也無不可。事實上，當人們習慣於用既定的批評模式去考察我國的文藝批評理論時，也總是自覺不自覺地使用著社會批評的概念。有的同志就認爲，「社會批評」模式是「我國文學批評中的傳統方法」，即僅僅是同「各種批評新潮」相對的方法，其涵蓋面當然是很寬泛的；又認爲「馬克思主義的『美學——歷史批評』，也就是我們通常所說的『社會批評』」，〔註15〕則同樣表明了在我

〔註11〕 傅延修等《文學批評方法論基礎》第190頁，江西人民出版社1987年版。
〔註12〕 《論無產階級藝術》。
〔註13〕 參見《文學批評方法論基礎》第五節所述「社會批評與文藝社會學、馬克思主義批評、庸俗社會學之間的關係」部分。
〔註14〕 《論無產階級藝術》。
〔註15〕 繆俊傑《「社會批評」的反思和自信》，《文藝報》1988年10月1日。

國的批評理論中也沒有把這兩者細加區分的事實。在這個事實前提下，茅盾是注定要進入「社會批評」模式的。

然而，當我們全面地審察茅盾的藝術批評觀時，就會發現：籠統地認茅盾恪守的是「社會批評」模式，畢竟是不盡科學的。理由是：第一，儘管茅盾接納過以丹納爲代表的西方社會批評觀念，但這只是構成他批評理論的一種養分，而不是全部，更何況在時間上也很短暫。不能忽視的是馬克思主義批評觀給他批評論的形成以更深刻的影響。與此相關聯──第二，儘管馬克思主義批評同社會批評有相近之處，但兩者終究還是有明確區分的，概念上的混用就不可能對作家的批評觀作出科學的表述。馬克思主義批評的基本特徵是對文藝創作注重「美學──歷史」的批評。它強調經濟基礎對上層建築之一的文藝的決定作用，但也指出文藝對經濟基礎的反作用，認爲它們之間是一種曲折複雜的關係──「這裡表現出這一切因素間的交互作用，而在這種交互作用中歸根到底是經濟運動作爲必然的東西通過無窮的偶然事件……向前發展」。〔註 16〕因此在評價文藝創作時，就十分注意研究作家、作品與社會環境之間的複雜關係，把作品置於特定的社會環境中，歷史地、辯證地考察它的固有價值，包括社會價值和美學價值。這同西方社會批評學派中的許多人缺乏辯證的眼光，只是簡單地用社會的進程來解釋文藝的發展，忽視文藝與社會之間曲折複雜的關係，也勢必忽視文藝自身發展的規律，是大相徑庭的。如此說來，把馬克思主義批評同社會批評「一勺燴」，顯然是不妥的。對茅盾文藝批評思想的認識也應作如是觀：既要看到它同社會批評觀念的某些聯繫性，也不能無視兩者的區別所在；而從其總體思想考察，不妨可以說：茅盾所遵循的是在社會批評基礎上深化的文藝批評觀，基本上是採用了馬克思主義的「美學──歷史」批評的文藝批評方法。如果從營構批評模式的角度講，則顯然是一種「美學──歷史」批評的批評模式。

關於「美學──歷史」批評的具體內涵，別林斯基曾有如下闡述：

> 只是歷史的而無美學的批評，或者反過來，只是美學的而無歷史的批評，這就是片面的，從而也是錯誤的。批評應該是整個的，其中見解的多面性應出自一個共同的源流，一個系統，一種藝術的觀點。〔註 17〕

〔註 16〕《恩格斯致約·布洛赫》，《馬克思恩格斯選集》第四卷，第 477 頁。
〔註 17〕《別林斯基論文學》第 261～262 頁，新文藝出版社 1958 年版。

這說明：所謂「美學——歷史」的批評，應當是一種整體的、系統的批評，是一種對文藝作品進行歷史觀照和美學分析相統一從而實現對藝術整體把握的批評；而歷史的批評和美學的批評又各有其豐富的內涵，批評家只有充分揭示藝術創作與社會、與時代歷史的廣泛聯繫性和藝術品本身所蘊有的富有創造性的美學價值，批評的使命才算最終完成。用這樣的要求加以對照，茅盾的批評觀念是不難納入「美學——歷史」批評的範疇中的；而且，正是在堅持歷史批評與美學批評的統一中才顯示出茅盾批評論的特色。這可從下述兩個方面得到印證。

其一，反對「藝術獨立論」，主張批評要充分揭示藝術與社會的廣泛聯繫性。

在文藝批評觀中，與「社會批評」相對的，是純藝術批評。這種批評觀認為，藝術是超乎社會而絕對「獨立」的，作家是「為藝術而藝術」，批評家的任務也只在揭示藝術的「純度」，無需顧及藝術與社會的關係。從堅定的「社會化」觀念出發，茅盾當然不能容忍這樣的批評觀念。統觀他的藝術批評思想，一個鮮明的傾向便是對標榜「超然獨立」或主張「純藝術」的批評觀的對立與批評。他在批評「五四」文學創作的一個嚴重缺陷時，就指出我國傳統文學不重社會背景、只寫一己情感的創作風氣仍給當前的創作帶來危害：「中國古來文人對於文學作品只視為抒情敘意的東西；這歷史的重擔直到現在還有餘威……把作家的創作才能束縛了不少」；因此，要推動創作前進，必須從「純情主義」的氛圍中擺脫出來，明確意識到「表現社會生活的文學是真文學，是與人類有關係的文學，在被迫害的國裡更應該注意這社會背景」。〔註 18〕基於如此不可移易的社會要求，他對於將藝術與社會截然分離的「藝術獨立」主張自然會持激烈反對的態度。當某些人搬用西方文藝觀念，將「藝術獨立」作為一種創作傾向鼓吹的時候，茅盾表述了絕不與之相容的意見。他指出：「醉心於『藝術獨立』的人們，常常詬病文學上的功利主義……把凡帶些政治意味社會色彩的作品統統視為下品，視為毫無足取，甚至斥為有害於藝術的獨立」，是一種對藝術本義的「可怕的誤會」，這樣的「批評家愈執己見，愈弄狹了藝術的領域」。〔註 19〕這裡，茅盾是從藝術領域的開闊性、藝術的多重功能上來批評「獨立論」觀念的褊狹的。而當

〔註18〕《社會背景與創作》。
〔註19〕《文學與政治社會》。

他注重批評的階級性選擇時，則對「藝術獨立論」的批評又上昇到了另一個層次。在《論無產階級藝術》中，他就指出：「雖然自來的文藝批評家常常發『藝術超然獨立』的高論，其實何嘗辦到眞正的超然獨立？這種高調，不過是間接的防止有什麼利於被支配的階級的藝術之發生罷了」，從社會的階級分野上說明了「超然獨立」的藝術之不可能存在，強化了批評的階級意識。這在當時是一種有的放矢之論。應當指出，茅盾對「藝術獨立論」的批評，是貫穿在他文藝活動的全過程中的，可以視爲他藝術批評觀的一個重要方面之系統的表述，從中正顯示他同我國現代文藝批評中一個主張「自由」、「獨立」的批評學派的對立。在三、四十年代，茅盾就同朱光潛、沈從文等主張「藝術自由」的文藝美學思想和批評觀念有過多次交鋒。他對於朱光潛提倡的文藝批評應是「自由生發與自由討論」的觀點以及認爲文藝『爲大眾，爲革命，爲階級意識』是一種新的「文以載道」與「言志」的文藝批評觀，提出過尖銳的批評；〔註20〕也對沈從文從藝術的角度反對新文藝的「差不多」現象提出過完全不同的看法，認爲「新文藝發展的這一條路是正確的；作家們應客觀的社會需要而寫它們的作品——這一傾向，也是正確的」，不能僅以「差不多」一說就「厚誣了作家們之力求服務於人群社會的用心」。〔註21〕這同樣表現了他一如既往的對文藝提出社會要求的批評觀，同主張淡化社會意識的「獨立」作家和批評家顯出明顯的對立。而且，在同朱光潛等人的論爭中，還表現出他的充分自信：「學派思想固有多種，眞理卻只有一個」，即認爲文藝解決實際的社會問題才是「眞理」，〔註22〕顯示了他堅持文藝批評必須注重社會聯繫性而不是與之相脫離的堅定立場。

對於不同批評學派孰是孰非、孰高孰低，我們無意展開評述，因爲這畢竟不是本書的論述範圍。通過上述相對立的批評觀念的比較，我們想指出的只是：茅盾堅持批評的社會觀念的確是一絲不苟、毫不含混的。這種批評觀念的基本內涵便是：側重探討藝術與時代、與社會的廣泛聯繫性，從中發現藝術品所蘊有客獨特的社會價值與藝術價值，並認爲游離於「社會」之外的「獨立」的藝術價值是不存在的。這種批評觀念同通常所說的「社會批評」並不是完全相悖的。茅盾在論述藝術與環境、時代、民族的聯繫時，的確同

〔註20〕《新文學前途有危機麼》，《文學》第9卷第1期，1937年1月。
〔註21〕《關於「差不多」》，《中流》第2卷第8期，1937年7月。
〔註22〕《新文學前途有危機麼》，《文學》第9卷第1期，1937年1月。

西方「社會批評」學派的觀點頗多相近之處。在有些地方，這種論述甚至只表現爲「社會批評」觀念結合中國文學實際的具體描述（最突出的是《社會背景與創作》、《文學與人生》等文）。然而就茅盾批評觀的整體考察，畢竟也顯出不盡相同之處。首先，在論及批評的社會內涵時，茅盾注意到了藝術家與社會的廣泛聯繫，並把這種聯繫看成是藝術與社會互爲作用的雙向同權關係，這同「社會批評」只認爲「社會決定藝術」的單一線性關係描述是判然有別的。比如他在反詰「醉心於『藝術獨立』的人們」時，就列舉俄國和東、北歐文學爲例，認爲文學與社會的關係，不僅在於它是時代和環境的產物，甚至也是革命與政治的產兒，常常成爲表現「政治獨立」、「民族革命」的手段，「空言」文藝「獨立」是何等的不可取；〔註23〕這就不但展示了藝術與社會聯繫的廣泛性，也揭示了藝術對於社會的作用：它爲社會所決定，又反作用於社會。他同沈從文論辯時，指出作家們「群起」描寫工廠、農村等，並非「趨時」或「投機」，實在既是「客觀形勢的要求」，同時也是作家們發揮文學能「服務於社會人群」的作用，〔註24〕也是兩者關係的辯證論述。其次，在注重「歷史傾向」的批評中，「社會批評」強調外來的歷史力量（諸如時代、環境、民族性等）對創作者的影響，這樣，創作者只成了對歷史力量的消極的受動物，顯然是極片面的。茅盾的觀點是與此截然不同的，他的藝術主張與批評實踐恰恰是非常重視文藝家在創作中的主體作用的。別林斯基在論述「歷史的批評」的內涵時，認爲「研究藝術家的生活及性格等等也常常有助於理解他的創作」，以此衡之，則茅盾的批評觀接近於「歷史批評」一面是顯而易見的。再次，茅盾強調批評的階級性屬性，愈到後來，對此的要求愈益強化，這顯然也同西方的「社會批評」觀念很不相同。這樣看來，茅盾從反對「藝術獨立論」行發的批評觀念，在注重社會聯繫一面上同「社會批評」有相似之處，但細察其內涵，仍然顯示出相當多的獨特性。

其二，兼顧歷史要求和美學分析，主張批評應揭示藝術品的社會價值和美學價值。茅盾曾以激烈的言詞批評過「藝術獨立論」，這並不意味著他忽視對評論對象作藝術評價。恰恰相反，我們可以舉出大量例證說明茅盾的批評觀是重視藝術的。比如，在最早介紹、評估外國文學作品時，茅盾就指出：「文學作品雖然不同純藝術品，然而藝術的要素一定是很具備的。介紹時一

〔註23〕　《文學與政治社會》。
〔註24〕　《關於「差不多」，《中流》第 2 卷第 8 期，1937 年 7 月。

定不能只顧著這作品內所含的思想而把藝術的要素不顧。」〔註25〕這裡就說到了評價文學作品必須顧及思想和藝術兩種因素。又如，他在編《小說月報》時，談到對新潮小說的要求時說：「文學是思想一面的東西，這話是不錯的。然而文學的構成，卻全靠藝術」，〔註26〕則又把藝術提到了比思想還重要的地位。甚至，他在評價階級色彩鮮明的無產階級藝術作品時，在肯定此類作品必須具有「激勵階級鬥爭的精神」的思想傾向的同時，仍認為「激勵和鼓勵只是藝術所有目的之一，不是全體；我們不可把部分誤認作全體」，特別是不能以「刺激煽動性」去「損害作品藝術上的美麗」，同樣把「藝術美」置於不容忽視的地位。

這似乎是一種矛盾。但其實恰恰從這裡體現了茅盾文藝批評觀中社會歷史要求和美學要求的統一。因為，由此顯示的實際狀況乃是：茅盾反對的只是藝術的「超然獨立」，而不是藝術本身；「藝術獨立」的批評觀抽去了藝術的社會屬性，把藝術的社會價值與審美價值完全分割開來，就是一種極機械的批評論，茅盾兼顧批評的兩個側面，正是對這種偏頗理論的糾正。這只要看一看茅盾義藝術功利觀的認識，也可以得到證明。無庸諱言，茅盾是強調文藝的社會功利價值的，這也是他從事文藝批評的一根重要標尺。然而當文藝的社會功利性被看成是一種狹隘的功利觀念，或者視功利為藝術表現的全目的時，也是為茅盾所反對的。他在同「藝術獨立論」論辯時，就對文藝的功利主義表述了這樣的見解：「把藝術當作全然為某種目的而設，這一說大概現在也很少人堅信罷？文藝上的功利主義，初不待『藝術派』來作孤軍的反對。再換一方面講，功利的藝術觀，誠然不對；要把帶些政治意味與社會色彩的作品都摒出藝術之宮的門外，恐亦未為全對，更說不上能否阻礙藝術的獨立。」〔註27〕這裡所述，顯見茅盾是反對單純的文藝功利主義的，同時也指出不帶一點功利色彩的「獨立」文藝也不可能存在。而聯繫前後所論，當可發現：他反對「功利的藝術觀」，反對的是把功利當作藝術的「全然」目的，而不是功利本身。由此看來，對於文藝作品的批評、評價，不論是揭示其思想性還是藝術性，是估量其社會功利價值還是美學價值，茅盾都不主張只強調一個側面，「把部分誤認作全體」，把其中的一項看成是「藝術的所

〔註25〕《新文學研究者的責任與努力》。
〔註26〕《小說新潮欄宣言》。
〔註27〕《文學與政治社會》。

有目的」。他的文藝批評觀正是堅持了歷史評價與美學評價的並重，從而顯示出其獨特的意義。從歷史評價的角度言，他是以「肯定的歷史傾向」爲標準，要求文藝擔起表現時代、改造社會的重任，絕不諱言文藝應具有的社會功利價值。從美學評價的意義上說，也是以藝術作品經得起「美學分析」爲前提，要求文藝創作在表現鮮明的思想傾向時不以「損害作品藝術上的美麗」爲代價，提出文藝作品還必須蘊有美學價值。這種堅持兩種價值並重的文藝批評觀，同樣顯出同通常所說的「社會批評」的不同。如果說，「藝術獨立論」的批評是從「堅執」藝術一個側面表現出片面性，那麼，單純的「社會批評」就很可能只強調「社會」一面而見出其不完善性。某些「社會批評」就很少揭示文藝的內部規律——即文藝作品自身蘊含的美學品格，只從文藝的「外部」——諸如一定歷史時期的社會經濟關係、政治關係、社會思潮、意識形態等，估量文藝作品的價值。更有甚者，是把「社會批評」看成是簡單的政治批評，更使批評墮入庸俗社會學傾向。茅盾主張批評要兼顧歷史要求和美學分析，顯然是同一般的「社會批評」，特別是庸俗社會學劃清了界線的。

　　從堅持兩種價值觀念並重出發，在批評實踐上，茅盾主張美學——歷史的批評互相聯繫，緊密結合，把兩種價值判斷具體地體現在同一批評對象身上。他曾經指出這樣一種二元論的批評觀點之失誤：「形式是優美的，內容是貧乏的」，認爲其咎就在把歷史意識和美學分析分割評論，這就勢必導向錯誤的結論。「因爲把意識只當意識看，美學價值只當美學價值看，把兩者當作個別的不相聯繫的東西，——這樣的批評是錯誤的批評。」〔註28〕是的，「美學——歷史」的批評作爲一種具有整體意識的批評方法，的確應當像別林斯基所說的那樣，批評不應「導向細節和局部，而是導向一致性和整體性」；〔註29〕唯如此，才能真正實現批評對藝術的整體把握。在這方面，茅盾自己的文藝批評實踐，可說是爲我國現代文藝批評樹立了典範。他的批評，就是既注重作品「歷史傾向」的發掘與揭示，又重視作品美學價值的評估與判斷，而且總是把這兩者有機地糅和在一起，實現了對文藝創作的整體性把握。他的素來爲人們稱道的魯迅創作評論，可推爲範例。評論魯迅的小說，引起他注意的並不是作品的「細節和局部」，而是藝術的

〔註28〕　《一張不正確的照片》，《文學》月刊第 1 卷第 4 期，1933 年 10 月。
〔註29〕　《別林斯基論文學》第 262 頁。

整體，因此以宏觀審視的態勢把握創作，他便有了對作品深邃意義的歷史性發現。比如早在 1923 年，他就看出《阿Q正傳》的深刻之處在於「刻畫出隱伏在中華民族骨髓裡的不長進的性質——阿Q相」，這個為 60 年後的研究者仍在重複討論著的命題之早經茅盾發現，就不能不使我們佩服這位批評家的獨具慧眼。而且，他在魯迅小說裡發掘的不只是表現民族劣根性的歷史深刻性，還有與之對應的獨創的藝術價值，他指出「魯迅君常常是人創造『新形式』的先鋒」，「《吶喊》裡的十多篇小說幾乎一篇有一篇新形式」，這也是為後人稱道並樂於引用的獨特的藝術發現。至於從風格——這滲透著作家藝術個性、包含著作品思想價值與藝術價值統一的格調中去評價創作，就更有助於把握藝術的整體。他認為「狂人日記」「構成了異樣的風格，使人一見就感著不可言喻的悲哀的愉快。這種感受正像愛於吃辣的人所感到的『愈辣愈爽快』的感覺」。〔註30〕這裡就包含著對作品深層的歷史表現力、藝術上「挺峭的文調」以及接受者的審美快感等多重意義的揭示。能有如此鞭闢入裡的批評，除了批評家獨具的藝術敏感以外，自然也同他對作品作「整體性」的評論分不開。除魯迅評論外，茅盾還對徐志摩、王魯彥、廬隱、冰心、許地山、丁玲等一大批中國現代作家寫過評論，這些評論，幾乎都成為中國現代作家論的範本；其成功所在，也在於對作家及其創作的評論堅持了揭示美學價值與歷史價值的統一，實現了使兩者緊密結合的文藝批評整體意識。因此，這種批評實踐的意義，不但顯示著一個具體的批評家的深厚功力，更重要的是體現了作為一種重要批評模式而存在的「美學——歷史」批評方法的久遠的生命力。

第三節 批評家：作為審美再創造的主體

茅盾將文藝批評的美學意義提升到審美再創造的高度，並賦予批評家以審美再創造的主體地位。但是，批評家主體地位的理論認定，並不意味著在實踐中就必然能實現。批評家自身的各種缺欠和偏頗，都有可能導致主體地位的削弱以至徹底喪失，進而使審美再創造部分乃至全部落空。這裡的關鍵是批評家自身主體性的充分發揮和全面高揚。為此，茅盾對批評家提出了一系列要求。從科學的觀評觀念、正確的批評態度、必要的理論素養到具體的

〔註30〕以上引文均見《讀〈吶喊〉》。

批評操作手段，涉及批評家心裡素質、知識結構、操作能力，以及同批評對象相互關係的諸多方面和批評過程的各個環節，構成了相當完整的文藝批評主體論。

　　根據茅盾對藝術批評功能價值的確認，批評家主體地位的實現首先體現在對讀者和作家的兩重超越：對讀者，「抉出藝術的眞相而加以疏解」以幫助他們更好地鑒賞；對作家，「指出藝術的趨向與範疇」以啓示他們自覺地創造。而要完成這兩重超越又有賴於批評家自身科學批評觀的確立。茅盾認爲，這首先就要摒棄以「司法官」和「大主考」自居的錯誤觀念，而把自己看成是「一個心地率直的讀者」，把「批評」看作是自己對作品的眞切「印象」的表述，〔註31〕而不再是威風凜凜的藝術「判決書」。這個毫無驚人色彩的要求，其實卻體現了茅盾對文藝批評本體特徵和批評家審美再創造過程的深刻領悟。文藝批評既然是文學藝術的「『社會選擇』之系統的藝術化的表現，而所謂『社會選擇』又不過是該社會的治者階級所認爲穩健（或合理）思想之集體」，〔註32〕這就不僅指明了它的階級性或意識形態傾向性，而且又揭示了它既是思想理論活動又是文學藝術活動的內在的雙重規定性。一方面，作爲對藝術實踐的理論說明，它要憑藉自己的一整套理論原理和概念結構去把握文藝，通過一系列邏輯運演和必要的理論抽象，超越文藝的感性世界向著形而上的理性王國突進昇華：透過各種表象抉出藝術的「眞相」並給以正確的「疏解」，對藝術形象的內蘊作出歷史的和美學的評價，就文藝創作的得失成敗進行理論的分析和總結，還要「指出藝術的趨向和範疇」，以既合規律性又合目的性的要求給予有力的規範和引導。由於文藝批評所具持的是特定階級的「思想之集體」，即該階級的整個意識形態，所以它總是要通過藝術問題，提出政治、哲學、宗教、倫理道德以及現實生活的各種問題，自覺地參與意識形態鬥爭，成爲宣揚特定階級、階層或社會集團政治觀、哲學觀、宗教觀和道德觀的途徑和手段。但另一方面，文藝批評又必須以文學藝術爲對象依據，它所闡發的各種議論，無論是對文藝自身本質特徵和規律的理論發揮，還是對文藝以外的意識形態領域其他方面的內容的宣傳教論，都要藉助藝術形象並體現在對它們內含意義的闡釋評價之中。誠如車爾尼雪夫斯基所說的那樣：「一般說，批評總是根據文學所提供的事實而發揮的，文學是批評結論的必

〔註31〕　《「文學批評」管見一》，《小說月報》第 13 卷第 8 期。
〔註32〕　《論無產階級藝術》。

要材料」。〔註33〕即使是那些意在對藝術現象進行總體把握的宏觀審視，或對一個歷史時期藝術創作成敗得失高度概括的理論總結，甚至是對藝術觀念十分抽象的哲理思辨，也無不以文藝創作的存在為前提，並最終又服務於藝術實踐。因此，根據文藝批評的本體特徵，批評家必須直接面對文藝發言，他沒有權利疏遠文藝作品和文藝現象而作主觀隨意的蹈空批評。這就決定了批評家首先應當同一般讀者一樣，從認真解讀藝術作品開始。

批評家審美再創造的實現，他對藝術「真相」的抉剔和「疏解」，對藝術「趨向與範疇」的引導和規約，對各種新崛起的美學原則、藝術規範的發現和張揚，以及對文藝家「從無意的創造進至有意的創造」的睿智啟示，從根本上說，都必須建立在對文藝作品所創造的每一個特殊藝術天地的審美把握這一基礎之上。而要真正實現這個目標，就離不開對文藝作品的細緻解讀、悉心體會和深切感受，否則，就無所謂他與對象之間的情感交流，更談不上反覆地回味深思，深入地發掘和把握對象的意義內蘊和美學價值，審美再創造也就根本無從談起。因此，從審美再創造的實際過程看，批評家也必須首先是一個忠誠讀者，只是他將比一般讀者更加全面深入地理解和把握作品，更加無私、嚴肅、客觀地對待它們。

從藝術王國的「法官」和「主考」屈尊而為藝術作品的忠誠讀者，對於批評家的積極意義至少有四點：第一，可以淡化他們過於強烈的權威慾求和好為人師的自負心理，使自己處於一種較為自由灑脫的批評心態，以便作家「親密地合作，用互相幫助、互相尊重、互相學習的態度」〔註34〕建立起一種平等的伙伴關係，有利於改變雙方互相輕視、互相指責的緊張局面。第二，可以使他們避免脫離作品實際而作主觀隨意的架空批評，把批評活動首先置於藝術體驗的堅實基礎之上，進而恢復並強化批評與藝術之間固有的血緣聯繫，以實現兩者「互相激勵而至於至善」〔註35〕的理想目標。第三，可以切實提高他們的審美感受能力。而這對批評家來說尤為重要。因為正如別林斯基所說，「銳敏的詩意感覺，對美文學印象的強大的感受力——這才應該是從事批評的首要條件」。〔註36〕第四，可以使他們確立真正的自信。既然批評家

〔註33〕 《車爾尼雪夫斯基論文學》（上）第6頁，新文藝出版社1956年版。
〔註34〕 《新的現實和新的任務》，《文藝報》1953年第19期。
〔註35〕 《〈小說月報〉改革宣言》，《小說月報》第12卷第1期。
〔註36〕 《別林斯基選集》第一卷第224頁，上海譯文出版社1979年版。

不再藉「法官」、「主考」的威光以自重，個人的「好惡」便失去價值宣判的效力。於是只得憑靠自身的勇氣和力量面對藝術，以自己的人格和眼力對筆下詞句負責。而這才是他們具備了真正自信的開端。

　　當然，一般讀者閱讀作品的體驗感受還不是嚴格意義的文藝批評，而茅盾也並非僅僅要求批評家充當一般讀者而已。前面已經說過，在茅盾看來，批評家要實現審美再創造，必須完成兩重超越：不僅要超越讀者，並且還要進而超越文藝家。但他認為，要真正實現對文藝家的超越，批評家首先就應該理解、愛護、尊重文藝家，真正「體恤」他們「創作的甘苦」。〔註37〕這裡的關鍵是理解文藝家，即批評家以自己對藝術創造特殊規律的深刻把握和對作品文本的細緻解讀，切實體會文藝家的創作意圖、藝術構想和審美追求，並具有一個豐富的心靈世界。只有這樣，批評家才獲得了對於審美創造過程的自由，才有可能窺見文藝家心靈深處的種種幽微曲折，把握他們特殊的心理狀態、運思方式和情感特點，從而全面地佔有文藝家獨特的審美個性，洞悉他們審美創造的深潛意蘊和內在奧秘；否則就只能導致批評家與作家的隔膜和分離。作家們常有的「文章千古事，得失寸心知」的長吁短嘆，未必統統都是他們無法理解批評家先進審美觀念的自我寬慰，其間不乏對批評家不能理解他們苦心的由衷憾惜，甚至對批評家極其偏激的輕蔑不敬，最終也常常可以從這裡找到根由。顯而易見，在這種隔膜分離狀態下，批評家非但不可能真正「抉出藝術的真相」並加以正確的「疏解」，而且，除了隔靴搔癢不得要領的空泛議論，往往導致「主觀主義的教條式的批評，片面式的批評」。茅盾認為，這樣的批評必然缺乏對於作家「愛護的熱情幫助的態度，缺乏一必合作的態度，而採取一種粗暴的打擊的態度」。他分析指出：「這種粗暴態度，表現在批評家沒有用客觀的科學的態度來研究分析他的批評對象，而只憑一時主觀的印象匆忙地作了判斷；表現在批評家對於作品所表現的社會生活缺乏深入的全面的知識，而只以一些革命文藝理論的原則作為教條、作為公式，來硬套他的批評對象；表現在批評家沒有耐心研究整個作品的各方面，而只斷章取義地抓住作品中突出的缺點，就下了不公平的、不能使人信服的論斷。」在茅盾看來，這種「主觀主義教條式的批評」不僅導致審美再創造的全盤落空，更嚴重的是，「由於它不是從客觀現實出發來衡量作品，因而在某種程度上，它不但不能解決問題，並且還使得作家們會跟著它也按一定的

〔註37〕　《我走過的道路》（中）第143頁，142頁，人民文學出版社1984年版。

公式去寫作，其結果促成了作品的公式化、概念化傾向的發展」。同時，又由於「批評家是用一些固家的標尺，機械地去衡量一切作品，因此引起作家對批評家的畏懼和不滿。這樣的批評不是鼓舞作家的創作熱情，而是阻礙了這個熱情」。〔註38〕茅盾從批評家和作家的雙重身份作出的這些分析論斷，不僅基於他對批評與創作實踐過程和規律性的深切理解，又融進了自己在「革命文學論爭」中遭受教條主義批評粗暴打擊的切身體驗，因而顯得特別切實深刻。它們的正確性已經爲新文學理論批評史的事實所證明。

但是，茅盾要求批評家理解、愛護、尊重、體恤作家，並不意味著提倡毫無原則的庸俗捧場。他反對粗暴打擊的批評態度，卻主張批評應該尖銳辛辣。他指出：「要使批評眞能發揮它的研究出個眞理的使命，則紅著臉的力爭倒是必要。尤其在感覺遲鈍的社會裡，尤其是對肉麻當有趣的人們，辛辣和尖銳應當是批評的必要條件。」〔註39〕一團和氣地百般奉迎，照樣只會導致藝術的枯萎和批評的夭亡。這正如魯迅所說的：「罵殺」與「捧殺」，「按之入地」與「舉之上天」雖則手段相反，但結局都是藝術的遭殃。他認爲「批評必須壞處說壞，好處說好，才於作者有益」。〔註40〕恩格斯對那種不分青紅皂白阿諛奉承的「調和主義的妄圖，以及扮演文學上的淫媒和掮客的熱情」〔註41〕感到無法容忍，認爲眞正有力的「批評必然是最坦率的」。〔註42〕茅盾既反對粗暴打擊又力主尖銳辛辣的批評要求，無疑同魯迅和恩格斯在精神上是完全一致的。他在這裡提出的顯然不僅是針對文藝批評的某種風格規範，更是對它整體性的基本價值取向：鮮明的傾向性和強大的穿透力。對於文藝批評來說，要眞正實現審美再創造並使其間所張揚的藝術法則和其他意識形態觀點爲人們一拍即合或情不自禁地認同吸納，固然需要表述的個性化和藝術化，但更需要一種能夠把批評對象分析得鞭闢入裡，將它的眾多關節和發展趨向揭示得了了分明的穿透力，並使之具有撼動、影響、征服和駕馭人心的足夠力度。而批評的這種力量和強度首先來自尖銳與辛辣；因爲尖銳

〔註38〕《新的現實和新的任務》，《文藝報》1953 年第 19 期。
〔註39〕《批評與謾罵》，《文學》第五卷第 2 號，1935 年 8 月。
〔註40〕魯迅《南腔北調集‧怎麼做起小說來》，人民文學出版社 1973 年版。
〔註41〕恩格斯《評亞歷山大‧榮克的〈德國現代文學史講義〉》，《馬克思恩格斯全集》第一卷第 523 頁。
〔註42〕《恩格斯致斐‧拉薩爾》，《馬克思恩格斯選集》第四卷第 347 頁，人民出版社 1976 年版。

並不是尖酸刻薄而是敏銳與犀利，辛辣也決非惡語中傷而是意味著睿智和鋒芒。

　　超越文藝家必先理解文藝家。但批評家由理解文藝家而獲得對於審美創造過程的自由，還只是發揮自身主體性，實現審美再創造的前提和基礎，甚至還只是爲此開闢了一種現實可能性，而並不意味著他們主體地位的完全確立和審美再創造的充分實現；因爲理解文藝家卻未必一定超越文藝家。不能排除這種可能性：批評家雖然充分理解文藝家，然而他「抉出」的藝術「眞相」和所作的正確「疏解」，卻完全是文藝家創造過程中自覺意識到的思想意蘊和審美追求。換言之，批評家的全部闡發並沒有超出文藝家的意圖和期待範圍而提供更多的東西。這時，他們充其量只是作品的正確闡釋者和文藝家的忠實代言人而言。當然，他們此時所完成的也應歸屬於審美再創造的範疇，但並不充分。在茅盾看來，只有當批評家既能「抉出藝術的眞相」並給予正確的「疏解」，又能「指出藝術的趨向與範疇，使作家從無意的創造進至有意的創造」時，才意味著對文藝家的眞正超越和審美再創造的充分實現。這就是說，當批評家將對象置於自己的概念結構和整個文化背景中加以審察的時候，將不僅能以其敏銳精細的藝術感受力和洞幽燭微的理論穿透力，超越文藝家的創作意圖和讀者的一般感受，創造出一種審美的「剩餘價值」，並且又能以理性的和詩意的光芒照亮文藝家在審美創造過程中的無意識境域，使他們有可能看清自己的某些「自由」狀態，從而增強和提高審美創造活動的自覺意識與「自爲」程度，促成由「自在」狀態向「自爲」境界的飛躍，以保證創作沿著自身的美學規律健康發展。這個過程集中地體現爲批評家對文藝家自我意識範圍的超越，即發現並揭示文藝家在審美創造過程中尚未充分意識到或者根本未曾意識到的東西。這裡除了藝術創造的歸趨，至少還有這樣兩方面內容：一是文藝家對於自己作品未曾自覺意識到或完全未曾意識到的優劣短長；二是文藝家未曾清晰意識到或完全未曾意識到的作品潛在的思想意蘊。批評家發現它們，並以自己獨特的審美理想和審美觀念對此作出深刻的理論說明，使作品隱而不彰的價值水平得到理性尺度的精確衡量，把文藝家朦朧模糊的藝術經驗和感性直觀的人性體味提升到抽象層次，概括爲某種清晰明確的審美規範和理性思辨的精神法則。同時還要以強大的說服力和吸附力，使文藝家心悅誠服地欣然接受，眞正成爲促進他們從直觀體驗到自覺把握、由必然王國到自由王國的深刻啟示。此時，批評家就以其對作品全部

優劣短長與潛在意義的充分發掘程獨到說明，實現了對它的審美再創造，批評也就成為既合主體目的又合對象規律，凝聚著批評家審美個性的另一種「創作」，甚至還以其嚴密的邏輯性和強大的詩情力量完成了對文藝家的某種創造。這樣，批評家就超越接受主體的局囿而贏得了創造主體的價值，並在批評實踐中以這種創造主體性的高度張揚而獲得了充分的自我實現。

　　但是，批評家的這種超越卻並不是輕而易舉的。茅盾認為，這必須首先以「充實批評家本身的『內容』」〔註43〕為前提。也就是說，批評家必須在知識結構和理論素養方面都比文藝家更為優越。高爾基曾把這一點強調到尖銳的程度，他提出：「要使批評家有權得到作家的承認，他就必須比作家更有才華，對於本國的歷史和生活方式比作家瞭解得更清楚，一言以蔽之，他在智力上應比作家更高。」〔註44〕因此，在茅盾看來，批評家「不但要對於文學有徹底的研究，廣博的知識，還須瞭解時代思潮」。〔註45〕同時，他們「應當比作家具備更多方面的社會知識，更有系統的對社會生活的瞭解，更深刻的對社會現象的判別能力」。〔註46〕基於此，他向批評家提出了向兩個方面學習的要求：學習理論和學習社會。

　　首先是學習社會科學理論特別是辯證唯物主義和歷史唯物主義，學習「馬克思列寧主義的科學文藝理論，本國文學史和世界文學史的基本知識」。〔註47〕但茅盾對此的貢獻，主要在於他對批評家如何學習與應用理論的一系列深刻闡發。他十分強調批評家學習唯物辯證法和馬克思主義文藝理論的重要性，同時又堅決反對把理論當作僵死教條和刻板公式的理論教條主義，尤其是那種只會搬弄堆砌理論術語的「新八股」習氣。茅盾指出，批評家學習唯物辯證法，要記住它的基本要點「極為容易，即使進而精讀講解辯證唯物主義的經典著作也不難，但問題是如何把這些理性的認識轉化為感性的認識，也就是如何把這些理性的認識轉化為自己的思想方法」。如果批評家僅僅只是把「辯證唯物主義當作一支標尺，以此衡量作品，這是最拙劣的做法」。〔註48〕這些話雖然是他晚年在回憶錄裡說的，但這種思想，即理性認識必須轉化

〔註43〕《論加強批評工作》，《抗戰文藝》第二卷第 1 期。
〔註44〕轉引自鮑列夫《美學》第 502 頁、中國文聯出版公司 1986 年版。
〔註45〕《文學批評的效力》，1921 年 7 月 11 日《民國日報‧覺悟》。
〔註46〕《新的現實和新的任務》，《文藝報》1953 年第 19 期。
〔註47〕《新的現實和新的任務》，《文藝報》1953 年第 19 期。
〔註48〕《我走過的道路》（中）第 142 頁。

爲感性認識並成爲批評家自己的思想方法，不能簡單地把唯物辯證法作爲衡
量作家作品的現成「標尺」，卻是他幾十年一以貫之的看法。早在 1936 年發
表的《需要腳踏實地的批評家》一文中，他就對一些批評家的不良習氣提出
尖銳的批評：實用主義地割裂肢解科學理論，使之淪爲臨場應急的《事類統
編》，尋章摘句地引用經典作家的「嘉言」以裝點門面、虛張聲勢，把馬克思
主義文藝理論當作「符咒」；他認爲這正是「公式主義的文藝批評之流行與養
成」的「根源」。在他看來，正確的方法從根本上說就是「訓練自己的頭腦」，
即從辯證唯物主義和歷史唯物主義的理論，從馬克思主義經典作家分析解決
他們當時當地需要的「嘉言」中，去領會和學得觀察、分析世間萬物特別是
文藝現象的正確立場、觀點和方法，並將它們眞正「轉化爲自己的思想方法」，
以分析解決自己所面臨的「此時此地的需要」。學習科學的文藝理論並應用於
批評實踐亦復如此。應當著重把握它的基本原理，用它來「切實地討論看創
作上的一些具體問題，應當從作家的作品中指出一些實際問題來闡明此一作
家或此一作品所已經達到的以及尙未達到的境地。這樣，才是切實的指導」。
〔註 49〕否則，無論多麼高明的理論也於批評家無益，而且每每使他們陷入教
條主義的泥沼，導致文藝指評的公式主義化。

　　其次是學習社會。強調批評家向社會生活學習的必要性和重要意義，這
是茅盾文藝批評主體論的一個鮮明特點。他指出，「作家固然應當『向生活
學習』，批評家也應當『向生活學習』。一個批評家對於一篇作品裡所描寫的
生活如果並不熟悉，那他就免不了誤解，主觀，以及隔靴搔癢。他的批評將
不是『指導』，而是『押寶』」。〔註 50〕在他看來，即便批評家已經成熟到能
把唯物辯證法眞正轉化爲自己的思想方法，也仍然必須向生活學習。因爲作
家是就其生活經驗來寫作品，批評家如果沒有同樣的生活經驗或相似的生活
經驗，縱有高深的理論素養，也還是無法斷定作品所表現的生活是否眞實。
〔註 51〕把批評家瞭解和熟悉社會生活的深廣程度，看成是關係到文藝批評價
值水準的根本因素，甚至提高到比批評家的理論素養更爲關鍵的突出地位，
顯示了茅盾對此的高度重視。這是不難理解的。對於無產階級文藝批評家來
說，社會生活不僅是他們進行批評實踐的廣闊舞臺，也是他們闡釋評價對象

〔註 49〕　《需要腳踏實地的批評家》，《生活星期刊》第一卷第 14 號。
〔註 50〕　《需要腳踏實地的批評家》，《生活星期刊》第一卷第 14 號。
〔註 51〕　《我走過的道路》（中）第 143 頁，142 頁，人民文學出版社 1984 年版。

的基本外在參照。在批評實踐中，他們一般總是把文藝現象還原到產生它的社會環境和生活原型面前來揭示它所反映的內容，然後才能依據他們所具持的文學觀念以及由此形成的批評標準，對它作出相應的評價。當然，生活原型作爲原始物象在進入作品的時候，已經融進作家的思想情思和表現風格，經過一定的藝術加工，成爲生活的某種變異形態，具有了同生活原型相區別的某些差異。同時，批評家闡釋評價的直接對象也不是作爲藝術胚胎的原始物象，而是他們在接受過程中從藝術形象再度衍化出來的主體化的體驗意象，但縱然如此，生活原型畢竟仍然是闡釋和評價作家作品的前提條件。因爲事實上，正是從生活原型與藝術形象之間的這種差異性聯繫中，批評家才能發現作家對素材的處理傾向和主題的開掘深度，對生活的詩意感受和情感評價的思想意義、政治傾向和審美價值，以及他們藝術思維的主要特徵和藝術傳達的基本風格等等，也即發現作家據以重新安排生活秩序的心靈秩序，據以重新改造生活原始邏輯的情感邏輯，乃至他們的整個自我。一旦失去這個基本的批評參照，任何精妙絕倫的闡釋都將因缺乏堅實可靠的依託而難免流於純粹主觀的自我描述或信口開河的玄談妄說。而這樣的批評當然是無所謂客觀的藝術真實性可言的。法捷耶夫似乎有鑒於此，曾懇切地向批評家提出忠告：「批評家爲要走上寬廣的發展道路，必須認識他之需要認識生活、認識實際不亞於藝術家，……現代的著作都寫出了生活中的新的東西。不認識生活本身而要對這些著作作出完全的、正確的估價是不可能的。」〔註52〕

那麼，批評家如何向生活學習呢？茅盾認爲，這首先需要解決一個目的問題。倘若僅僅爲著增長知識擴大見聞，比如「多見些各色人等的生活習慣，多記幾個各色人等慣用的口頭語」，或者只是爲了「對證他心裡先已有了的若干概念，而這些概念則是他有了生活以前從書本子得到的」，那就未曾明確向生活學習的真正目的。因爲它們其實不是學習，而是「採訪」或取證。前者尚可算作「身」入生活而僅得「皮毛」未獲「精髓」，〔註53〕後者卻只能說是利用生活並使之淪爲確證概念的「外調材料」。它們或捨本逐末，或「首尾倒置」，〔註54〕同向生活學習的本意相去甚遠或簡直背道而馳。在茅盾看來，所

〔註52〕法捷耶夫《論文藝批評》，《蘇聯文藝界的批評與自我批評》，新華書店 1950 年版。

〔註53〕《論所謂「生活的三度」》，《中原》第一卷第 2 期，1943 年。

〔註54〕《論所謂「生活的三度」》，《中原》第一卷第 2 期，1943 年。

謂「向生活學習，便是要理解生活；理解生活又可以歸納爲理解人與人的關係，人與歷史的關係，生活環境對個人的影響及人怎樣改造生活這四方面」。〔註55〕這不僅指明了向生活學習的正確目的和深廣內容，而且顯示了茅盾對批評家體語、把握人的本質內容和存在形態的能力的高度重視，同時也內在地體現著他對批評家的如下要求：把人的規定性作爲文藝批評的邏輯起點和終極歸宿。這對批評家的主體建構和文藝批評的功能價值無疑具有重要意義。文藝是人的審美形態，藝術創造以「人的尺度」爲其「內在的固有尺度」，〔註56〕因而作爲對人的審美形態的理性反思的文藝批評，也就理所當然應該把物化在文藝作品中的人的本質所蘊含的社會歷史內容，當作自己的首要目標。但批評家對這些內容的意義和價值以及藝術地體現它們的那種傾向、程度與方式的闡釋評價，究竟能夠達到何等深廣準確的程度，關鍵則在他們對藝術中的這些「人化」內容的認識程度和自身所具有的「人化」程度。而批評家離開了生活以及對生活中的人的本質內容及其表現方式和實現程度的體察與把握，這兩者就根本無從談起。批評家只有深入向生活學習，在對它具有系統瞭解、詩意敏感和深刻判別的基礎上，歷史地而不是抽象地、發展地而不是靜止地把握了人的本質內容，捕捉到藝術現象的人性風貌，才有可能在更高的思維層次上真正地理解和科學地評價作家作品與藝術現象。

　　批評家向生活學習的目的在於理解生活，但茅盾認爲，對生活理解的深度，卻受制於他們對生活的「認識」。他進而分析道：「認識與學習是有聯帶的作用，不先有認識，則學習不免盲目，暗中搜索，所得或竟一無價值。但學習是可使認識更加深刻和具體，故認識而後倘不繼之以學習，則認識不全。」〔註57〕茅盾這裡所說的「認識」，主要指由學習馬克思主義而對生活的理性把握，而「學習」則特指學習社會生活。因此，這裡談的其實就是學習理論和學習社會的關係問題。在他看來，學習社會科學，爲批評家觀察分析社會生活提供了「精神上的顯微鏡和分光鏡」，〔註58〕從而使他們更加深刻透徹地理解和認識生活；而學習社會生活，則使他們抽象乾枯的理論原則不僅轉化爲具體生動的感性認識，並得到不斷的豐富和發展，從而不至「僵化爲公式與

〔註55〕　《認識與學習》《文藝先鋒》第二卷第 4 期，1943 年。
〔註56〕　馬克思《1844 年經濟學──哲學手稿》，第 50 頁，人民出版社 1979 年版。
〔註57〕　《認識與學習》《文藝先鋒》第二卷第 4 期，1943 年。
〔註58〕　《論如何學習文學的民族形式》，《中國文化》第一卷第 5 期，1940 年。

教條」。〔註59〕因而兩者既不可偏廢又不能分離。茅盾的上述看法顯然包含著
這樣一個思想：批評家的審美心理結構不能只有一維，而應該是理性文化心
理結構與感性文化心理結構的結合。在《論加強批評工作》中茅盾就談到了
這個問題，他說：

> 一個對於農民生活（舉例而已）不熟悉或竟至無知的批評家，
> 當然也可以從書本子上從「理想」，自己構成了他腦中的農民，但是
> 當他在別人的作品中讀到了和他腦中的不一樣的農民的時候，他可
> 就困惑了，他側著頭，不知道是他腦中那個對呢，還是他所要批評
> 的那個對；但批評家大底需要一點自信，所以側著頭之後，往往是
> 被批評的那個不對。〔註60〕

茅盾說的是批評家因缺少感性文化心理結構而產生的批評困惑以及固執己見
必然導致的批評謬誤。但實際上也提示了批評家在審美再創造過程中面臨的
自我否定和自我超越問題，即批評家為了超越作家而對自身固有的批評框架
進行某種程度的修正或否定，並且具體地指明了批評家自我超越的兩個方面：

其一是超越批評家的「成見」，也就是對自身業已形成的一整套理論原則
和概念結構以及固有的審美理想，實現某種程度的超越。他要求批評家在對
藝術進行理性反思時，一旦發現自身的先驗框架無法安頓藝術活潑躍動的身
軀時，不能固執己見地使之橫遭窒息，或者粗暴蠻橫地將藝術強行納入自己
的偏狹框架，而要返顧自身，找出自身先驗框架的偏頗缺失，並從對象的新
異之處得到啓迪產生頓悟，從而實現對主體結構的改造更新，使自己在更高
的審美層次上實現對藝術的把握和對作家的超越。

其二是超越批評家「自己的尺度」。〔註61〕一般說來，任何批評家都要選
擇和皈依某種特定的文藝創作流派，並從這種流派的角度來制定與之相應的
批評尺度，但因而也就必然會形成相應的「圈子」局限。不同的創作流派可
以相互滲透交融但不能互相說明和替代。因此，茅盾在這裡並不是一般地反
對批評家具有「自己的尺度」，而是要求他們認識到「自己的尺度」適應範圍
的有限性，世上並不存在足以精確遍丈藝術王國廣闊疆域的萬能尺度。當批
評家「自己的尺度」難以衡定文藝的身量時，首先要以寬廣的氣度審察「自

〔註59〕《什麼是基本的》，《突兀文藝》第 2 期，1944 年。
〔註60〕《論加強批評工作》，《抗戰文藝》第二卷第 1 期。
〔註61〕《讀〈倪煥之〉》，《文學週報》第八卷第 20 期，1929 年。

己的尺度」是否存在問題，並在發現問題後有足夠的勇氣和度量棄舊圖新，另擇與批評對象相契的新尺度。而不要以偏狹之心、門戶之見，「任意衡量」變動不居、多姿多彩的文藝現象。

批評家要保持永不衰竭的審美再創造活力，就必須在批評實踐中不斷地通過自我否定實現自我超越，使自身的主體結構在這種超越過程中不時獲得某種程度的更新改造或質的飛躍。這種自我超越，體現了批評家自我否定的現代批評意識。以否定自我、超越自我從而又在更高的層次上重新肯定自我，這就能夠經久地保持充分高揚的主體性。

以上我們只是粗略地勾勒了茅盾文藝批評主體論的大致輪廓。至於他對批評操作手段的一些論述，比如要把握藝術的有機整體性而不能「枝枝節節地」進行批評；要注重「此時此地的需要」〔註62〕多討論實際問題而不要「一味放言高論」；〔註63〕要切合作家的實際創作水平和讀者的實際接受能力而不要「跳到半空中盡說海話」；〔註64〕以及如何掌握尖銳的批評與無聊的謾罵的界線等等，這裡就存而不論了。

第四節　批評意義的深層揭示：批評是「運動著的美學」

文藝批評作為一種與藝術創造具有同等價值的藝術活動，就其最基本的意義說，是一種審美實踐，是批評家對於文藝作品的美學把握。卓越的文藝批評家別林斯基曾如此精闢地闡述過文藝批評所獨具的意義：「批評的對象是把理論應用於實踐」；「批評不停地運動，向前發展，為科學搜集新的材料、新的素材。這是運動著的美學……」。〔註65〕可見，對文藝批評本體的深層揭示，是在於揭示批評所必須蘊有的美學意義。茅盾對文藝批評的理解，除了上文論列的批評價值觀念、批評方法及批評的主體性諸方面外，另一個突入更深層次的認識是批評的美學意義揭示，其見解頗接近於別林斯基提出的必須把批評視為「運動著的美學」的基本觀點。這是其文藝批評觀中頗值得注意的方面。

〔註62〕《需要腳踏實地的批評家》。
〔註63〕《需要腳踏實地的批評家》。
〔註64〕《關於〈憶江南〉》，1943年11月3日上海《新聞報》副刊《藝月》。
〔註65〕列・斯托洛維奇《審美價值的本質》第283頁，凌繼堯譯，中國社會科學出版社1984年版。

　　「批評——運動著的美學」，這個著名論斷已爲過去和當今的許多美學家所首肯，其價值就在於準確揭示了批評的本質意義所在：一方面批評是「實際運用的美學」，通過它旨在幫助藝術接受者認清作品的審美評價，並從美學理論上充分說明它、論證它；另一方面批評又是一種運動著、發展著的審美實踐，它對文藝作品作出審美評價既需要「經過揚棄」的人類藝術經驗——美學，同時也在「揚棄」過程中不斷提供、積累豐富的「思想資料」，使美學理論日臻完善與發展。茅盾對藝術批評的美學意義揭示，也大體上是從這兩個方面加以闡述的。

　　首先，對於文藝作品的具體批評，茅盾注重的是審美理論把握，主張用一定的審美標準去評判眾說紛紜的文藝作品，以盡可求能得在美學認識上的一致。

　　誠然，一般讀者和觀賞者並非都是預先熟悉或掌握了審美理論再進入鑒賞、評價過程的，而大抵是憑藝術直覺，即文藝作品作爲審美關係的客體，激起人一定的感情和思想、願望和意向，由此活躍其記憶，喚起其想像，對文藝作品作出與自己的審美經驗相一致的判斷。就一般情況而言，藝術直覺對於藝術的鑒賞與評判也是很重要的：唯其注重文藝作品與鑒賞者之間的心靈溝通、情感交流，因而往往對於文藝作品會有獨具卓見的理解。然而，文藝現象是複雜的，這既表現在文藝作品內涵的豐富性上（特別是那些意蘊深厚的作品），單憑直覺未必能把握其全部；也表現在人們的審美經驗和審美趣味並非完全相同，甚至大相徑庭，因此只以藝術直覺鑒賞、評判作品就不可能作出客觀公允的審美判斷。在藝術鑒賞和批評中，就常常出現這樣的情況：同一部作品在不同的鑒賞者那裡，會引起截然不同、甚至是直接對立的評價。由是，突破單純的藝術直覺的局囿，用具有一定客觀眞理性的美學理論去評判文藝作品就勢不可缺了。文藝之所以需要有文藝批評和能把握藝術規律的批評家，就因爲需要對文藝作品實施審美理論把握，誠如蘇聯美學家鮑列夫所說：「美學上的判斷是對藝術篇章進行批評分析的理論基礎。只要一位批評家離開了美學的指導，他就只能作出一些最天眞的、越來越不高明的、人云亦云的判斷。……無論一個不學無術的人直覺多麼發達，趣味多麼精細，多麼善於表述自己對藝術的印象，他對於藝術成果的評論還是既不會推動藝術理論的發展，也不會推動藝術本身前進一步。」〔註66〕

〔註66〕鮑列夫《美學》第512、513頁，喬修業、謝楓常譯，中國文聯出版公司1986年版。

　　在文藝批評中，茅盾也是反對那種只憑「直覺」、不重理論的「印象」式的批評的。在他看來，對文藝作品的理解，見仁見智的現象是常有的，但這並不意味著評價作品沒有客觀的是非標準，好與惡、美與醜、是與非完全可以顛倒認識。因此，要堅持正確的批評，就必須遵循一定的理論規範，不能僅憑「印象」作出判斷。有人認為「各人的嗜好不同，故而各人對於文學作品的好惡亦各不同」，他認為「這一種說法表面看來好像很『通情達理』，實質上是否認文學作品有定論」，並以如此不可移易的語言指出：「在大是大非上頭，在立場、觀點上頭，一部書之為好為壞，是有定論的，而且必須有定論；不能用各人嗜好不同的歪論來模糊正論。」〔註67〕這裡所說的「定論」，顯然是指客觀的是非標準，是指為人們所公認的科學結論。正是從這一要求出發，茅盾認為，即使是寫「書評」這樣的文藝批評文章，實在也「不是輕而易舉的，不但要有眼光，也要有學問」，〔註68〕可見他重視的正是批評者自身的理論修養，要求於批評的正是對於批評對象的理論駕馭。

　　自然，對於藝術批評的理論要求，茅盾所主張的並非只局圍在一個方面。我們在談到他所營構的批評模式時，就指出過他所堅持的是「歷史──美學批評」的批評原則。而且，就茅盾特別注重文藝的社會化和理性化這一獨特的文藝觀念而言，他對於批評的歷史要求更有所強調。因此，考察茅盾所認定的對藝術篇章進行批評分析的「理論基礎」，顯然有著豐富的涵量，其「理論」內含當包括歷史觀念、哲學觀念、美學觀念等。然而，不管從哪一方面說，美學要求畢竟是茅盾批評觀中的重要一項，對文藝作品進行「美學上的判斷」仍是其所指的批評的重要「理論基礎」。前面已論及的茅盾注重對文藝作品進行藝術的、美學的分析，自然就包含了他要求批評者對文藝美學理論的把握。在談到文藝批評必須有「定論」──即遵循一定的科學理論時，他也指出：此所謂「定論」，除「立場、觀點」方面「須有定論」以外，還不能「排斥了藝術的特殊性」，必須依據一定的文藝理論評析文藝作品；而且，唯其文藝有「特殊性」，對美學理論的把握還不能作狹隘理解，應在承認文藝作品有多種美感形態的前提下對作品作出恰如其分的美學分析。他指出：「我說是酸的，不許人家說甜，我認為雄壯是美，便不承認幽雅也是美，⋯⋯等等片面的『定論』，也是常見的。顯然，這樣的『定論』不足以幫助讀者欣賞作品而是把讀者本來會有的欣賞力僵化起

〔註67〕　《推薦好書還須好文章》，原載《多讀好書》第 1 輯 1956 年 5 月號。
〔註68〕　《推薦好書還須好文章》，原載《多讀好書》第 1 輯 1956 年 5 月號。

來；這是有害無益的。」〔註69〕可見，茅盾對於批評家美學理論的把握有很高的要求，其著眼點是在於透過文藝批評準確揭示作品的藝術美。從這種批評要求出發，茅盾不僅對批評家，還對文藝家提出了必須「眼高」——即「對作品的審美觀念和批評標準是高的」的要求，認為「作家和藝術家不一定同時是文藝批評家或文藝理論家，然而他們一定同時是修養很高的鑒賞家」；而不管是批評家還是文藝家，要做到「眼高」，即提高鑒賞力和批評能力，就必須「博覽群書」，「這個『覽』字還包括研究分析（這是對於書的思想內容）反覆咀嚼（這是對於書的藝術性）的功夫。『群書』這兩個字也不單指各種流派的作品，也要包括前人的對於那些作品的研究和批評」。〔註70〕從「群書」和前人的研究中獲取教益，無疑是提高審美理論修養的重要途徑。按照茅盾揭示的這一途徑。文藝批評只有在一定的美學理論指導下，才可能卓有成效地展開。

　　既然文藝批評是在美學理論指導下的審美實踐活動，那麼也不妨把批評看成是美學在藝術活動中的實際運用。斯托洛維奇說：「批評是美學理論同藝術創作和藝術感知的實踐之間的必要環節」，「批評——這是實際運用的美學」。〔註71〕這是對於批評作為「運動著的美學」觀點的具體揭示。茅盾在注重批評的美學理論指導的同時，也十分重視美學在批評中的「實際運用」。作為一個有著敏銳藝術感知和體悟的作家，和一個有著深湛文藝理論修養的卓越的批評家，茅盾的文藝批評每每能對作品作出精到的文藝美學分析，從而使他的批評文字堪稱為真正的藝術批評。這裡我們只須舉出他評論《百合花》這個作品作為例證，就足夠了。茹志鵑在寫出《百合花》後，最初是屢遭退稿的厄運，「說是調子比較低沉，不能鼓舞人們前進」。〔註72〕茅盾卻以他獨具的藝術眼光，看出了這個作品的不同凡響之處。他是側重於對作品進行藝術美學分析的，指出這個短篇「結構上最細緻嚴密，同時也是最富於節奏感的」，且全篇「沒有閒筆」，「又富於抒情詩的風味」；還特別指出這個作品有其「獨特的風格」，這就是「清新、俊逸」，這說明要表明一個「莊嚴的主題」，「除了常見的慷慨激昂的筆調，還可以有其他的風格」。〔註73〕茅盾的這一評析，令人信服地揭示了文藝創作規律，說明文藝作品本是一個多樣展開的世

〔註69〕《推薦好書還須好文章》，原載《多讀好書》第 1 輯 1956 年 5 月號。
〔註70〕《從「眼高手低」說起》，《詩刊》1957 年第 7 期。
〔註71〕列・斯托洛維奇《審美價值的本質》第 283 頁。
〔註72〕茹志鵑《說遲了的話》，1981 年 4 月 1 日《文匯報》。
〔註73〕《談最近的短篇小說》，《人民文學》1958 年 6 月號。

界，其間呈現著色彩紛繁的景象，不能僅以思想「調子」之「低沉」或「激昂」去抹煞或抬高一部作品。由於注重對作品的美學評價，避免了只講作品思想性（而且講思想性也未必能切中肯綮）的庸俗化傾向，就使得《百合花》獲得了應有的公允的評價。實踐證明茅盾對文藝作品作美學分析是極為精闢的，且取得了顯著的效果：《百合花》的作者是「第一次聽到『風格』這個詞」可與她的作品「連在一起」，「重新滋潤生長」了「勇氣、希望」，〔註74〕此後的藝術追求就更自覺了，繼續沿著「清新、俊逸」的風格路子走下去，終於在創作上獲得了更重大的發展。茅盾的批評實踐為批評是「運動著的美學」提供了生動的注腳，也顯示出美學在批評的「實際運用」中有著無限的活力。

其次，同批評是「實際運用的美學」的觀點相關聯，茅盾還重視批評的現實性和當代意識，主張文藝批評應是一種對於文藝作品切入現實的、時代本質的美學評析。

提出批評是「運動著的美學」觀念的別林斯基，認為批評「需要理性」、需要「在各別的現象裡去探尋並顯示該現象所據以出現的一般的精神法則」的同時，還特別指出：「批評永遠是和他所批評的現象相適應的；因此，批評是現實底意識」，「時代精神在我們今天的批評裡，比任何其他方面都表現得更明晰」。〔註75〕這個見解對於揭示文藝批評的實際意義是至關重要的。因為應用美學理論於文藝批評，並非有什麼神秘之處，只不過是藉以發掘「作品中（作為現象，作為現實）反映出來的東西底清楚的意識。這兒並不是藝術促成批評或批評促成藝術，而是兩者都發自時代的一種普遍精神」；〔註76〕因而，文藝批評注重現實性和時代性，使之切入現實的時代的本質，便是不可或缺的。在這一點上，茅盾的觀點同別林斯基是更為切近的。在《需要腳踏實地的批評家》一文中，他同那些「跳身雲端裡放言高論的公式主義的批評家」反一調，明確提出「自來偉大的文藝批評都是從『此時此地的需要』出發的」，並認為要做成一個「腳踏實地的批評家」必須具備以下三條：「（1）認識『此時此地的需要』，（2）多研究、多討論創作上的實際問題，（3）努力向生活學習」。在這裡，茅盾從批評擔負著對於創作的「切實的指導」責任的

〔註74〕茹志鵑《說遲了的話》，1981年4月1日《文匯報》。

〔註75〕別林斯基《關於批評的話，……A.尼基金科・第一篇》，《別林斯基論文學》
第257〜258頁，新文藝出版社1958年版。

〔註76〕別林斯基《關於批評的話，……A.尼基金科・第一篇》，《別林斯基論文學》
第257〜258頁，新文藝出版社1958年版。

角度，提出了批評的現實性要求，正是同「批評永遠是和他所批評的現象相適應的」觀點相一致的，而所提出的三條要求，也正是通達現實性的必由之路。應當指出，茅盾的這一主張，對於確立我國健全的現代文藝批評意識是至為重要的。我國的現代批評是在打碎了傳統的不知有切實批評的桎梏中逐步建立起來的，形成具有「切實指導」意義的批評有一個過程，其間一種帶有傾向性的現象是：「捨棄了以往零碎的評點式的批評方法，卻又襲用了故作艱深的「放言高論」式的公式主義批評，一些批評家習慣於搬用西方文藝理論家、美學家的概念、公式以作自己批評文字的支撐，因此只能寫出「空洞，高調，貌似『前進』而實迴避現實」的批評文章，這對於形成切實的文藝批評風氣是非但無益而且有害的。茅盾強調批評必須從「此時此地的需要」出發，注重批評的實際效用，不妨說是對此種批評風氣的有力糾正。同時也應看到，不切實際、放言高論式的批評，也常常難以避免誤評和亂評。茅盾曾指出過一種「『否定一切』的精神，抹煞一切的作品」的批評現象，認為其咎就在只唱「高調」、以「太理想」的批評標準去估量現實文藝創作。對此，他慨乎言之：「我們自然不說眼前所有的文學作品就是合於我們理想的作品，但是我們承認他們是嫩芽，是好花異草的前身。因為一時看不見理想中的好花，而遂要舉斧砍去一切嫩芽：這怕不是有理性的人所肯做的。批評家自然不能僅僅替天才作贊，抨擊也是他的任務；但是可惜我們的批評家的抨擊卻不免於亂擊。」〔註 77〕由此看來，茅盾注重批評的現代性，是要使批評合於「此時此地的需要」，還包含批評必須尊重創作實際，特別要注意扶持文藝百花，使之日趨繁盛的深刻用心。

至於文藝批評的時代性要求，茅盾是提得更為明確的。正同他特別強調文藝創作的時代性特徵一樣，對於文藝批評，他也是尤重時代性要求的。他認為，「批評一篇小說是不應該枝枝節節地用自己的尺度去任意衡量」，批評者應從大處入手，其中重要的是應對作品作「時代性的分析」，即要根據時代精神，從時代的作用與反作用兩面去把握文藝創作。值得注意的是，茅盾提出批評的現實性、時代性要求，仍是同他主張批評的美學要求相結合的，並不認為現實性與時代性可以脫離美學意義而孤立存在。他在談到對文藝作品必須作「時代性的分析」時，就認為「僅僅根據了一點耳食的社會科學常識或是辯證法，便自負不凡地寫他們所謂富有革命情緒的『即興小說』」是不可

〔註 77〕《雜感（二）》，1923 年 7 月 12 日《時事新報》附刊《文學旬刊》第 79 期。

取的，完美的文藝作品「必然地須先求內容與外形——即思想與技巧，兩方面之均衡的發展與成熟」。〔註78〕這裡，他同樣把藝術形式的要求置於不可或缺的位置，顯見批評中的美學評析是必須同現實性、時代性要求一樣被重視的；這樣，批評作爲「實際運用的美學」便有了更切實的意義。

再次，茅盾還從發展的觀點看待文藝批評的意義，指出批評對於積累、完善美學理論的價值，由此希望文藝批評家與文藝家協調步伐，攜手前進，共同爲推進批評事業的發展，爲不斷創造、積聚人類的藝術經驗作出貢獻。

按照批評是「運動著的美學」的觀點，發展、不斷運動著的批評活動，無時不在爲美學理論的豐富積累提供充足的「思想資料」。「批評爲美學生產著『知識半成品』，向後者提出各種問題，而解決了這些問題就會推動理論繼續前進」。〔註79〕茅盾也是充分認識到批評的這一重要價值的。一方面，他充分肯定了批評用理論指導創作、推進創作的現時意義，認爲「批評家的任務也就在說明或指出這些『如何』與『爲什麼』，使作家們不但明白了什麼是不必要寫，並且還知道了什麼是必須寫以及怎樣寫」。〔註80〕就批評指導創作之「歸趨」而言，從藝術理論上武裝創作者，使之知其然而又知其所以然，這是比簡單地下些「判語」式的批評更爲切實有效的。茅盾對於批評者的要求，是重在批評的理論分析，以揭示創作的有效途徑，這無疑是一語中的的。另一方面，他又看到了批評要發揮切實有效的功用，還有一個批評者自身不斷進行理論積累的問題。他認爲，這種理論積累，除了自身的「理論修養」以外，多半是從批評過程中日漸獲取的：批評家在批評實踐中把握了整個創作趨向，就會感到有待於批評的現象「實在太多了」，就會對創作者提出各種問題；而批評者自己也會覺得對此的批評理論把握不足，「與其費了時間口舌來作這樣貌如『理論』的批評，倒不如對這些問題再作一番「切實研究分析」，「然後會發切中要害的批評」，如此相輔而進，才能推動批評理論建設的不斷發展。〔註81〕茅盾揭示的這一批評運動規律，對於完善、發展文藝批評事業，對於美學理論建設都具有極大推動作用的。

基於文藝批評對完善理論建設、促進文藝事業發展意義的認識，茅盾還

〔註78〕　《讀〈倪煥之〉》，《文學週報》第 8 卷第 20 期，1929 年 5 月。
〔註79〕　鮑列夫《美學》第 512、513 頁，喬修業、謝楓常譯，中國文聯出版公司 1986 年版。
〔註80〕　《論加強批評工作》，《抗戰文藝》第二卷第 1 期，1937 年 7 月。
〔註81〕　《論加強批評工作》，《抗戰文藝》第二卷第 1 期，1937 年 7 月。

對文藝批評家和文藝家的通力合作以推進批評的開展，提出了切實的要求。在《作家和批評家》〔註 82〕一文中，他把作家和批評家比之為廚子和吃客，前者不能拒絕別人「品評好壞」，後者也不能一味「指謫」，只有「廚子和吃客通力合作」，菜才能做得好、吃得好。在這篇文章中，茅盾側重表述批評是在用理論「指引路徑」的觀點，要求被「指引」者切不可諱疾忌醫。在《關於「出題目」》〔註 83〕一文中，茅盾又把批評家的批評和作家的創作比之為「出題目」與「做題目」，同樣提出：「出題目人與做題目人應當親密合作，不應視為敵體。」這篇文章還進一步闡述了批評家和作家在批評理論的建樹上的通力合作：「出題目人出了題目以後應當有詳細的解釋，──在形式和內容兩方面作透闢的研究；而做題目人應當來討論題目的出得對不對，與『解釋』之是否空泛不切實用」；還以雨果、歌德、左拉等「既是作家同時又是理論家」為例，認為現今的作家也不妨「搶在文藝理論家之前自己先來出題目」。這些觀點對於促進批評事業的繁盛都是極有啓迪意義的。作家和批評家的互相理解，緊密配合，當然是開展正常文藝批評的基礎；而作家依據自己對藝術的獨特理解與領悟，也出而關注、參與批評事業，勢將使文藝批評開創出新生面。由此不難看出：茅盾所理解的批評事業，乃是一項真正注重文藝批評的事業，他注目於批評的藝術經驗積累和堅持批評的深入廣泛性，是旨在透過批評以促進文學藝術的繁榮與發展。

〔註82〕載《申報月刊》第 2 卷第 5 期，1933 年 5 月。
〔註83〕載《文學》第 6 卷第 5 號，1936 年 5 月。

第五章　文體美學：對藝術美的特徵和創造的具體把握

　　前面幾章，我們分別從茅盾關於藝術美的本質，藝術美與眞實性、功利性的關係，藝術審美創造的一般規律，以及藝術美的鑒賞與批評幾個方面的論述，歸納並考察了他對藝術美的總體把握。但是，在藝術的不同門類、品種、體裁和樣式中，藝術美的具體形態、本質特徵和創造規律卻並不完全相同，而是既有共同性又有個別性的。雖然藝術門類之間存在著互相滲透甚至融合的趨勢，但它們又各自保持著自己所屬的「類」和「種」的質的規定性。因此，離開了對藝術美在藝術家族各門類、品種、體裁和樣式中的個別性的具體把握，就談不上對作爲一個整體的藝術美的深入領會和全面把握。而在茅盾的全部文論中，對上述藝術美個別性的掘發和闡述，不僅佔有很大比重，而且頗多獨到之見。事實上，對藝術美本質特徵和創造規律準確、深刻的具體把握，既爲茅盾提供了整體性把握藝術美的堅實基礎，又充實和豐富了他的文藝美學理論體系。因此，在對茅盾文藝學美思想的全面描述中，有必要對此進行專章論述。需要說明的是，本章之所以不用「門類美學」而以「文體美學」爲標題，是基於這樣的考慮：茅盾雖曾對藝術家族中的各門類、品種如繪畫、音樂、雕塑、書法、電影等發表過不少意見，但一般都不是從藝術美學角度立論的，更沒有對它們作過系統的闡述。有關戲曲的論述中，雖然涉及到表演藝術的唱、念、打、做等，但總的說來，他深入研究、闡發的主要是小說、詩歌、戲劇、散文這四種文學體裁的藝術美問題。因而我們認爲，以「文體美學」加以概括似乎比較符合實際。

　　茅盾的文體美學理論，不僅以其對文學世界內部結構的精湛美學分析，充實和豐富了現代中國的文藝美學園地，更以其對文學諸形態審美創造特殊規律的深刻把握而深廣地影響了現代中國的現實主義文學創作，並且至今仍然具有生氣勃勃的理論活力和實踐意義。

第一節　小說美學

　　茅盾曾經系統地考察過中西小說嬗變發展的歷史，廣泛地研讀了中外小說和小說理論。同時，作為「五四」新文學的積極倡導者之一，他又直接參預了「五四」以來複雜的文藝思想鬥爭，並陸續地總結了小說創作的經驗。在鬥爭、實踐、研究的過程中，確立了自己的現實主義小說觀，側重就小說對現實的審美掌握、小說藝術世界的審美構成和現實主義小說的創作特點這三個具有內在聯繫的理論層面，進行了深入闡發，以一系列富有獨創性和理論深度的真知灼見，建構起自己完整的小說美學體系。

（一）

　　茅盾首先以小說與敘事詩的體裁比較入手，揭示了小說的審美特徵。他指出，世界各民族文學史的事實表明，敘事文學的嬗遞衍進，無不循著由韻文的敘事詩到散文的小說這一路徑。而「敘事詩之說故事寫人物的任務終於不得不移讓給小說，正是文學各部門形式隨社會演變而產生而發展的自然結果」。〔註1〕他分析說，「因為物質文明進步的緣故，現代人的慾望已不如從前人那樣簡單；現代人的五官感覺力也比從前人更為銳敏」。〔註2〕人類自身的這種發展，產生了更全面地認識和把握客體世界的強烈慾望，並相應地對文學提出「表現更繁雜的故事與人物的要求」。但韻文的「敘事詩在詩的一般原則與技巧的約束下，當表現現代生活的時候，有勝場獨擅之處，然而亦有難盡如意之苦。繁複的現代生活中，有許多場面不是『韻文』所能寫得恰到好處的。以節奏為生命的『韻文』，主要是宜於抒情，而且以抒情為其基本任務」。〔註3〕於是，散文的小說遂以「表現更繁雜的故事與人物」的優勢

〔註1〕《〈詩論〉管窺》，《詩創作》第 15 期，1942 年 9 月。
〔註2〕《中國舊戲放良我見》，《戲劇》第 1 卷第 4 期，1921 年 8 月。
〔註3〕《〈詩論〉管窺》，《詩創作》第 15 期，1942 年 9 月。

而迅速崛起。把近代小說發生和勃興的動因，歸結爲社會生活發展物質文明進步所引致的人類新的審美意識和審美要求，顯示了茅盾小說研究的歷史唯物主義傾向，並從小說發生的角度，揭示了它長於敘事、狀物、寫人的基本審美特質。

在《戲劇與小說》〔註4〕一文中，茅盾通過同戲劇的比較，揭示了小說審美特質的豐富內涵：第一，「戲劇要受時間空間的限制，小說不受時間空間的限制」。舞臺法則決定了戲劇是時空限制最大的文學樣式，而語言藝術的符號性使小說具有無限的時空自由，也即小說時空的彈性和張力較之戲劇要大得多。茅盾指出，「戲劇是分幕分場的，小說是分節分章的」，這種外在的體式區別，正是它們內在時空差異的表現。戲劇作爲表演藝術的直觀再現性，使劇中人物的活動被限制在以「幕」或「場」的劃分所給定的時空境域。他們雖可藉談論已經發生或將要發生的某個事件而抽象地引進過去或未來的時空，但這種抽象的虛幻時空同具象的給定時空無法在觀眾視覺印象中融爲一體。因此，戲劇時空一經給定就不僅以直觀具象性而固定化，而且一般也不能通過人物活動突破這種固定而獲得包容延展的彈性和張力以超越自身的有限性。而小說作爲語言藝術的符號幻象性，使小說人物在分「節」分「章」所給定的時空範圍裡卻有超越它的諸多自由，例如通過回憶、幻想、夢境而從給定的物理時空進入想像的心理時空。由於這兩種時空都是非直觀性的符號幻象，因而可以在讀者的心理印象中毫無阻隔地互相「化入」、「淡出」。所以，小說的有限時空以其非直觀符號性而具有包容延伸、超越自身有限性的豐富彈性和充沛張力。第二，「戲劇是客觀的，動作的，小說是主觀的，描述的」。這從兩方面揭示了它們審美創造的不同特點。首先，兩者雖然同樣以人物形象爲主要審美創造目標，但形象創造的要求並不一樣。戲劇「要求每個劇中人物用自己的語言和行動來表現自己的特徵，而不用作者提示」。〔註5〕高爾基之所以認爲劇本是最難運用的一種形式，就在它不容許劇作家對劇中人物外加說明。「劇中人物之被創造出來，僅僅是依靠他們的臺詞，即純粹的口語，而不是敘述的語言」。〔註6〕這意味著劇作家無權在劇本裡直接出面而必須完全隱蔽自我。而小說家卻對筆下人物擁有更多的主權和自由：「作者總是和他們在一起，他暗示讀者怎樣

〔註4〕　《戲劇與小說》，1946年7月3日上海《大公報》副刊《戲劇與電影》。
〔註5〕　《高爾基論文學》，第78、82頁，廣西人民出版社1980年版。
〔註6〕　《高爾基論文學》，第78、82頁，廣西人民出版社1980年版。

瞭解他們，給讀者解釋所描寫的人物的隱秘思想和隱藏的動機，藉自然與環境的描寫來襯托他們的心情，總之，經常小心翼翼地把他們引向自己的目標，自由地、常常是十分巧妙地（這是讀者不易察覺的）、然而任意地掌握他們的動作、言語、行動和相互關係」。〔註7〕質言之，小說家非但有權在文本中出面，而且往往「統制」著人物的言行。茅盾所謂「戲劇是客觀的」，「小說是主觀的」，顯然正是就此而言的，因爲純粹客觀的文藝作品實際並不存在。然而，雖然戲劇人物歸根結底是劇作家主觀創造的結果，而小說家也每每盡量隱蔽自我以顯示作品的客觀性（茅盾自己就經常如此）。但無論如何，小說不可能像戲劇那樣根本排斥任何說明介紹。而且，這種說明介紹無論怎樣貌似客觀，也總是暗含著小說家的主觀評價，並在無形中構成對讀者的某種誘導和控制。其次，戲劇就其本質來說，是動作的藝術。黑格爾說過，「能把個人的性格、思想和目的最清楚地表現出來的是動作，人的最深刻方面只有通過動作才能見諸現實」。〔註8〕從這個意義上說，表現性格最有力的手段是動作。戲劇如此，小說同樣如此。但戲劇是「動作的」和小說是「描述的」界說卻揭示了兩者的同中之異：戲劇動作是演員實際表演的實體性直觀形象，而小說中的動作則是小說家對動作的描寫敘述，是須經讀者心理整合才呈現於想像中的符號性虛幻形象。這種差異導致它們藝術表現力的不同：戲劇可以神情畢肖地表現人物外顯的有形動作，並由此揭示潛藏於它們背後的內心動機，卻難以把內隱的心理動作直觀再現出來。而小說卻既能維妙維肖地摹寫外顯的有形動作，又可直接楔入人物的內心世界，將各種內隱的心理動作曲盡幽微地描述出來並審美化地複製定形。

　　茅盾揭示的上述特點表明，小說以其不受時空限制、自由廣闊地展現社會人生的優越性而「居於其他一切類別的詩的首位」。〔註9〕

　　但茅盾的理論興趣，主要還在對小說審美掌握現實特徵的全面發掘。他指出：「長篇小說寫人生之縱剖面，短篇所寫則爲人生之橫斷面」；〔註10〕但無論「橫斷」、「縱剖」，相對於現實人生，都只是片段而已。小說卻正藉這「片段的人生」，表現「人生的『全面』」，〔註11〕使讀者對人生獲得整體性的審美感

〔註 7〕　《高爾基論文學》，第 78、82 頁，廣西人民出版社 1980 年版。
〔註 8〕　黑格爾《美學》第 1 卷，第 270、244、303 頁，商務印書館 1981 年版。
〔註 9〕　《別林斯基論文學》，第 200～201 頁，新文藝出版社 1958 年版。
〔註10〕　《對於文壇的又一風氣的看法》，《青年文藝》新 1 卷第 6 期，1945 年 2 月。
〔註11〕　《「螞蟻爬石像」》，《上海法學院季刊》創刊號，1933 年 12 月。

受。茅盾認爲這正是小說審美掌握現實的特徵所在。但問題在於，以部分表現整體並非小說的專利，而是藝術的通則。這在茅盾不僅十分明確，甚至還將它看成是「文藝作品的最高的實踐」。〔註 12〕不過在他看來，小說在這方面畢竟自有特點。對此，他從文本的功能結構和讀者的審美接受兩個側面展開論述。

就文本而言，茅盾認爲關鍵首先在「片段」具有「說明」或「表現比它本身廣闊得多、也複雜得多的社會現象」的功能。〔註 13〕而這種功能特點的生成，又基於「片段」自身的結構。他舉例說，30 年代中國工業普遍衰落，但煙草工業相當「景氣」。可是如果單以煙草工業的發達爲題材寫一部小說，那就犯了「只見部分，不見全體」的錯誤。因爲這「片段」並不能反映「工業界全般的狀況」，讀者據此只能得到「中國工業正在勃興」的虛假印象。「但假使一位作者以煙草工業的發達爲『經』而以一般工業的衰落爲『緯』，交織出現代中國產業界畸形的啼笑史，那我們的觀感就不同了，我們要說這是眞實人生的反映了」。因爲它寫的「即使只是部分的現象」，然而說明了「全體」。〔註 14〕這裡至少揭示了三點：第一，「片段的人生」並不是從社會人生整體中割裂剝離出來並與之絕緣的孤立片段，而是與全局血脈相連、息息相關的人生一角。從結構角度透視，兩者具有某種同構對應關係。蘇聯美學家卡岡認爲，「藝術應該同人的現實生活活動同形，即應該不去複製生活，而是再現它的結構」。〔註 15〕法國的戈爾德曼對社會經濟生活與小說結構之間的同源性作過深刻分析，〔註 16〕而匈牙利的豪澤爾則堅信「每件藝術作品都滲透著生活結構的整體性」。〔註 17〕片段人生之所以能夠完整地反映社會人生，原因之一就在它作爲虛構的生活模型與社會人生的同形同構關係。事實上，小說文本的結構形態無論多麼抽象，都有其與社會歷史情狀對應的方面。這在茅盾自己的作品中表現得特別明顯。他反映 30 年代生活的那些小說，每每以一個二元對立縱橫交錯的結構框架支撐起來。這從根本上說，正是時代社會的基本矛盾衝突在小說結構上的積澱。第二，「片段的人生」描繪的雖然只是現實一角，卻以其包籠全局的思想主題而造成全般地表現社會人生的審美效果。茅

〔註 12〕　《談題材的「選擇」》，《文學》第 4 卷第 2 期，1935 年 2 月。
〔註 13〕　《試談短篇小說》，《文學青年》1958 年 8 月號。
〔註 14〕　《「螞蟻爬石像」》，《上海法學院季刊》創刊號，1933 年 12 月。
〔註 15〕　卡岡《美學和系統方法》，第 56 頁，中國文聯出版公司 1985 年版。
〔註 16〕　參見戈爾德曼《論小說的社會學》，中國社會科學出版社 1988 年版。
〔註 17〕　豪澤爾《藝術社會學》，第 2 頁，學林出版社 1987 年版。

盾認爲，不能把反映人生完整性理解爲無所不包和數十萬字之長。例如抗日戰爭既是民族解放戰爭，又是從半封建社會進步到民主國家的戰爭。「一部作品如果只寫出了上半篇（即民族解放戰爭），雖包羅萬象，長數百萬言，仍舊不是全面的表現；反之，雖短，雖只寫現實之片斷而主題則包舉全局，亦應稱是全面的表現」。〔註18〕主題作爲小說家對社會人生的某種理解與感悟，既來自題材並滲透於「片段的人生」內容之中，又制約著對題材的選擇和處理，以詩意的理性力量洞見豐厚內蘊、掘發潛在能量、檢驗價值水準，並賦予內在的邏輯秩序使之連鎖爲一個有機整體。隨著主題的不斷深化，題材因而獲得意義更新和價值提升的廣闊前景。因此，只要作品主題眞正具有「包舉全局」即對社會人生整體性思考的意義，那麼，表現這主題的片段人生雖僅社會的一角，卻有表現社會「全般」、反映人生完整性的功能。第三，「片段的人生」雖然無法從「量」上掌握全部現實，但能通過藝術典型化超越「量」的不完備性而反映現實人生「質」的完整性。這突出地表現在小說以時間的濃縮爲手段，審美地掌握現實的特殊性上，用茅盾的話說就是它「說的事情也許很多，字數也很多，然而時日一定很少」。〔註19〕換言之，小說可以將現實時間濃縮爲文學的瞬間，以短暫的文學時間表現漫長的現實時間內容，並創造出相應於現實的形象。因爲它「描述的內容不是現實的時間量，而是人對現實時間內容的認識」，所以，「片段」無「須描述和表現時間的量的內容」，而可以「通過時間的本質，即通過典型化來表現時間的完整性」。〔註20〕小說時間與現實時間的審美辯證關係，除茅盾指出的「濃縮」，還有其逆向變異：「延宕」。小說既「可以用幾個句子就交代許多年的時間，但也可以爲描寫一個舞會或茶會用去長長的兩章」。〔註21〕不過延宕的目的同樣不在自然主義的量的完整性，而在現實主義的質的完整性。

片段人生反映人生完整性的關鍵，還在「片段」描繪的是完整的人的存在，不僅展現外在方面，而且揭示內心世界。茅盾認爲惟其「注重在心理的分析」，〔註22〕因而「能夠把一般人所看不見的人生的靈魂捉住」，「使人深切的感受」。

〔註18〕《雜談文學修養》，《中學生》第55期，1942年5月。
〔註19〕《近代文學研究的體系》，《中國文學變遷史》後篇第17、15頁，上海新文化書社1929年版。
〔註20〕希穆涅克《美學與藝術總論》，第181頁，文化藝術出版社1988年版。
〔註21〕韋勒克・沃倫《文學理論》，第245頁，三聯書店1984年版。
〔註22〕《近代文學研究的體系》，《中國文學變遷史》後篇第17、15頁，上海新文化

〔註23〕把反映人生的完整性，歸結為對人物心理世界的全面揭示和真實再現，顯示了茅盾對小說把握現實的審美特徵的深刻認識。黑格爾認為成功的人物形象應該「每一個人都是一個整體，本身就是一個世界，每一個人都是一個完滿的有生氣的人，而不是某種孤立的性格特徵的寓言式的抽象品」。〔註24〕心理性格的整體性、完整性，特別是與現實的深刻聯繫，正是性格化形象的基本特徵。

茅盾認為，片段人生反映人生完整性的審美效果，除了「片段」自身的特點，還同審美接受的心理活動相關聯。前面說過，茅盾對現代人五官感覺力的銳敏早有體認。在審美接受中，讀者敏銳的感覺不僅以對「片段」個別屬性的反應獲得思維的感性材料，並作為初級生理感受而成為知覺活動的前提和基礎。沒有感覺不可能有知覺，但感覺到的事物的個別屬性，只有經知覺過程的整合才能形成完整的形象。審美心理學認為，知覺是「對於事物的各位不同的特徵——形狀、色彩、光線、空間、張力等要素組成的完整形象的整體性把握，甚至還包含著對這一完整形象所具有的種種含義和情感表現性的把握」〔註25〕審美知覺的整體性特徵，使讀者雖僅接觸「片段的人生」，但能根據已有的知識和經驗加以補充而使之趨於「完形」。茅盾特別強調了審美感知中的聯想暗示作用：「人類的頭腦能聯想，能受暗示，對於日常的生活有許多地方都能聞甲而聯想及乙，並不待『記賬式』的一筆不漏，方能使人覺得親切有味。」〔註26〕這就具體揭示了片段人生反映人生完整性的心理根源：讀者面對「片段」，既能按接近、相似、對比、因果等聯想規律，經由多重聯想而得到人生的完整印象；也能在感知、想像、思維、情感方面主動接受各種暗示，以「少量的線索，通過心理的聯想或對整體的知覺趨向」〔註27〕而釀成人生的整體感受。而且，正是這種主動參預才使他們獲得審美再創造的愉悅和滿足。「片段」既是經過選擇提煉的「最有典型性、代表性的」〔註28〕人生內容，具有產生聯想的廣泛可能和施授暗示的諸多契機；而讀者則是感覺銳敏、「能聯想，能受暗示」的知覺主體，富於主動補充片段「空白」使之「完形」的主觀能動性；那麼，片段人生

　　　書社 1929 年版。
〔註23〕《告有志研究文學者》，《學生雜誌》第 12 卷第 7 號，1925 年 7 月。
〔註24〕黑格爾《美學》第 1 卷，第 270、244、303 頁，商務印書館 1981 年版。
〔註25〕滕守堯《審美心理描述》，第 56、144 頁，中國社會科學出版社 1985 年版。
〔註26〕《自然主義與中國現代小說》，《小說月報》第 13 卷第 7 號，1922 年 7 月。
〔註27〕滕守堯《審美心理描述》，第 56、144 頁，中國社會科學出版社 1985 年版。
〔註28〕《關於文藝創作中一些問題的解答》，《電影創作通訊》第 16 期，1955 年 3
　　　月。

反映人生完整性的審美效果，實際上生成於文本功能結構和讀者審美感和兩方面機制的充分發揮與相互作用之中。這就是茅盾關於小說對現實的審美把握的基本結論。

（二）

茅盾認爲，小說對現實的審美把握主要是通過人物形象實現的。但「人物不得不在一定的環境中活動」，〔註29〕而他們的活動和相互關係又構成了情節。因此，小說藝術世界的審美構成包括人物、環境和情節三個要素，其中「人物是本位」。〔註30〕

在茅盾看來，優秀小說的人物應當是「立體的複雜性的活人」。〔註31〕首先，須有外觀形態上的立體感和生動性。這不僅在於突破對人物的平面觀照而將其置於三度空間多向透視，以他們的聲音笑貌、舉止動作等形體特徵的多側面呈示，造成可見可聞甚至彷彿可以觸摸的立體塑像；更在於準確地捕捉和活現人物的特有「神氣」，比如說話的速度、音調、姿勢、神態、方式以及特定語境中情緒的各種變化，使之形神俱現，宛若「活人」，並從這閃耀著性格光彩的浮雕般造型中，生動地顯示出「人物內心世界不用語言來表達的一部分」。〔註32〕但是，作爲「活人」，更重要的是內心世界的立體感和生動性，這就必須突出地表現人物血肉飽滿的個性特徵。茅盾指出：「凡人皆是社會人，他的思想意識是在與別人接觸時顯現出來的，他的社會價值也是放在社會關係中而始確定的。」〔註33〕也就是說，人的本質歸根結底是社會的，「在其現實性上，它是一切社會關係的總和」。〔註34〕脫離特定的社會環境，就無法正確地瞭解人的性格、命運和價值。因而必須把人物與環境聯繫起來，實施整體把握。但問題在於，「僅僅從活人們的相互關係上，從他們自己一階層的膠結與別階層的迎拒上」觀察和表現人物，也許只有共性卻無個性，他們還只是「標本式」的人物而不是「眞正的活人」。茅盾認爲，

〔註29〕《關於藝術的技巧》，《文藝學習》，1956 年 4 月。
〔註30〕《創作的準備》，上海生活書店 1936 年版。
〔註31〕《創作的準備》，上海生活書店 1936 年版。
〔註32〕《關於人物描寫的問題》，《電影創作通訊》第 16 期，1955 年 3 月。
〔註33〕《關於小說中的人物》，《抗戰文藝》第 7 卷第 2、3 期合刊，1941 年 3 月。
〔註34〕馬克思《關於費爾巴哈的提綱》，《馬克思恩格斯選集》第 1 卷第 462 頁，人民出版社 1972 年版。

要突現人物的個性，就不能「只在固定的地點上觀察他們」，因為「活人們是到處跑的」，比如，「一個商人固然常在店舖裡做生意，但是也和朋友們上館子；固然常和客戶們談生意經，但是和他的老婆和凡女們另有一種『生意經』。他在商業上打的算盤，不一定就是他和親戚來往家事糾紛時的算盤」，而他的個性恰恰就在處理這些人事關係的不同「面目」中表現出來。〔註35〕因此，不能局囿於單一固定時空點的孤立考察，而必須展示眾多流動時空點的連續觀照，充分利用小說的巨大時空自由，在對人物活動的連續性刻畫中，真切地再現他們與環境的錯綜關係乃至和盤托出他們最隱秘的私生活和潛意識領域，從而使人物的獨特個性隨之得到清晰的突現。而且，不是作為「某種孤立的性格特徵的寓言式的抽象品」，而是以活生生的感性形態呈現出來。但在茅盾看來，這種顯示了個性世界立體感和生動性的人物，還只是從「人生樹」上摘下來的「一片葉子」。「摘下來的葉子引起你的感覺是單純的，而在枝頭的葉子所引起的，卻要複雜得多。一個『人物』雖然被寫得周到，可是倘只能引起單純的感覺，還是不行的。」〔註36〕要使人物真正成為「複雜性的活人」，必須揭示他們性格的全部複雜豐富性。這從根本上說，正是由現實生活中人的複雜豐富性所決定的。高爾基就認為生活中的「人是雜色的，沒有純粹黑色的，也沒有純粹白色的，在人的身上滲透著好的和壞的東西」。〔註37〕所以小說中的人物也應該是「具有其心理底一切錯綜的人」，而並非「僅僅是一些惡行或者僅僅是一些善行的容器」。〔註38〕這同茅盾的要求是完全一致的。強調性格的複雜性，不僅是對人物真實性要求的深化，也是對性格內涵的深廣掘發。性格的複雜豐富性，意味著性格元素量的眾多和質的「雜色」以及內蘊的豐厚性。這一方面決定了性格結構的多層次立體性，另一方面又導致了性格運動的矛盾性曲折性。諸多不同質地色調的性格元素，在性格運動中錯綜交織地形成多重二極性組合。其中的每一重都成為同一性格整體的兩個側面，互相依存、互相衝突、互相滲透、互相轉化，在對立中得到統一。複雜豐富的性格能夠承載眾多繁複的人生內容和心靈奧秘，導致人物的「圓形」趨向，從而產生較高的認識意義和審美價值。同時，

〔註35〕《創作的準備》，上海生活書店 1936 年版。
〔註36〕《創作的準備》，上海生活書店 1936 年版。
〔註37〕高爾基《文學書簡》第 219 頁，人民文學出版社 1962 年版。
〔註38〕《高爾基論文學》，第 78、82 頁，廣西人民出版社 1980 年版。

性格的複雜豐富性也是小說人物向現實中「活人」的一種「逼近」。既然生活中沒有完美無缺的好人和全然邪惡的壞人，那麼，小說中的正面人物就無須十全十美，而反面角色也不必天生壞種。茅盾早就對把「革命者」塑造成「全知全能的『理想』的先鋒」，〔註39〕「把資本家或資產階級知識者描寫成天生的壞人」〔註40〕這兩種傾向，提出過尖銳的批評，認為都是「嚴重的拗曲現實」。〔註41〕事實上，真實而富有魅力的性格，並不表現為「美醜泯絕」的「完美狀態」，倒常常存在於美醜、善惡矛盾統一的關係之中。它以差異對比中的協調、統一與和諧使人獲得美的享受。但是，美醜雜陳、善惡並舉，並不意味著良莠不分、好壞莫辨；性格的複雜豐富，也決不等於混亂模糊。茅盾的深刻之處就在於，既強調性格的複雜豐富性，又堅持性格的質的規定性。他要求在描寫「複雜性的活人」時，首先要準確把握他們性格的「基調」、「底色」，不致「把沒落的看成方起的，把腐朽的看成神奇的，把美看成醜，弄得顛倒錯亂」。〔註42〕質言之，是始終堅持性格的明確一致性與複雜豐富性的辯證統一關係的。

不僅如此。茅盾認為，突出個性是必要的，但如果極端誇大個性就會「一變而為類性」，〔註43〕而類型化人物既缺少典型性，又失卻生動性。另方面，一旦個性化人物只成為「某一人的畫像，就缺乏了普遍性」，也必然降低「藝術的感應力」。這就需要擴大藝術概括的範圍，對生活中的大量同類對象進行「綜合歸納」以提高典型性。而對於一組個性化人物來說，如果性格相似的人物互相「混雜不清」，必然影響個性的鮮明性；而倘若性格相異的人物竟成為「絕對不同的（沒有絲毫相似的）典型」，則又勢必損害性格的真實性。茅盾的要求是：相似但終究「同中有異」，相異又畢竟「異中有同」。〔註44〕這種基於對個性本質深刻認識的美學要求，內在地提示了從真實性、美感律兩方面把握個性化的現實途徑：既充分把握人物為「類」的本質所規定的某些聯繫性和相似性，又善於發掘人物作為特定個體所具有的種種獨特性和差異性，並使個性結構的這兩個側面完整地統一於對真和美的契符。

〔註39〕 《〈法律外的航線〉讀後感》，《文學》第 1 卷第 5、6 期合刊，1932 年 12 月。
〔註40〕 《論無產階級藝術》，《文學週報》，1925 年 5 月。
〔註41〕 《〈地泉〉讀後感》，《地泉》，上海湖風書局 1932 年版。
〔註42〕 《關於小說中的人物》，《抗戰文藝》第 7 卷第 2、3 期合刊，1941 年 3 月。
〔註43〕 《人物的研究》，《小說月報》，第 16 卷第 3 號，1925 年 3 月。
〔註44〕 《如何辨別文藝作品的好壞》，《中學生》復刊第 91 期，1945 年 6 月。

　　茅盾指出，「人物」與「環境」不可分離。但小說僅寫故事發生的地點、人物所在的氛圍這類狹義的環境是遠遠不夠的。它應當而且必須寫出的是廣義的環境，「這是指一特定地區的生產關係，社會制度，立於支配地位的特權階層以及被支配的階層，在一方面是武器而在另一方面是鐐鎖的文化教育組織以及風尚習慣等等」。要而言之，「就是一篇作品的故事的假定發生地點的社會環境。這是包括了該特定地區的廣大的社會關係和更大的時代背景」。〔註45〕在茅盾看來，小說的環境就是對人的社會生活環境典型概括的審美創造成果。

　　茅盾還進一步闡明了人和環境的辯證關係；「最切是『人』創造了『環境』，其次是『人』的思想的動被這『環境』所支配，又次是由這被支配而發生的決定作用又反撥了『人』的思想而產生改造這環境的意志和行動。」而在這一連串的矛盾運動中，他又特別強調作為社會實踐主體的人對環境的能動作用，從而形成了茅盾環境創造論的基本點：「從『人』的行動中寫出『環境』來」。〔註46〕

　　從「人」的「行動」中寫出「環境」，充分體現了人與環境的交互作用和雙向流動關係，這是因為：第一，環境對人物心理性格形成和流變的制約規範，只能從人物的「行動」中清晰地顯示出來。在人物心理性格的形成過程中，原本外在於心理性格的社會環境，只有通過人物的行動，才能逐漸「內化」為他們的血肉，成為心理性格的內在社會特質——人物獨特的心靈世界。第二，人物改造環境的意志和努力，也只能通過他們的的動集中地表現出來，人只有通過能動的實踐活動，才能把自己的主觀力量（思想、感情、願望、意志）集中地作用到特定歷史時代的社會環境中去，並在那裡留下自己的特有印記，實現本質力量的對象化。第三，環境制約著人物，人物在環境中顯示並發展自己心理性格的豐富內容，因而人物與環境必須相稱。但兩者的這種和諧一致性，主要也是從人物的行動中充分體現出來的。表現了人物與環境這種活潑潑的交互關係，當然就不會使任何一方固定化。一方面「一個人本身有發展」，另方面「一個人所在的社會有發展」；「人之變化累積而為社會萬象的變化，而社會萬象之變化又影響到人使他變」。〔註47〕由於把環境的創

〔註45〕　《創作的準備》，上海生活書店 1936 年版。
〔註46〕　《創作的準備》，上海生活書店 1936 年版。
〔註47〕　《關於小說中的人物》，《抗戰文藝》第 7 卷第 2、3 期合刊，1941 年 3 月。

造納入兩者這種錯綜交互的變動之中，因而「『人物』才是活的人，『環境』才是活的環境」。〔註48〕茅盾提出的環境創造方式，堅持了唯物論關於人與環境的辯證統一關係，但又不是哲學觀念的簡單移植或形象演示。它強調人的主體性，著眼於人的「行動」，並以「行動」爲「中介」，使環境對人的支配和人對環境的反撥集中地表現爲人的性格運動，從而堅持了審美創造的人物「本位」觀，突出了環境的審美特質，使小說不致失落審美本性而淪爲「披了文學形式的社會科學論文」。〔註49〕

同時，從「人」的「行動」中寫出「環境」，又保證了環境的豐富內涵和廣義性，使它不致僅僅成爲「布景」、「道具」乃至精緻的裝飾。「人」總是處於特定的時代背景和社會關係之中；「行動」是人與環境的涵數，必定受一定動機的支配；而動機又往往爲特定的衝突所強化。茅盾關於小說環境的本質規定和上述創造方式，必然把小說家的審美創造力導向以下方面：1. 從社會歷史生活的縱橫聯繫中，整體性地把握「藝術中有生命的個別人物所藉以出現的一般背景」，即「一般世界情況」；〔註50〕2. 選擇和確定那些能夠顯示時代歷史某些本質特徵的動作和反應動作，尤其是主要人物的動作，以構成小說的核心衝突；3. 通過內蘊豐厚的衝突，使「一般世界情況」具體化爲它的特殊性相，即轉化爲同整個時代歷史環境息息相通的、特定人物活動著的具體的個別環境。這裡還包括通過中心事件展開核心衝突以及選擇切取藝術時空等一系列環節。經由上述幾個層次的審美創造活動而構築起來的小說環境，就不可能只是故事發生的空間場所、人物所在的生活氛圍之類的狹義的環境，而必然是特定人物所處的包括「廣大的社會關係和更大的時代背景」在內的廣義的環境。它既以自身豐富的社會歷史內涵，更以對事件進程、性格發展的有效控制而成爲小說藝術世界不可或缺的構成因素。

茅盾重視小說社會環境的營構，並不意味著忽視自然環境。他不但明確指出小說環境應當包括自然環境，而且在自己的小說中就不乏自然景物的出色描繪。但他的特點在於，景物描寫主要不在對自然美的發掘，而是要求自然景物的人格化和社會化，使之不僅是人物活動的自然空間，更是具有人性特點和社會內容的環境領域。茅盾指出，「一段風景描寫，不論寫得如何動

〔註48〕《創作的準備》，上海生活書店 1936 年版。
〔註49〕《創作的準備》，上海生活書店 1936 年版。
〔註50〕黑格爾《美學》第 1 卷，第 270、244、303 頁，商務印書館 1981 年版。

人，如果只是作家站在他自己的角度來欣賞，而不是通過人物的眼睛，從人物當時的思想情緒，寫出人物對於風景的感受，那就會變成沒有意義的點綴」。〔註 51〕環境與人物失卻聯繫的情況，不獨出現在自然景物描寫，社會環境的描寫同樣存在這個問題。茅盾認爲，避免這種偏頗的關鍵就在堅持從人物的行動中表現環境。如果環境描寫、氛圍渲染以人物動作爲中心，以實現人物性格及其發展的需要爲旨歸，那就不僅有了審度它們在某一敘事段落必要性的客觀依據，而且也有了衡量其質的意義價值和量的多寡重輕的精確尺度，從而爲人物、環境、氛圍三者的統一融合提供了現實可能。

　　除了人物和環境，小說藝術世界的審美構成還有情節。茅盾認爲，小說情節說到底就是「人事」。它「無論怎樣複雜，總有一個中心；從『事』這方面看，它是負有透過現象而說明本質的任務的；從『人』這一方面看，它是表現著某一宇宙觀，或兩個以上不同的宇宙觀的衝突、決鬥。但此兩者，『事』與『人』的關係，不是平行的：『事』由『人』生，故兩者又在『人事關係』中統一起來」。〔註 52〕這裡提示了茅盾對情節功能和「人」「事」關係的基本要求：第一，情節應該具有既充分表現人物性格又深刻揭示生活本質的功能。爲此，茅盾強調作爲情節基礎的事件，必須蘊含豐富的人生內容，有可能整體性地反映社會生活中複雜矛盾和錯綜聯繫，具有廣闊的輻射面和深遠的透視力。從這樣的要求出發，他提倡從時代歷史的重大事變中選擇、設計事件，因爲在他看來，這種事件不僅關係著歷史的趨勢和進程，也勢必影響到個人的生活和命運，從而深刻地制約人物性格的構成和走向，對於拓展和擴大情節輻射面和容涵量的優越性是十分明顯的。出於同樣的要求，他也不排斥以普通的乃至瑣細的生活事件作爲情節的基礎，關鍵在於，它們並非純粹的瑣細和孤立的存在，而是涵茹著複雜矛盾並同時代社會保持著深刻聯繫的人生景觀。第二，情節應該服從於人物，必須爲表現性格服務。茅盾一貫強調「由人物生發出故事」，而不應「爲了故事而『虛構』出人物」。〔註 53〕但同時又要求「人」「事」相稱，兩者有機統一。這就必然要求在堅持人物「本位」的前提下，既突出人物對事件的主導作用，又重視事件對人物的制約規範，把「人」「事」關係作爲一個互相規約的雙向選擇過程來把握。首先是因人設事，

〔註 51〕　《關於藝術的技巧》，《文藝學習》，1956 年 4 月。
〔註 52〕　《有意爲之》，《新文學連叢》之一《孟夏集》，1942 年 8 月。
〔註 53〕　《創作的準備》，上海生活書店 1936 年版。

即根據人物的不同職業、身份、個性設計安排事件。什麼人做什麼事，什麼個性做什麼事、如何行事，應有嚴格的規定性。其次是重視事件對人物的反作用，即事件自身的固有程序和內在邏輯對人物活動、性格、命運的有力制約與深刻影響。在因人設事的同時，注重人物與事件的雙向選擇，就能實現「人」「事」相稱互相諧合。判然有別的個性，由多姿多彩的事件表現出來；以這些事件為基礎的情節，便成為「某種性格、典型的成長和構成的歷史」。〔註54〕

在從選擇設計事件、再經一系列藝術加工到最終轉化為情節的整個建構過程中，茅盾主要提出了兩個方面的審美規範：

第一，情節的真實性。茅盾指出，情節「自然是虛構的，但所謂虛構，也不是無中生有；所謂『虛構』，應該是『實際所無，但情理所必有』的意思」。質言之，情節「雖非真有其事，但必入情入理，百分之百可能真有的」。〔註55〕這是要求把情節的真實性和藝術虛構統一起來。離開了藝術虛構，就談不上情節典型化，也不會有契符情感邏輯和生活邏輯的典型情節。因此，藝術虛構恰恰是使情節擺脫生活的原生狀態而獲致藝術的典型性品格的重要手段。這樣，茅盾的真實求又在同藝術虛構的統一之中躍升到表現藝術真實的高度。由於讀者對情節的接受更多地消融著因果關係的理解，一旦情節過程中因果中斷而出現有悖於情理的發展，就會立即懷疑它的真實性。因而茅盾在肯定虛構的必要性的同時，又強調入情入理，告誡人們，情節的發展要「提防太兀突，太巧合。或許有人誤以為『兀突』了才能刺激讀者的情緒，『巧合』了才能引起讀者的驚嘆，然而事實上，『突兀』『巧合』只能給讀者以不真實的印象，大大地損害了作品的感應力」。〔註56〕茅盾認為理想的情節發展應該是波瀾起伏，搖曳多姿，既出人意表卻又在情理之中。這就必須注重對情節內在邏輯性把握，即情節及其發展符合性格邏輯和生活邏輯，無論情節的每一階段，還是整個發展過程的各個階段之間，都顯示出性格和生活的內在邏輯性。

第二，情節的連鎖性。構成情節的事件往往不止一起，中長篇小說更是激起事件齊頭並進或接踵而至。如果這些事件不能熔鑄成一個有機整體，就

〔註54〕 高爾基《和青年作家談話》，《論文學》第335頁，人民文學出版社1978年版。
〔註55〕 《關於小說中的人物》，《抗戰文藝》第7卷第2、3期合刊，1941年3月。
〔註56〕 《創作的準備》，上海生活書店1936年版。

難以轉化為血脈流貫富有整體美的藝術情節。為此，茅盾提出了情節的「連鎖性」要求。他指出，情節的組合必須注意「各項節目的連鎖性」：「各節目必須是『有機的發展，——就是互相連鎖，缺一不可；並且這些節目中必須有一個節目是全篇故事的『中心』，而其他的節目是映襯或助成這『中心』。」〔註57〕這裡包括兩方面的要求：一是情節的有機關聯性，即構成情節體系的「各項節目」之間，必須互相呼應彼此牽連，具有內在的聯繫；而且「缺一不可」，甚至達到「動一肢而傷全局」的地步。這就要求「每個情節必須本身就有意義，而且指向某種意義更大的情節」。〔註58〕也就是說，使某一事件的發生和行進，一方面是對已往事件或其他事件或顯或隱的呼應，另方面又成為繼續醞釀生發未來事件或控制誘導其他事件發展變化的契機。由於情節體系中每一局部內容的意蘊總是直接間接地關聯著其他部分，因而整個體系就形成環環相扣、因果互繫、充滿發展能量的有機整體，顯示出情節間不可分割的內在聯繫性。二是情節的集中統一性，即構成情節體系的「各項節目」，必須圍繞或趨向一個中心，從不同的層面和方位向它交匯凝聚，形成「眾星拱月」式的連鎖性組合。而這個「中心」，一般說來就是集中體現主人公中心意向的貫穿性事件。由於其他「各項節目」都是為著「映襯或助成」這個「中心」的，因而就必然與之聯繫紐結共同納入一個統一的情節過程，在多樣統一中現出整體的集中性。

（三）

茅盾關於小說創作的理論中心，可以歸結為：小說是「做」的，不是「寫」的。

「五四」時期基於「人的發現」而提出張揚個性的要求，一度導致了創作理論上的「唯靈感主義」和「唯天才主義」傾向，這就出現了流行一時的說法：「小說是寫的，不是做的。」茅盾強調小說必須「做」，正是對這種說法的有力反撥。他指出，「所謂『寫』，就指『靈感來時，振筆直書』，以及『情感坌湧，不能自己』那樣的態度和過程。所謂『做』，就是和『寫』相反對的態度和過程，如題材之選擇，搜尋，實地觀察等等。」〔註59〕在他看來，「寫

〔註57〕 《創作與題材》，《中學生》第32期，1933年2月。
〔註58〕 《歌德談話錄》，第19頁，人民文學出版社1978年版。
〔註59〕 《關於「創作」》，《北斗》創刊號，1931年9月。

詩尚可憑一時的靈感，小說卻非有計劃地去做」不可。在茅盾那裡，「做」是
一個「非常嚴肅」而又內涵深廣的字眼。它與「矯揉造作」毫不相干，也不
只是伸紙奮筆的實際寫作活動，而是體現在審美創造的全過程中，包括對生
活的體驗、觀察、分析，總體構思的各項「計劃經營」，〔註60〕將藝術構思外
化爲語言符號體系的文藝作品，等等。

茅盾非常重視觀察、分析和體驗人生，這是大家都知道的，本書前面也
已論及。如果說，茅盾對觀察分析生活的要求是「廣博周知」和「深刻體驗」，
〔註61〕那麼，他對在觀察中搜集材料的要求就是「取精用宏」和「小題大做」。
前者強調材料既要「貪多務得」又要「百般挑剔」；後者要求即使「做」小
小一篇作品，也須廣採博取、深挖細掘，在「持毫吮墨以前」打下「深厚博
大的知識基礎」。茅盾指出，材料上所「做」的這種「準備工夫」，主要不是
爲著小說「量」的擴大，而在求得「質」的提高。〔註62〕對於積累生活這個
「做」小說的基礎工程，茅盾的嚴格要求還表現在，即使是熟悉的生活，下
筆前也還要再三「鄭重研究審查」：「觀察」是否流於「浮面」，「見解」有否
存在「錯誤」？力求通過反覆檢查深入研究，補充修正已有經驗，繼續加深
觀察，直至眞正把握事物的本質特徵和內在因果。〔註63〕

藝術構思作爲審美創造活動的先導，是小說能否「做」好的關鍵所在。
茅盾對此的重視自不待言。他一再強調：「『構思』的功夫應當比寫作的時間
多，——不止一倍，二倍三四倍也是必要的。」〔註64〕因爲這裡包括一系列
環節：從選擇題材、開掘主題到支配人物、研究環境、調度結構等等，無一
不需要作家「凝神結想」，慘淡經營。茅盾認爲，「如果沒有此等事前的計劃
經營，貿貿然信筆寫一時的感觸，最好只能作小品文，長篇鉅著則斷乎不
行」。〔註65〕首先，題材的選擇和成熟就決非易事。在茅盾看來，題材並不
是純客觀的描寫對象，而是經過作家感受、理解和選擇加工後的人生內容。
它超越了生活的自然狀態而成爲滲透著作家主體性的生命化存在。他指出，
作爲創作素材的社會現象「是形形色色的，然而這形形色色的社會現象並不

〔註60〕《告有志研究文學者》，《學生雜誌》第 12 卷第 7 號，1925 年 7 月。
〔註61〕《對於文壇的一種風氣的看法》，《青年文藝》新 1 卷第 6 期，1945 年 2 月。
〔註62〕《有意爲之》，《新文學連叢》之一《孟夏集》，1942 年 8 月。
〔註63〕《創作的準備》，上海生活書店 1936 年版。
〔註64〕《對於文壇的一種風氣的看法》，《青年文藝》新 1 卷第 6 期，1945 年 2 月。
〔註65〕《告有志研究文學者》，《學生雜誌》第 12 卷第 7 號，1925 年 7 月。

是個個都能表現（或代表）了該特定社會的『個性』的」。這就必須進行「選擇」。茅盾要求小說家「在他創作過程的第一步就必須從那形形色色的社會現象中『選擇』出最能表現那社會的特殊『個性』——動態及其方向的材料來作爲他作品的題材」，〔註66〕並把是否或能否進行這種「選擇」作爲區分「小說匠」和「眞正『藝術家』」的重要標準。〔註67〕茅盾認爲，題材不僅需要選擇，而且還需要經過審美消化使之逐步成熟。他不主張「帶熱地」使用新題材，而要求「多看」、「多咀嚼」，「要等到消化了，這才拿出來應用」。〔註68〕在他看來，題材逐步成熟，主題也往往隨之孕育成形。一方面，主題從題材中託生，另方面，題材的選擇和處理又必須服從主題的需要。於是，主題作爲構思過程的中心環節，直接制約著人物、情節、環境等項目的構思。這當然是一個非得苦思經營而後成的過程。爲此，茅盾要求「打圖樣」，「寫大綱」：「圖樣不厭求詳，倘可能，詳盡到等於作品的一個節本那樣，也就更好」；〔註69〕「大綱」最好有兩個，「不但要寫下應當如何寫的『大綱』，還須要來一個『萬萬不可那樣寫』的『大綱』」。〔註70〕其次，總體構想的思維成果還得外化爲物質性的形象體系，「圖樣」、「大綱」裡的各項「要點」也有待「大大的擴充和細描」。〔註71〕諸如人物的矛盾糾葛，情節的發展衍進，場景的選擇設計，性格與情節的發展如何並行齊進，環境與人物的關係怎樣諧合統一，以及情節如何連鎖組合，時空怎樣合理切割等一系列問題，就都要通盤考慮並運用各種藝術技巧求得最「優化」處理，最終使作品成爲一個生氣貫注的有機整體。但縱然到了這一步，按茅盾的要求，也還須經過「細琢細磨」的反覆審度，特別是找出「先前未曾自知的毛病」後，〔註72〕才算完成了「做」小說的基本程序。

　　從以上極其粗陋的勾勒中不難看出，茅盾「做」小說的理論主張，不僅僅是他自己小說創作實踐的一般經驗總結，而是對小說文體特徵深切把握基礎上的系統理論思考，是執著地探求小說把握現實的審美特徵的結果。別林

〔註66〕　《談題材的「選擇」》，《文學》第4卷第2期，1935年2月。
〔註67〕　《談題材的「選擇」》，《文學》第4卷第2期，1935年2月。
〔註68〕　《我的回顧》，《茅盾自選集》，上海天馬書店1933年版。
〔註69〕　《回顧》，1945年6月24日重慶《新華日報》。
〔註70〕　《創作的準備》，上海生活書店1936年版。
〔註71〕　《創作的準備》，上海生活書店1936年版。
〔註72〕　《創作的準備》，上海生活書店1936年版。

斯基曾經說過：長篇和中篇小說「包括了一切藝術文學，以致任何其他作品和它們比較起來，都顯得是稀見而偶然的東西了。這原因應該追溯到作爲詩的類型的長篇和中篇小說的本質上去。和其他任何類型的詩比較起來，在這裡，虛構與現實、藝術構思和單純但須眞實的自然摹寫，可以更好地、更貼切地融匯在一起……長篇和中篇小說是最廣泛的、包羅萬象的一類詩；才能在這裡感到無限的自由。其中結合了一切其他類別的詩：既有作者對描寫事件的感情的吐露——抒情詩，也有使人物更爲鮮明而突出地表達自己的手段——戲劇因素」。〔註73〕當今的人們之所以越來越傾向把小說看成是一種「綜合的」藝術，就在它的這種多樣化功能結構。它既爲作家才能的發揮提供了「無限的自由」，但相應地也對他們實現小說多功能使命的審美創造提出了更高的要求：作家詩情的自然流露，人物個性的鮮明刻畫，故事情節的精心結撰，環境氛圍的巧妙布置，並使它們「貼切地融匯在一起」，成爲一個完整的藝術世界。而這一切就決不是單靠「一時的靈感」信筆揮灑可以了事的。這不僅需要有豐厚把實的生活積累，有高超的審美創造力，更需要「把全部材料通盤籌劃精心布置」的「細琢細磨」。〔註74〕茅盾「做」小說的主張，正是對這種要求的契合及其理論表述。

茅盾的小說研究，既有熟諳中西小說歷史和通曉古今小說詩學的理論準備，又能密切聯繫現代中國小說創作和理論批評的現實情勢，並且還不斷融入自己小說創作的切身體驗，是以理論家和小說家的雙重身份進行的。這賦予他的小說美學以深湛理論素養和豐厚實踐經驗的雙重依託而顯得格外堅實凝重：既具有一定的超越性，又表現出藝術美創造者從事理論建樹所特有的那種具體性和深刻性。它固然同那種淺薄無聊、欺世盜名的「小說做法」之類毫不相干，也同某些空洞玄虛、繁瑣艱澀的「高頭講章」大異其趣。茅盾藝術美學思想的深刻性和實踐性品格，在這裡表現得尤爲鮮明突出。

第二節　詩歌美學

茅盾不曾系統地寫過有關詩歌美學的學術專著，不過，從他談文學的內在規律、分析初期白話詩、論述敘事詩的創作，以及評價詩人、詩作中，仍

〔註73〕《別林斯基論文學》，第200～201頁，新文藝出版社1958年版。
〔註74〕《創作的準備》，上海生活書店1936年版。

可看出他是具有一套自成體系的現實主義詩歌審美觀的。本節就來探討這個問題。

（一）

　　郭沫若在詩的職能上曾多次提出：「詩的本職專在抒情」，〔註 75〕「詩只限於抒情」。〔註 76〕茅盾也認為：「以節奏為生命的『韻文』，主要是宜於抒情，而且以抒情為其基本任務。」〔註 77〕肯定詩歌的抒情職能，這是與郭沫若一致的；但同時又用「主要的」、「基本的」加以限制，已流露出一定的保留意味，而更重要的是茅盾強調抒情必須通過對具體事象的敘寫來實行。他說：「寫實主義的精神在初期白話詩中，題材上是社會現象和人生問題的大量抒寫，方法上是所謂『須要用具體的做法，不可用抽象的說法』。」〔註 78〕這就是說，茅盾主張詩歌的抒情應該是具體抒情。他還在這篇論文中舉了幾個成功的例子：「因為『須要用具體的做法』，所以暴露統治者的手腕的呼聲我們在《草兒在前》裡聽到，所以我們在《小河》裡看到了對於壓迫自由思想和解放運動者的警告，在《兩個掃雪的人》裡（周作人）暗示著先驅者的堅忍與勤勞……。」而茅盾對後期創造社、太陽社的批評，雖然外視點是揭示這批作家創作中的「最大的病根」在於「多半非由親身體驗而由想像」，〔註 79〕致使他們的作品「簡直等於一篇宣傳大綱」，但言下之意還可以使我們看出：茅盾的內視點是揭示他們因沒有親身去體驗、深入去觀察、精緻地去敘寫事象，以寄託情興、渲染氛圍、作一番具體的抒情，才造成這種抽象化、概念化、宣傳大綱式的弊端。由此看來，茅盾是把夾帶敘事的具體抒情看作是詩歌把握真實世界的最佳審美規範的。這就是提出了另一問題：抒情和敘事在詩歌審美傳達中如何建立起一種辯證關係來呢？茅盾從自己的一貫思路出發，對抒情詩與敘事詩作了深入的考察。

　　茅盾在《〈詩論〉管窺》中一開始就說：「詩篇之有抒情和敘事，大概是很古的吧？既知有荷馬，也該知有莎福。敘事長篇與抒情短章在古代希臘原亦同時產生。」這種類型之分併不能掩蓋它們有審美傳達上相一致的規範特

〔註 75〕　郭沫若《論詩三札》，《沫若文集》第 10 卷第 211 頁、第 205～206 頁。
〔註 76〕　郭沫若《今天創作的道路》，《沫若文集》第 12 卷第 132 頁。
〔註 77〕　《詩歌的創作》，《文學》第 7 卷第 3、4 期合刊，1936 年 4 月。
〔註 78〕　《論初期白話詩》，《文學》第 8 卷第 1 期，1937 年 1 月。
〔註 79〕　《關於「創作」》，《北斗》創刊號，1931 年 6 月。

徵，即都要求具體抒情。問題在於具體化的方法不全相同和程度不全一致。

在茅盾看來，抒情詩作爲詩歌的一種類型，情緒裸現算不得正宗，正宗應該是敘事中顯抒情。他曾說：「詩人要抒情的時候……敷陳古事以寄沉痛，比興自然以託遐思。」〔註 80〕這就是說，抒情詩在抒情中應該敘寫事象，不過，這些隸屬於抒情詩的事象，還可以分出兩個大類：一類是情感的直接現實，另一類是情感的非眞接現實。

先看對情感的直接現實的敘寫。在茅盾看來，這些直接現實必須敘寫得精緻、眞實、集中，只有這樣才能使讀者面對它們而直觀反射出內在的情感來，否則就達不到具體抒情的目的。在《一個青年詩人的「烙印」》中，茅盾曾對臧克家《歇午工》一詩議論過一番。他認爲「這首詩寫勞動者靜的姿態可算『詩中有畫』」，意思是說這首詩敘寫事象相當成功。但是當茅盾以抒情詩必須具體抒情這一尺度去衡量時，卻發現：「在觀察勞動者描寫勞動者的時候，他是一個完全超然的『藝術家』，他拿著他的『詩的照相機』，在人生中揀取『風景線』，答的一下拍了下來時，他是超然的第三者的風度。因此他的詩就缺乏一種『力』，一種熱情。」〔註 81〕所謂超然的第三者的風度，潛臺詞就是指創造主體沒有把自己的主觀熱情注入審美對象中去，從而獲得眞正的審美把握。

再看對情感的非直接現實作敘寫，是否能夠達到具體抒情的目的？茅盾給予我們的回答也是肯定的。在《論初期白話詩》中，我們就看到他津津樂道於那條被農夫築堰攔住的「小河」，那頭處在「草兒在前，鞭子在後」的牛，以及「兩個掃雪的人」，顯然這些都不是情感的直接現實。茅盾認爲面對情感的非直接現實的那「小河」，詩人是在暗示「對於壓迫自由思想和解放運動者的警告」；那頭牛的遭遇，詩人是在譬比統治者的卑鄙的手段；面對那「兩個掃雪的人」，詩人則是在象徵「先驅者的堅忍與勤勞」。這些非直接現實在詩中的敘事其實是敘寫了一個個象徵性意象；這些意象就頗能激活讀者的想像，達到熱烈、深沉地抒發情感的審美效果。

由此可見，抒情詩中的具體抒情在茅盾看來就不必太如實、太細緻地敘事，而應以能夠在所敘寫的事象身上充分地發射出情緒的感受信息爲限。

那麼敘事詩呢？

〔註 80〕 《關於「創作」》，《北斗》創刊號，1931 年 6 月。
〔註 81〕 《一個青年詩人的「烙印」》，《文學》第 1 卷第 5 期，1933 年 11 月。

　　茅盾特別注意敘事詩，多次論述了這一審美形式。他認爲：「以一故事爲
骨架而用韻文寫成的，就是敘事詩。」「韻文之發展先於散文……但是在韻文
時代，抒情與敘事兩種創作要求卻一樣的同時存在。」不過到了後來，他倒
也承認：「無論從世界範圍或者本民族範圍，詩正在由寬走向窄。」他不但說
過「元白以後中國敘事詩就不再發展」的話，還進一步指出：「從世界各民族
的文學史看來，所謂近代小說這一形式既產生而發展以後，說故事寫人物這
一任務就由小說更適應地負擔了去了，所以敘事詩不再出色當行。中國敘事
詩走向了同樣的命運，似亦不足爲怪。」並且又在此基礎上作出這樣的論斷：
「敘事詩之說故事寫人物的任務終於不得不讓給小說，正是各部門形式隨社
會演變而產生而發展的自然結果了。」令人感興趣的是：他對敘事詩的這一
現狀卻不悲觀。在茅盾看來，由於現代詩歌已經用白話來寫，就有可能帶動
一系列傳達技巧的變革，從而適應快速多變的現代生活節奏，並使敘事詩得
以振興。他說：「中國現代文學正經歷著一個巨大的變革，我們現在所用的表
現工具的變革，影響到技巧上的變革與發展，在過去二十年中，已經有了顯
著的成果，今後一定還要多。在這樣新的形勢之下，敘事詩的復興與更向前
一步的發展，也未必完全是空想……」「因爲新的表現工具必將產生新的技
巧，所以敘事詩的復興與再發展是有前途的。」〔註82〕
　　那麼使用口語這個表現工具後，又產生了什麼樣的新技巧呢？
　　茅盾指出：由於敘事詩和小說的審美職能不同，「二者對於同一事象的表
現方式也不能盡同」，寫敘事詩取材時特別要注意到「盡量利用『韻文』的長
處」，即敘事詩在技巧改革上應該突出地考慮在「取材」和「事象的表現方式」
方面如何達到具體抒情這一目的。他在「敘事詩的前途」〔註83〕一文中通過
對田間的《中國，農村的故事》和臧克家的《自己的寫照》的比較，對這一
問題作了探討。他指出：《自己的寫照》除了最後的一章「因爲事實不許把故
事放開，只好把許多具體事實抽象的說了」而外，其他各章都是拿具體的事
實作極具體地敘寫的，甚至「有些材料他大概捨不得剪去，一併放著」，塡得
滿滿的，使讀者難積極開展自由聯想，扼制了想像的飛躍。又由於「作者的
情緒太冷靜一點」，在精微細緻的敘事中，該激昂缺乏激昂，該悲壯處缺乏悲
壯，該沉痛處缺乏沉痛。正是這些，造成這首應該像「長江萬里圖」般的詩，

〔註82〕 《〈詩論〉管窺》，《詩創作》第 15 期，1942 年 10 月。
〔註83〕 《〈詩論〉管窺》，《詩創作》第 15 期，1942 年 10 月。

卻缺少「壯闊的波瀾和浩浩蕩蕩的氣魄」。實際上這些不足所涉及的就是敘事詩如何「取材」和如何更新「事象的表現方式」的問題。對於《中國‧農村的故事》茅盾雖也說「因爲它沒有一般敘事詩的特性——一件故事」,「也許不能算爲敘事詩」,但「這詩所要達到的目的卻正是敘事詩所應有的」。他打了個比方:「好像看了一部剪去了全部的『動作』只留下幾個『特寫』幾個『畫面』接連著演映起來的電影。」也就是說,雖然「沒有形式上的故事,然而並不是沒有跳動著的生活的『圖畫』」。這裡似乎啓示了我們:敘事詩實在是要抒情詩化的,要做得像抒情詩那樣具體抒情,即用具體的事象——「生活的圖畫」或者說「幾個特寫」、幾個「畫面」作意象,再根據審美鑒賞中的空白邏輯原理,把這些組合起來。這樣做雖然外在不連貫,是「跳動」著的,但內在卻由於情緒反射的信息延續而連接在一起,使讀者讀來有閃閃爍爍、朦朦朧朧之感,更易於激活想像,誘發出情感來。不過這裡有一點要搞清楚:「生活圖畫」跳躍式組合的結果造成了一個什麼呢?在茅盾看來這是一個不像故事的故事框架,即以《飢餓》、《揚子江上》、《去》這三部不同的「生活的圖畫」組合成一代農民從飢餓線上掙扎出來終於走向叛亂之路的脈絡;沒有事件的完整過程,卻有三個大章法,造成一條條事件波狀顯示出來的情節線。正是這樣做,反而給人以「壯闊的波瀾和浩浩蕩蕩的氣魄」之感。因此,《中國‧農村的故事》可以說已達到了敘事詩應有的目的。從這些分析我們可以看到:茅盾特別重視敘事長詩要有幾個大章法。他認爲:「要是沒有了大章法,全書就好像一片連山,沒有幾座點睛的主峰了。」這裡所謂大章法,在不像故事的故事框架裡的組合,其實就像抒情詩根據總體構思要求所作的幾個意象群的組合,只不過那幾個大章法成了擴大的意象群在廣大的構思中組合了起來。這樣的敘事詩「取材」及「事象的表現方式」,在茅盾看來才是好的。這個好的標準有兩點:一、合於他所認爲的詩歌必須具體抒情的要求,因而和抒情詩打通了關係;二、和小說的「取材」以及「事象的表現方式」區別了開來,敘事詩中的事象、情節必須詩意化,表現方式不能像小說那樣把事件填得滿滿的,必須讓「生活的圖畫」意象化,「畫面」組合空白化,刺激讀者,激起飛躍式的情緒想像。

由此看來,茅盾爲敘事詩提出了一個全新的技巧原則:在取材上「並非一定要有形式上的故事不可」,「那種沒有人物也沒有對話和動作」,卻讓幾組「生活的圖畫」在一個大的故事框架裡作意象化組合的辦法「是可以用的」,

這樣做不僅可以達到敘事詩的敘事目的，也完全能獲得具體抒情的審美要求
——而這也就是使中國敘事詩開創新局面最有力的技巧保證——至少茅盾是
這樣看的。

（二）

　　茅盾詩歌審美觀中的另一重要內容是他對創造主體的審美創造規律——
也就是對主體對象化與人生藝象化的內在規律提出了自己的新穎見解。我們
打算從潛創作規律和顯創作規律這兩個方面的探索出發來談。

　　先看茅盾詩歌審美觀中的潛創作規律。

　　潛創作是指發生於創造主體精神世界內的一系列與創作有關的潛在心理
活動，具體地體現於主體潛移默化、無意為之卻驟然湧現文思、形成物化態的
審美意象的狀況。因此，潛創作對創造主體來說不易自覺意識到，在不直接承
受主體意志控制而僅憑直覺元運動的狀態中組合信息，熔鑄人生，孕育出一個
從物象到映象、從映象到潛象、從潛象到意象完形的藝象系統。這一個課題雖
一直來未被科學地好好研究過，但郭沫若和茅盾都在中國新文學的開創時期就
提出來了。郭沫若在致宗白華的一封長信裡曾這樣說過：「我想詩人的心境譬
如一灣清澄的海水，沒有風的時候，便靜止著如像一張明鏡，宇宙萬類的印象
都涵映在裡面，一有風的時候，便要翻波湧浪起來，宇宙萬類的印象都活動在
裡面，這風便是所謂直覺、靈感，這起了的波浪便是高漲著的情調，這活動著
的印象便是徂徠著的想像。這些東西我想來便是詩的本體，只要把它寫了出
來，它就體相兼備。」〔註84〕這段話實際上涉及到潛創作問題，可惜他把直覺
靈感看得太「神」，只強調創造主體審美對象化及其動因——直覺元的活動，
而不重視客體物象主體化、主體審美對象化雙向交流的全過程；更由於把直覺
靈感賦予從天而降、能左右一切的威力，無形之中也就忽略了詩人在潛創作中
滲透著一定的理性因素的審美理想的作用。比較一下茅盾的看法，就顯得更全
面也更科學一些。《告有志研究文學者》中關於意象和「審美」先生整理意象
的那段論述，實際上相當科學地描述出潛象運動的演進形態，即現實世界的客
體物象經主體精神世界——即所謂的「意識鏡」的映照而感知出初始映象，然
後創造主體在繼續生活感知中使這映象沉澱，內化於主體心理深層，轉化為潛

〔註84〕郭沫若、田漢、宗白華《三葉集》第 9 頁。

象，再進而讓主體內化的潛象受到新的刺激而發生主客體信息的強烈碰撞，使潛象在無意中幻化爲自主意識可以內觀的幻象。物象至此變形，意象完形期開始萌動；但由於主體感知的萌動的藝術信息缺乏某些相關因素，還不能自行組織，而暫時潛伏於無意識心理，心境似乎混沌模糊，文思似乎閉塞。實際上潛象運動卻仍在暗中進行，由幻象轉化來的混象在不斷地分解、組合、再分解、再組合，也就是進入茅盾所謂的意識界內的意象「自在地結合，自在地消散」期。從這些地方可以看出：茅盾把直覺靈感看成是一步步走來的，而不像郭沫若理解的那樣，是突然從天而降的。這可說是潛移默化的「地下活動」期，過程較長，但這樣活動到一定的時候，茅盾認爲「意識界裡卻有一位『審美』先生便將它們（意象）捉住了」。這個「審美」先生指的就是直覺元活動到一定時候對進入藝境之門的一次突然的「發現」，一種神會。主體意識在神會到藝境時的最初刹那，想像激活了。想像就把那一大堆處於混亂朦朧狀態的潛象選擇、整理爲意象完形而進行一場生氣勃勃的活動，也就是茅盾所謂「那些可以整理可以和諧的意象便被留起來編製好了，那些不受整理無法和諧的便被擯棄了」的意思。值得注意：這樣一種因直覺靈感而催發的想像活動被茅盾稱之爲「審美」對意象的「把捉」。這就意味著：這場想像活動決不是完全隨意無節制地進行的，而總是被含有一定理性因素的審美理想在無形之中左右著，指引著的。爲什麼這樣提呢？因爲茅盾在這裡提到的「審美」先生「把捉」的工作，是整理篩選意象與和諧意象群，而意象「整理」——組合的「和諧」在他看來即美之所在。因此，他又說：「我們只知『整齊』與『調諧』是美所不可缺的兩個條件；而使人從卑鄙自私殘忍而至於聖潔高尚犧牲的精神，便是美所給予的效果。」單憑直覺靈感是不夠的，只有使它與含有一定理性因素的審美理想組合成一體，來把握潛象活動，使意象完形，才能成爲有審美價值的文學形象。

正因爲茅盾在對詩歌潛創作的思考中始終抓住表象——潛象——意象這麼一個演進序列去探求審美意象完形的軌跡，在考察潛象活動時始終不忘客體物象主體化和主體審美對象化的反覆雙向交流，所以他總是強調創造主體觀察與想像方面的能力，二者不僅缺一不可，而且應該使它們辯證地結合起來。他這樣提是出之於如下思路：從表象向潛象演變，首先要靠觀察；而從潛象向意象完形轉化，則首先要靠想像。在茅盾看來，一個詩人要是沒有獨到的觀察就不可能有獨具內涵的意象；要是沒有豐富的想像能力，就不能把映象串連起來，組成一個有機和諧的意象群體，結果也便只能「成爲化石似

的記錄」，沒有生命活力，沒有美。

　　由於潛創作是藝術反映現實的一個恆常的中間環節，又是潛意識的活動，以無意想像、直覺與靈感的方式顯示出來，往往特別容易把一些未經集中注意的知覺、情感、意識與思維活動忽略了，而實際上主體能動的精神活動卻是作爲動態系列而貫串於整個潛創作過程的。茅盾作爲一個革命作家和文藝理論家，強調靈感必須與含有理性因素的審美理想結合一體投入潛創作活動，正分外顯示出他在探求審美創造規律中堅持現實主義原則的堅定性。

（三）

　　如果說潛創作中創造主體對他的活動無法自控，總顯示爲不由自主、無意而得，那麼顯創作中主體對自己的活動則總是精心結撰、有意爲之的。所以，一待進入顯創作，就易於控制，也易於對規律作明確的理論提純了。茅盾作爲一個實踐美學的追求者，更注意從創作實踐中對審美創造規律作理論的提純。因此，他對於這一類更偏於外在形式技巧的原則性探討更富於創見。

　　首先值得我們注意的是：茅盾認爲對顯創作中的形式技巧作挖掘、歸類和尋找規律是極爲重要的，不過形形色色的形式技巧和這樣那樣的規律，並不是萬應靈丹而對人人都能適應的，允許創作與創造主體根據感覺類別、情緒形態、想像方式等個性特性來選擇、對號，否則就會使主體的顯創作與潛創作不適應，達不到審美意象通過語言形式充分完形的效果。在《關於田間的詩》一文中，茅盾對田間建國後的詩成就不高所作的考察，就相當深刻地體現了這方面的看法。他指出：「詩人的特點之一，是他唱什麼歌（這裡主要指內容），不能不有相應的、和諧一致的什麼調（這裡主要指形式）。田間在抗戰時期的作品，內容和形式是取得一致的，這就是聞一多稱之爲『鼓聲』那樣的節奏和憤怒的情緒。這種詩的形式，不必諱言，有點模仿馬雅可夫斯基……後來他就丟掉了這件曾經使他雄糾糾地跳上臺來的外套，但不幸是他屢次試裁新裝，卻還沒有找到最稱身的。」又說：「我以爲他近年來經歷著一種創作上的危機，沒有找到（或者是正在苦心地求索）得心應手的表現形式，因而常若格格不能暢吐，有時又有點像是直著脖子拚命地叫。」〔註85〕的確，由於田間是一個具有心理學上所謂「應激」的情緒氣質的詩人，他的感覺高

〔註85〕　《關於田間的詩》，1956 年 7 月 1 日《人民日報》。

度印象化，缺乏具體性和沾連性，情緒是呈激越高亢，斷續衝擊狀的，想像是散點飛躍、放縱變形式的，這就適合於像馬雅可夫斯基體那樣的大跨度擬喻化意象組合和以高度句子斷裂而成的鼓點式短節奏，重疊排比、複沓迴旋式的自由體詩行組合形式。但時代變了，生活實感已不同於抗戰初期，而他創作個性中獨特的印象式感覺、應激式情緒、散點式變形想像等卻變不了，以這樣一種舊的、根深蒂固的「本性」去把握平靜、溫愛的生活實感，去套上馬雅可夫斯基式的形式技巧，也有點不倫不類，在無可奈何中他揀來一套五言、六言、七言體民歌形式，想去適應自己難以改變的創作個性，進行歌唱，難免「格格不能暢吐」，出現創作「危機」了。記得當年茅盾發表此文後，有些人不同意，對他進行批評，這是由於他們沒有看到這裡閃爍著茅盾一貫堅持的審美創造觀念：顯創作必須和潛創作相適應。而他富有特色的詩歌審美觀也恰恰就在這一條審美創造律的堅持中獲得了很好的反映。

其次，顯創作所歸納出來的種種形式技巧，在茅盾看來不全是憑詩人的靈機所能創造得出來的。他認為就本質而言，任何形式技巧都還是生活本身的形式及其顯示方式的一種審美反映。據此，則詩歌的結構和節奏，自然也是生活結構和節奏的審美反映。正是這樣，茅盾在《論無產階級藝術》中甚至有這樣的表述：「無產階級作者的生活環境是工廠，而工廠中大小機輪的繁音卻顯然是有齊整的節奏的。這種機輪所發出的旋律，與其說是近於新詩式，無寧說是近於舊詩式。無產階級作者天天聽慣了這種節奏，精神上的影響該是怎麼大。如果他們本其觀感以創詩式，大概是近於舊詩式的。」我們姑且不論茅盾的提法是否很妥當，但就立論的基點——詩歌節奏應該是生活節奏的審美反映來看，正顯示了茅盾對詩歌審美創造的一條規律的認識。

第三，茅盾強調語言的獨創性與新鮮感，是顯創作中具有特別重要意義的課題。眾所周知，文學是語言的藝術，所以茅盾特別重視語言風格。在《雜感——美不美》等中，他指出不論用文言或者白話，要獲得詩歌的語言美就必須「非去因襲而自有創造」，還舉了不少例子反覆強調語言上的首創性對於審美創造的重要意義。不過，非首創也並不就不能產生新鮮感。茅盾在《獨創與因襲》中就「以新詩而論」指出：「近來最流行的有『自然』、『大自然』、『宇宙』、『愛』、『美』、『生命』、『詩人』、『上帝』等字樣」，「初用時，需有很新鮮的意義」，可嘆的是：這和舊詩裡的「風、花、雪、月」一樣，用多了也就鈍化、陳舊了。不過如將它們「用在新鮮的調子裡，也還可以耐人尋思」——這就顯

示出茅盾對詩歌語言另一種審美思考，即把用舊了的詞彙置諸特殊的結構中、語境裡，仍可有新鮮感，給人以美的發現。可見在詩歌語言上，首創新詞當然必要，但立足的應該是獨創，依靠別出心裁的處理，只要這樣，那麼即使非首創的詞語也還是會產生新鮮意義、刺激讀者的美感的。有鑒於此，茅盾還提出作家、詩人有自造詞語的權利：「老作家差不多人人有用字的癖性的，每每把普通字用作特別的意義……愈是偉大的作者，這癖性愈深。」〔註86〕茅盾顯然已直覺到文學語言特別是詩歌語言要二度規範——即本著有利於創造意象、有利於激活想像的要求，而對語言傳達作出新規範。不過，作這樣的考慮時，也並沒有丟掉藝術辯證法，而總力求詩歌語言建築在首度規範基礎上再作二度規範，也就是說，即使大詩人有用字的癖性，也只有和傳統語言的規範特癥結合起來，這癖性才富有二度規範的高效審美功能。在《譯文學書方法的討論》中，他曾講到語言表現意象的「形貌」化和「神韻」化：「構成『形貌』的要素是『單字』、『句調』兩大端；這兩者同時也造成了該篇的『神韻』。一篇文章如有簡短的句調和音調單純的字，則其神韻大都是古樸；句調長而挺、單字的音調也簡短而響亮的，則其神韻大都屬於雄壯；依此類推，可說十有九是不錯。」這正是對傳統語言傳達的經驗概括，是很有啓示意義的。

　　第四，茅盾還對詩歌的形式節奏發表了意見，並根據抒情詩、敘事詩形態的不同和審美功能的差異，提出一些頗具創作實踐價值的原則意見。他認爲詩和小說不同，是以節奏爲生命的。這裡所謂的節奏，是指以一定的語言形式體現出來的音樂之美——或者說，聲韻節奏。在詩歌的顯創作中，這種具有音樂之美的形式節奏是丟不得的。當然，要是抒情詩對這點不夠講究，問題還不大，「有時還能以一種『詩趣』來補救節奏上的不很完美」，敘事詩則不同，它由於「既主在敘事寫人，倘無音樂之美，便會變成分行寫的小說了」。〔註87〕茅盾還對這種形式節奏作了進一步的考察。這也意味著：詩歌也可以既形成勻稱調和的節奏美，又允許不勻稱不調和的節奏美。抒情詩由於短小精悍，情緒的大起大落不多，它需要勻稱調和的聲韻節奏表現，自是不言而喻的。問題是敘事詩怎麼辦？茅盾認爲敘事詩是「需要縱橫揮灑」〔註88〕的，情緒要伴隨事件而大起大落，要有「雍容的

〔註86〕　《譯文學書方法的討論》，《小說月報》第 12 卷第 4 期，1921 年 4 月。
〔註87〕　《〈詩論〉管窺》，《詩創作》第 15 期，1942 年 10 月。
〔註88〕　《中學生怎樣學習文藝》，1946 年 7 月 1、2 日《文匯報》副刊《文化街》。

風度，浩蕩的氣勢」，〔註89〕因此需要不勻稱不調和的聲韻節奏表現。為此他批評《孔雀東南飛》有一大不高明之處，是「那麼長的詩卻是五言句自始至尾」，他認為：「五言音節短促，表達情緒之時往往莊嚴有餘而缺乏搖曳跌宕的風姿；然而那麼一首長的敘事詩是需要抑揚起伏開闔的，不但在故事的結構，而且在表達情緒的詩句的節奏。」〔註90〕由以上的立論推延開去，他還對用民歌形式的節奏來寫詩提出自己的看法。民歌體節奏勻稱、調和，借用來寫飄逸而精悍的抒情詩是合適的，如「蒲風的詩，其特點之一便是民歌的風格」，「結果是得到讚許」〔註91〕。但敘事詩一般要求莊嚴雄偉，而「民歌就其現存者而言，是也說不上怎樣莊嚴與雄偉的」，因此用民歌形式的節奏來寫敘事詩，「恐怕不大妥當」。於是寫抗戰敘事詩的「柯仲平挨了罵」。〔註92〕那麼敘事詩到底採用什麼樣的形式最好呢？茅盾說：「在這點上，我是比較中意『艾青體』。」這裡指的是艾青的敘事長詩《火把》，它是自由體，大面積鋪陳，不勻稱，不調和，卻能顯示大起大落的聲韻節奏美，顯示「雍容的風度，浩蕩的氣勢」。不過他又感到像「艾青體」那樣「沒有句腳韻，或雖有而太自由，有一句沒一句地凌亂不中規程」也不好，「不是耐心極好的讀者，怕會感到沉悶的」。〔註93〕看來，茅盾總是把藝術辯證法滲透進詩歌審美創造的規律探索中去把握的，這就是：形式節奏表現必須體現出規律中顯自由、自由中見規律才是。

　　從茅盾對顯創作的審美表現特徵的見解中，使我們看到如下幾個特點：一、茅盾在審美思維活動中滲透著唯物辯證法，即在談論顯創作時始終把它和潛創作結合起來，在相互滲透、內外映襯中進行考察；二、他的審美創造觀從不脫離生活的物質化存在，而總是強調它對詩歌審美形式及技巧的決定性意義，同時他也不排除創造主體在長期潛創作中形成的創作個性特徵，不排斥審美創造的民族傳統經驗，他是始終堅持個性與傳統的統一來談主體對語言形式技巧的更新的；三、他考察形式技巧如何付之於審美實踐時，總是從詩歌形態的內在規律出發進行選擇、歸類，科學地定出最佳策略方案的。茅盾的詩歌審美觀的行動性、實踐性，在這裡特別深刻地顯示著。

〔註89〕　《文藝雜談》，《文藝先鋒》第 2 卷第 2 期，1943 年 2 月。
〔註90〕　《〈詩論〉管窺》，《詩創作》第 15 期，1942 年 10 月。
〔註91〕　《文藝雜談》，《文藝先鋒》第 2 卷第 2 期，1943 年 2 月。
〔註92〕　《文藝雜談》，《文藝先鋒》第 2 卷第 2 期，1943 年 2 月。
〔註93〕　《文藝雜談》，《文藝先鋒》第 2 卷第 2 期，1943 年 2 月。

　　以上，我們算已把茅盾的詩歌審美觀作了一番總體考察。顯而易見，由於茅盾是一位嚴肅的現實主義作家，他的詩歌審美觀同小說審美觀一樣，貫串著一條紅線：綜合地表現人生；同時，由於他又是一個殉情於小說創作的現實主義作家，因此他的詩歌審美觀始終讓詩和小說審美把握世界作雙向交流，強調詩歌的專職在具體抒情，從而使他對敘事詩作了特具價值的考察。再次，茅盾以一個現實主義作家的身份在提倡綜合地表現人生的審美追求中，從不忘記文學是人學這一特質，並力求讓自己的詩歌審美觀體現出從再現轉化成表現的特色，並進而把客觀物象主體化和主體審美對象化反覆雙向交流。正是以上種種，使他的詩歌門類審美規範與主體創造審美規範體現為從忠於社會現實推向綜合表現人生再推向具體抒情的縱軸，以及從客觀物象推向主體潛象再推向審美意象完形的橫軸的交錯，從而博大精深地顯示出茅盾開放性現實主義詩歌審美觀的立體座標系統。

第三節　戲劇美學

　　戲劇是綜合藝術，論其美學意義，應是對組成這一藝術整體的諸種藝術元素的綜合考察。茅盾對戲劇有過不少論述，但作為一個作家和文學評論家，其所論顯然主要是在戲劇文學方面，因而，若論其戲劇美學思想，主要也是指他對戲劇文學的美學把握。自然，戲劇文學既然是戲劇這一綜合藝術中的一個重要元素，它同其他藝術元素之間必然有著不可分割的聯繫，茅盾在對戲劇藝術作總體考察時，藝術的整體性也是有所論及的。本節所述茅盾的戲劇美學思想，主要也是在戲劇文學方面，同時也兼及其他。

（一）

　　茅盾是我國早期「新劇」的積極倡導者之一。在對於這樣一種完全新穎的戲劇藝術樣式的審察中所集中顯現的是：茅盾從世界文學藝術發展的大趨向中看取我國的戲劇改革，對戲劇蘊含的美學功能及與之相對應的藝術形式的革新提出了切中肯綮的意見，從而表現出他的全新的現代戲劇觀念。

　　戲劇，在我國也算得是一種古老的藝術形式。儘管在封建時代，戲曲與小說同其命運，沒有被列入文學「正宗」的地位，但基於它自身充滿活力的藝術表現，仍不能掩其發展的趨勢。自宋、元以來，戲曲就頗盛行，至明、

清，戲劇文學創作更盛，它同小說一起成爲當時我國文學中創作成就最著、且最富藝術生命力的重要文學品種。

然而，正同一切古老的文藝形式總是打著舊時代的烙印，無論是內容或形式都不可能未經改革就適於表現新時代、新生活一樣，作爲傳統文學藝術品種之一的戲劇湧入現代新文藝潮流時，也必暴露出它的種種弊端。茅盾在審視我國傳統戲劇時，並不是像當時持激進態度的改革論者那樣，主張「將傳統戲劇全數掃光，盡情推翻」，﹝註94﹞而是認爲「舊戲腳本的本質」等方面尚有可取，因而提出可對舊戲進行「改良」，並不主張徹底否定、全盤推倒。﹝註95﹞但是他對於舊戲存在的弊端還是看得分明的。他指出舊戲之病有二：「一是舊戲的藝術如臉譜等等有點要不得；一是舊戲的思想要不得」；有鑒於此，他得出了一個「中國舊戲非改良不可」的結論。而此所謂「改良」，實際上已包含了他改革整個中國戲劇的意見，因爲在他的「改良」方案中，核心之點是引進西方「新劇」，「藉西洋戲劇已有的成績做個榜樣」，既「先從思想方面根本改變中國的舊劇」，使舊劇的面目有所更新，又旨在創造一種完全新穎的戲劇形式與之並存。﹝註96﹞這樣，茅盾在不棄傳統的同時倡導「新劇」，便表現出他獨具的眼力與識見。

所謂「新劇」，就是後來所說的話劇（我國有話劇之名，是在 1927 年），茅盾當時又名之爲「全用口白的新式戲」，含義庶幾近之。話劇之從西方引進，對我國的戲劇運動來說，不能不是一次重大革命。這不僅在於它是一種新穎的形式足可使人大開眼界，更重要的是在它的完全生活化的表演最適於表現現代人的生活，合乎現代人的審美要求。我國傳統戲劇在藝術上的程式化和思想內容上的陳舊感早已不適於表現現代生活。正是感應到了世界文學新潮和現代戲劇發展的趨向，茅盾才提出戲劇改良的意見，從中正反映出他的清醒的現代戲劇意識。茅盾指出：「近代文學，是現代人生的反映，而戲劇又是近代文學的中心點，所以欲研究近代文學，竟不可不研究戲劇。」﹝註97﹞這裡已明白無誤地展示著他對於戲劇文學在整個文學創作中重要地位的認識，其著眼點就在用「現代人生的反映」去要求戲劇。而經過一番切實的

﹝註94﹞ 錢玄同《給陳獨秀的信》，《新青年》第 3 卷第 1 號，1917 年。
﹝註95﹞ 《中國舊戲改良我見》，《戲劇》第 1 卷第 4 期，1921 年 8 月。
﹝註96﹞ 《中國舊戲改良我見》，《戲劇》第 1 卷第 4 期，1921 年 8 月。
﹝註97﹞ 《近代戲劇家傳》，《學生雜誌》第 6 卷第 7 號，1919 年 7 月。

「研究」，他的認識更趨前一步：要適應反映現代人生的需要，中國的舊劇必須變換，「這變換的趨向是摹仿西洋」，「而這種變遷改革的動機並不是由於少數新人物的提倡，卻是社會生活改變後自然的趨勢。因為物質文明進步的緣故，現代人的慾望已不如從前人那樣簡單；現代人的五官感覺力也比從前人更為銳敏，中國舊戲的粗疏藝術自然不能滿足他們耳目的慾望，舊戲雖要不變，也不成了」。〔註98〕很顯然，茅盾對戲劇藝術形式的選擇，並不是出於趨時或盲從，分明是對社會的物質文明與精神要求相對應、現代人的藝術情趣和接受能力必須同相應的藝術形式同步等複雜關係的研究分析以後才作出的，而其中的一個鮮明觀點便是：敏銳的現代眼光和清醒的現代意識。歷史已經證明，藝術的發展必須同現實生活的發展同步，藝術的現代化是藝術獲得生機的重要因素；即便是今天仍有一個戲劇形式同快節奏的現代生活相適應的問題，在當時看來已是相當新穎的話劇形式但在今天已面臨著接受者日趨稀少的嚴峻形勢，話劇的改革也是勢在必行。從這個意義上說，茅盾提出戲劇的「變遷改革」必須順應社會生活發展的「自然趨勢」，確乎是精到之見。

　　基於如此明確的現代戲劇觀念，茅盾對於創建我國現代新戲劇便有了獨具卓見的認識。一方面，他主張從「摹仿西洋」入手改造舊劇，作為第一步，是對舊劇劇本的思想內容進行改革，因此，「新的演劇家是現在需要的，新的編劇家尤其需要」。〔註99〕另一方面，則是放開眼光，大膽拿來，廣泛而系統地介紹、翻譯外國戲劇潮流和流派，以豐富的藝術養分充實我國正在萌芽、滋長中的現代新劇。這後一方面，正是茅盾特別強調而又身體力行的。在吸收外國戲劇理論時，同樣顯出了他一貫堅持的「取精用宏」的原則。他除了側重介紹寫實主義戲劇以外，還極為推崇新浪漫主義戲劇運動和某些現代派劇作。他認為，新浪漫主義戲劇的藝術表現力，就在於它「為補救寫實主義豐肉弱靈之弊，為補救寫實主義之全批評而不指引，為補救寫實主義之不見惡中有善」，因此它對於整個戲劇潮流來說是「非反動而為進化」。〔註100〕他推崇當時人們並不看重的新猶太戲劇，認為其可取就在劇作往往含著「近代意義的人道思想」，寫受痛苦者的痛楚「能描寫到靈魂的深處，透過現代文明

〔註98〕　《中國舊戲放良我見》，《戲劇》第 1 卷第 4 期，1921 年 8 月。
〔註99〕　《中國舊戲放良我見》，《戲劇》第 1 卷第 4 期，1921 年 8 月。
〔註100〕　《〈歐美新文學最近之趨勢〉書後》，《東方雜誌》第 17 卷第 18 號。

的假面刺著內在的痛創」。〔註 101〕他還介紹過國外興起不久的現代派戲劇，如美國的未來派戲劇等。如此廣收博取，顯然意在汲取多種文藝思潮、多種藝術表現手法以充實、豐富我國現代戲劇的藝術表現力。這裡所顯現的正是一種開放性眼光，一種力圖使我國現代戲劇融匯在世界文學大潮中的可貴的革新精神。

（二）

　　對於戲劇所蘊含的美學功能的認識，茅盾從戲劇這種綜合藝術的獨特性考慮，並不排斥它應具有愉悅功能。早在 20 年代初期，他就在一篇由別人代寫的文章〔註 102〕中，提出戲劇應給觀眾以正當的娛樂：「若要勞工們的體力和道德都進步，便不可沒有這正當的娛樂，所以演戲劇不可不注重在使人娛樂這一方面。」這裡，茅盾把戲劇的娛樂功能同促進觀眾的身心健康、道德進步聯繫在一起，這就給娛樂性意義以充分的估價。至 40 年代，在討論戲劇的民族形式問題時，他又從戲劇的綜合藝術特點、觀眾的接受要求等方面闡述了這一點。茅盾認為，在各種文藝形式中，戲劇是最具直觀性的，且在演出中又輔以布景、服飾、道具及歌舞、音樂、演唱等，是最易為文化水準低下的觀眾所樂於接受的；在我國，由於「教育不發達，文盲眾多」，此種屬「口頭告白」的文藝形式在民間就「佔了優勢」，直至「二十世紀的四十年代，中國百分之九十的老百姓依然是文盲，因而『口頭告白』的民間形式依然是他們『常見習聞』的東西」。〔註 103〕對於這種接受現象，應當引起人們注意的是：觀眾樂於看戲，並非只是為了接受教育，也還有獲得娛樂性的一面。比如抗戰時期話劇由都市而下鄉，曾不及舊劇之受農民歡迎，原因就在舊劇「鑼鼓更其響亮」，且有「聽眾們所熟悉的歌詞」；然而「戲劇究竟是綜合的藝術，鑼鼓等等雖然響亮而熱鬧，但布景燈光亦為農民所驚喜，因此話劇在民眾中間，並不像有些人所想像的那麼吃不開」。因而為了滿足觀眾的這種獨特的審美情趣與要求，就「非有那麼一種為老百姓所『喜聞樂見』的作風氣派不可」。〔註 104〕這樣，茅盾從觀眾的接受要求、接受習慣等角度，闡述了戲劇所必具

〔註 101〕《新猶太文學概觀》，《小說月報》第 12 卷第 10 期，1921 年 10 月。
〔註 102〕參見《民眾戲院的意義與目的》，《戲劇》第 1 卷第 1 期，1921 年 3 月。
〔註 103〕《舊形式、民間形式與民族形式》，《中國文化》第 2 卷第 1 期，1940 年 9 月。
〔註 104〕《戲劇的民族形式問題》，《抗戰文藝》第 7 卷第 2、3 期合刊，1941 年 3 月。

的藝術魅力、愉悅性特徵，從而從一個方面把握了戲劇的美學功能。

　　然而，茅盾對戲劇功能的理解，最主要的還是注重在戲劇的社會功利價值上。戲劇既然是一種擁有廣泛讀者和觀眾的文藝形式，作為一個特別重視文藝創作的社會責任感和歷史使命感的作家，茅盾必然也會看重戲劇對於民眾思想情感的陶冶作用，對於治療社會痼疾、推動社會前進的巨大思想力量。此種認識貫注於他對劇運和戲劇創作（特別是戲劇文學創作）的評論中；其中在翻譯、介紹外國戲劇文學作品和評價我國的戲劇文學創作方面，最能看出他的這一戲劇觀。

　　從「為人生」的文藝觀出發，茅盾早期介紹外國戲劇作品和戲劇理論，自然重在寫實派一邊，而此所重顯然是在劇作的社會功利性上。比如他曾高度評價易卜生劇作的地位，就是因為易卜生的社會問題劇「所說明的總是新思想，他的藝術觀，是為人生而藝術，不是為藝術而藝術」。〔註105〕對於被損害民族、弱小民族劇作的介紹，茅盾有鑒於我國有著同他們相同的命運，更是本著「滋養我再生我中華民族的精神，使他從衰老回到少壯，從頹越回到奮發，從灰色轉到鮮明，從枯朽裡爆發出新芽來」〔註106〕的目的，努力從其他民族的藝術中汲取民族精神的光華，更顯示出鮮明的社會目的。即便是提倡新浪漫主義劇作，茅盾固然有看重其藝術形式獨特的一面，但其總的用意，仍然是側重在社會價值一面。因為在茅盾看來，新浪漫主義可以彌補寫實主義之弊，正在於後者缺乏「理想的色彩」，因而勢必減少了戲劇引導人民前進的力量，這正可由前者來「補正」。他推崇新浪漫主義的劇作是「喜歡藝術而相信理想的戲曲」，他們的劇作「已經合寫實與浪漫為一，他們對於近代文學的貢獻實在是很大的呢」。〔註107〕最明顯的例證是他對挪威的兩個戲劇家——易卜生和比昂遜的比較分析。他認為，「易卜生的社會問題劇本的唯一使命是揭開社會黑幕，指出社會病的根源給我們看，卻毫不說到一個補救方法」；比昂遜則不同了，他是個「小說家，又是個理想家，所以應用小說的理想來裝到戲曲的模子裡，也常常帶著理想的色彩」。〔註108〕他認為只有把這兩者結合

〔註105〕　《文學上古典主義、浪漫主義和寫實主義》，《學生雜誌》第7卷第9期，1919年9月。
〔註106〕　《一年來的感想與明年的計劃》，《小說月報》第12卷12期，1921年12月。
〔註107〕　《近代文學的反流——愛爾蘭的新文學》，《東方雜誌》第17卷第6、7號，1920年。
〔註108〕　《腦威寫實主義前驅般生》，《小說月報》第12卷第1期，1921年1月。

起來，戲劇創作的使命才能最終完成。凡此已不難說明，茅盾在藉重「他山之石」時，戲劇藝術的功能選擇已明顯地重在社會價值一面。

如果說，在進行藝術借鑒時已顯露出茅盾重視戲劇的社會功利觀，那麼，當他注目於建設我國的現代戲劇時，功利要求自然會提得更明確。作爲我國早期話劇的一位倡導者，茅盾和他的同仁創辦民眾戲劇社，《民眾戲劇社宣言》就明確宣稱：戲劇「是推動社會使前進的一個輪子，又是搜尋社會病根的 X 光鏡；它又是一塊無私的反射鏡；一國人民的程度的高低，也赤裸裸地在這面大鏡子裡反映出來，不得一毫遁形」。這雖非他一人主張，但也包含了他的觀點是無疑的。此後，他以極大的注意力關注劇運、撰寫劇評，就是循著戲劇必須推動社會前進這一思路行進的。

（三）

茅盾對於戲劇的藝術審美把握，是審察其自身的獨特性和內在的藝術規律，揭示戲劇所必須蘊含的藝術美素質，並使之成爲一件眞正完美的藝術品的必由途徑。這集中反映在他對於戲劇文學的藝術審美特質的把握上。

在戲劇的諸種元素中，戲劇文學作品的藝術素質是應當特別強調的。因爲劇本是一劇之本，倘劇作缺少藝術涵量，就遑論其他了。茅盾對戲劇文學作品的評述特多，就是從劇作的藝術審美特質之是否能充分影響、決定整個綜合藝術完成的角度考慮的；而他對於戲劇文學的藝術的要求，自然也是要求其遵循一般的文學藝術創作規律，以完成藝術美的充分展示。其中最主要的是：從他一貫堅持的現實主義文學觀出發，要求劇作以充分的藝術典型性去實現戲劇對生活的本質反映，從而有效地用戲劇藝術手段去發掘生活中美的素質。具體言之，則是要求在藝術典型性原則指導下，實現戲劇情節的審美把握和完成戲劇形象鑄造兩個方面。

關於戲劇情節的審美把握，茅盾所注重的也是情節的典型性。我國的傳統戲劇向以劇情的紅火熱鬧、戲劇衝突的緊張激烈取勝，以此使一般觀眾獲得看「戲」的滿足。然而正因其所重在「戲」，就難免盡編造之能事，使劇情脫離生活實際，失卻藝術眞實性。茅盾視眞實爲藝術的生命，他特別看重新起的話劇，就在於話劇是「最現實的東西」，無論是它的「舞臺布置以及演員的動作臺詞」，都是「現實生活的最忠實的反映」，「申言之，劇人中物所代表的各色人等，必須是街上陌頭所有，演一個甲地工人必須是眞正的甲地工人，

從他的聲音笑貌一直到想心事、做夢」，這才眞正堪稱是「以『眞象』爲其藝術形式」的。〔註109〕由此看來，茅盾是以戲劇表現生活「眞象」爲其藝術要旨的，主張對戲劇情節的選擇就應是一種符合生活眞實的典型性選擇。因爲戲劇表現衝突使之「有戲」是必要的，但戲劇作品既然是現實人生的反映，就必須遵循藝術典型化原則，合理地、典型地描寫戲劇衝突，使生活得到眞實的、本質的反映。基於此，茅盾對於那種刻意編造戲劇情節、有違生活本質乃至純以宣揚「噱頭」取勝的表現就多持批評態度。例如，他批評余上沅的《兵變》等劇本只追求「有戲可做」，把嚴肅的社會問題寫成了「戀愛的喜劇」，「成爲太太小姐解悶的玩意兒」，使原本「能夠反映全般社會現象的題材變成了異常狹小」，〔註110〕就是從戲劇情節不足以反映生活本質提出問題的。他對劇本《武則天》、《賽金花》爲取悅觀眾，加進了一些有背於人物性格刻劃、游離於情節之外的「掌頰」、「搽粉」、「拔鬚」、「下跪」等噱頭動作，更提出了嚴厲的批評，認爲此舉實「不應該以觀眾歡迎爲煙幕而不自覺其失敗！」〔註111〕在茅盾看來，戲劇情節的設置，應典型地反映「全般」社會現象，有助於表現嚴肅的主題，若捨此而胡編亂造，勢必會破壞藝術美的整體顯示，影響戲劇的審美效果，因而是不足取的。

由於注重戲劇情節的典型性，茅盾十分重視情節的提煉。戲劇作品當然要有「戲」（即有尖銳的戲劇衝突），要求有吸引人的戲劇情節。從某種意義說，戲劇文學的情節要求比同樣是敘事文學的小說作品更應強調。問題是在於如何寫「戲」，即如何處理戲劇情節？按照黑格爾的說法：「充滿衝突的情境適宜於用作劇藝的對象，劇藝本是可以把美的最完滿最深刻的發展表現出來的。」〔註112〕可見，關鍵是在於對戲劇情節的審美把握，劇作者要善於表現劇情中「最完滿最深刻的發展」。茅盾對於戲劇情節的審美要求，就是注重典型化提煉，主張所謂戲劇情節的「最完滿最深刻」的表現，應是一種經過高度提煉的合於藝術典型性的表現。這一觀點，在他對於崔嵬、王震之執筆的《八百壯士》一劇的評論中有明確的表述。在眾多描寫上海八百壯士抗擊日寇、死守四行倉庫的英勇業績的劇作中，茅盾獨獨推崇崔嵬、王震之等人

〔註109〕《戲劇的民族形式問題》，《抗戰文藝》第7卷第2、3期合刊，1941年3月。
〔註110〕《讀上沅劇本甲集》，《文學》第3卷第3期，1934年9月。
〔註111〕《關於〈武則天〉》，《中流》第2卷第9期；《讀〈賽金花〉》，《中流》第1卷第8期。
〔註112〕黑格爾《美學》第1卷第260頁，商務印書館1979年版。

的作品，就在於該劇是對情節作了典型化提煉，是「獨創一蹊徑」的。他認為，劇作者爲表現抗戰初期「壯烈史實中之一頁」，故事情節的選擇就是獨具眼力的，因爲「它本身就是一篇有首有尾，有波瀾曲折，具備各種藝術條件的『故事』」；然而劇作者的更高明之處，還在於戲情的「匠心」處理，「能夠擺脫『事實』的束縛」，不求表面上的波瀾曲折，而側重於「創造幾個性格不同的士兵」作爲全劇的中心，從而有力地烘托了全民抗戰的主題。〔註113〕從這裡不難看出，茅盾對於情節的審美要求，是在注重戲劇性的同時，又強調藝術典型化提煉，以此起到情節在表現人物、烘托主題中所應起到的作用，從而達到戲劇顯示整體美的藝術效果。

除了情節的審美把握以外，茅盾還主張同傳統戲劇的重要輕人反一調：戲劇要重在寫人，寫人的性格，用性格的個性化和典型性去折射生活的本質。這也是具有相當現代意識的戲劇審美觀念。這同樣也反映在茅盾對戲劇文學作品的藝術評估中：「他常常是以此爲主要準則之一去評判一個作品的優劣的。上文提到的對《八百壯士》的評價，除肯定其情節的「匠心」處理外，另一「成功之處」，就在「它能注意人物的個性的描寫」，認爲有此二者，遂使此劇成爲當時描寫「八百壯士」的作品中之「最佳」者。〔註114〕尤其值得注意的，是他對曹禺的名作《北京人》的評價。《北京人》不獨是曹禺個人、也是我國現代話劇中的優秀劇作，在當時和後來都受到人們的高度評價。茅盾當然也是充分肯定了這個劇作的卓越成就的，認爲劇作者「光榮的努力和成功」，是「值得欽佩」的；但從他的執著的現實主義典型性要求出發，卻也對這個劇本的人物描寫及人物缺乏社會典型意義等問題提出了質疑。他認爲劇作中作爲「北京人」象徵的那個「怪人」，其「思想意識情緒上近於『原人』」，然而又要作爲「向光明的『象徵』」，至少是不夠典型的；還有同曾皓等腐朽人物處於「鮮明的對照地位」的人類學家袁先生及其女兒，「他們的思想意識，在我們這個社會裡，相當於哪一類人」，也是所指不清的，在劇本中似乎成了「一個啞謎」。〔註115〕如此質疑，是否有理，當然可以討論；但由於顯示的卻是他的戲劇文學創造形象的獨特藝術見解：堅持現實主義創作主張，要求戲劇形象具有充足的藝術典型性和普遍的社會意義，使之更逼近於生活的本質

〔註113〕《〈八百壯士〉》，《文藝陣地》第 1 卷第 2 期，1938 年 5 月。
〔註114〕《〈八百壯士〉》，《文藝陣地》第 1 卷第 2 期，1938 年 5 月。
〔註115〕《讀〈北京人〉》，《戲劇春秋》第 2 卷第 1 期，1942 年 5 月。

與藝術的本質；這，不能不說有其獨特的意義。

（四）

　　戲劇既然是一種綜合藝術，其藝術美涵量自然還應包含在其他諸種元素中。茅盾對戲劇文學作品以外的藝術因素論述不多，但他對於包括傳統戲曲在內的多種戲劇藝術形式發表過意見，從中可以窺見其基本觀點。

　　綜觀茅盾對作爲綜合藝術的戲劇藝術美的理解，最突出的是主張「演劇藝術的眾美」。〔註116〕這一觀點，是在論述我國最重要的一種傳統劇種——平劇（即京劇）時提出的。他指出，「平劇是更完美更高級的藝術形式」，此種「藝術形式的各個構成部分，無論動作、唱白、音樂、臉譜、服裝、道具，都有嚴格的規律」，因此必須充分重視各種元素在構成這「綜合藝術」的「眾美」中的作用。他認爲平劇藝術有程式化、「定型化」的弱點，但「應當承認平劇的各個構成單位本身是一種獨立完整的藝術，它們本身內包含著一些值得保存下來而且還能夠向前發展的藝術美的素質；並且正像『七巧板』的七塊木板的不同的形狀，絕不是隨便畫成，而是合於幾何學的原理一樣，平劇的『七巧板』各個單位，也不是隨便成功的」，因之，若能對平劇「各個構成單位的相互關係」的「規律」，作認眞的研究、總結，「能夠徹底把握住這些規律」，對其作「或多或少的改革，使能切合於或適宜於現代生活的表現，那結果就接近了新歌劇創造的第一步了」。〔註117〕茅盾的這些意見，是從舊劇放革的角度說的，但所揭示的卻是戲劇這一綜合藝術的特殊藝術規律。戲劇藝術的「綜合」性特點，就在於它是由多種藝術元素構成的，因此光有劇本的藝術美，而無「演劇藝術」諸環節的配合，仍不可能達到預期的藝術效果，而且只要稍有忽視，捨棄其一二，「就會破壞了整體的藝術美」。爲此，他主張對戲劇進行綜何研究、綜合改造，「從各種角度向同一目標前進，以收殊途而同歸的功效」。他還建議戲劇工作者「須得服裝美術家和音樂家的合作」，使舞美、服裝、音樂等「創造出更多的新成分」，以眞正獲得「演劇藝術的眾美」。〔註118〕從這種「眾美」要求出發，茅盾還對各種劇種的綜合改造提出了具體切實的意見，如主張創建新歌劇可汲取平劇藝術的優長，發展正在成長

〔註116〕　《戲劇的民族形式問題》，《抗戰文藝》第7卷第2、3期合刊，1941年3月。
〔註117〕　《戲劇的民族形式問題》，《抗戰文藝》第7卷第2、3期合刊，1941年3月。
〔註118〕　《戲劇的民族形式問題》，《抗戰文藝》第7卷第2、3期合刊，1941年3月。

中的話劇要汲取多種養分，不但要「多向外國的技巧學習」，尤其要「多向本國的生活學習」，如此等等。茅盾的這些意見都是極富建設性的，對於完善我國的戲劇藝術是很有啓迪意義的。

關於戲劇的綜合藝術把握，茅盾較多論述了戲劇的民族形式的問題，提出了必須吸取舊劇的精華「作為建立民族形式的參考，或作為民族形式的滋養料之一」〔註 119〕的觀點。茅盾當然不是狹隘的民族文化論者，因此他並不主張對舊劇抱殘守闕，相反，對於舊劇「形式上的束縛」、表現藝術的粗糙有諸多批評。然而，我國的民族藝術經過千百年勞動人民、民間藝人、專業文人的創造和錘鍊，畢竟也是一份豐厚的遺產，有著許多寶貴的藝術經驗可資借鏡。特別是在戲劇領域裡，不獨積累甚厚，而且民族戲劇形式至今還佔領著廣大的觀眾市場。茅盾認為，對於此種文藝現象不能視而不見，就我國的戲劇藝術創造而言，借鑒外來藝術，融入新機是一個方面，另一方面就是把民族文藝中「最好的體制連血帶肉吞下去，經過消化，然後自鑄成詞」。〔註 120〕至於如何吸收民族藝術中的有益養分，茅盾的一個獨特見解是，不能把民族形式誤認為只是「民間形式」，應當是「一切舊形式皆當有份」，不管它是「生於民間」的還是「長於廟堂」的。他舉「民間之『皮黃』進了廟堂而成『平劇』」，以及「南曲」只在廟堂流行卻顯比盛行於民間的「雜戲」藝術上更為進步為例，指出：「大眾自己所創造者，其『形式』並不盡善盡美，而經過了廟堂中人沾手以後的更進步的形式，也並不為大眾所歧視」；〔註 121〕因而藝術借鑒應當包括一切傳統藝術，尤其不能忽視有藝術經驗的文人創作。茅盾的這些論述，對於拓寬戲劇藝術借鑒的思路，使之吸緊更豐足的藝術養分，無疑是大有裨益的。

（五）

在論及茅盾的戲劇美學思想時，關於他對歷史劇的美學把握也是不可不予以注意的。在茅盾早年的劇評文字中，有不少就是專評歷史劇作品的，可見他對歷史劇的關注：晚年他又寫過《關於歷史和歷史劇》的長篇專論，對歷史劇創作作了系統的論述。對於茅盾的系統的歷史劇觀理解，自有他的長

〔註 119〕 《舊形式、民間形式與民族形式》，《中國文化》第 2 卷第 1 期，1940 年 9 月。
〔註 120〕 《關於大眾文藝》，原載《文藝論文集》，重慶群益出版社 1942 年 12 月版。
〔註 121〕 《舊形式、民間形式與民族形式》，《中國文化》第 2 卷第 1 期，1940 年 9 月。

篇專論在，無須贅述；這裡只能撮其主要觀點略作述評。

首先，茅盾對歷史劇的概念作了嚴格的界定：「歷史劇當然是藝術品而不是歷史書」，「但既稱爲歷史劇那就不能改寫歷史、捏造歷史……顚倒歷史」，「如果可以完全不顧歷史，那又何必稱爲歷史劇？」〔註122〕這個觀點同郭沫若主張的「歷史研究是『實事求是』，史劇創作是『失事求似』，〔註123〕歷史劇創作「並不完全根據事實，而是我們在對某一段歷史的事跡或某一歷史人物，感到可喜可愛而加以同情，便隨興之所至而寫成的戲劇」，〔註124〕便顯出兩者的判然不同。茅盾提出的歷史劇不能「顚倒歷史」，包括不能「把發生於不同時期的事並爲一事」等，而此類「顚倒」現象在郭沫若劇作中比比皆是，同樣表現出兩位作家的不同歷史劇觀。這裡所顯示的正是茅盾作爲一位現實主義作家的嚴謹的現實主義史劇觀。茅盾把歷史劇視爲「藝術品」，顯然要求於史劇創作的是對歷史的藝術把握，包括對歷史事件的典型化處理、藝術形象的塑造等；但藝術把握必須以不失眞爲前提，不能任意打扮歷史、改動歷史，做出「以今變古的笨事」。他認爲，「劇作家的任務是通過藝術形象對此一歷史事件還它個本來面目」。比如，他極爲推崇孔尙任的《桃花扇》，就在於「從整個劇本看來，凡是歷史重大事件基本上能保存其原來的眞相，凡屬歷史上眞有的人物，大都能在不改變其本來面目的條件下進行藝術的加工」。〔註125〕以此觀點視之，則他對於夏衍的《賽金花》評價不高，也是可以理解的。因爲此劇本著「不背於『國防主義』」的原則本身就未免「牽強」，於是，「打算以賽金花爲中心寫成『國防戲劇』，但是越寫越爲難了──因爲把賽金花當作『九天護國娘娘』到底說不過去」。〔註126〕在茅盾看來，失卻歷史眞實，最終必以犧牲藝術價值爲代價，這是歷史劇創作之大忌。事實上，茅盾如此堅持史劇創作必須嚴格遵循歷史眞實的觀點，並非只是出於現實主義的創作主張，其中還包含有對庸俗的「古爲今用」論者的反撥。有的劇作家抱著「借古諷今」或「借古喻今」的目的，爲達成既定任務，不惜任意改削歷史，如某些「臥薪嘗膽」戲爲隱喩大躍進的現實，居然塞進了越國大興水利、大煉

〔註122〕《〈關於歷史和歷史劇〉的後記》，《茅盾文藝評論集》第1032頁、1039頁。
〔註123〕郭沫若《歷史‧史劇‧現實》，《沫若文集》第13卷第16頁。
〔註124〕郭沫若《談歷史劇》，《文匯報》1946年6月26日、28日。
〔註125〕《關於歷史和歷史劇》，《茅盾文藝評論集》第1006頁、990頁、994頁、1012頁、1020頁、1021頁、1022頁。
〔註126〕《讀〈賽金花〉》。

鋼鐵，請外國專家幫助鑄造武器、改良農具等內容。誠如茅盾所說，這樣的「古爲今用」，「實在是不嚴肅的」。當然，對歷史劇的「古爲今用」，茅盾的認識也不無偏頗，對此，本書第二章第二節已有論述。

其次，是關於歷史眞實與藝術眞實關係的處理。茅盾認爲，「歷史劇不等於歷史書」，既然它是一件藝術品，就允許有藝術創造──具體地說，就是允許藝術虛構：可以有眞人假事（想像），假人眞事（把眞事裝在想像人物身上），乃至假人假事（兩者都是想像出來的）；然而不管是哪一種虛構，其「虛構的藝術形象（人物、環境、氣氛）必須符合於作品所表現的歷史時代的眞實性」，這就是所謂「歷史眞實與藝術眞實之統一」。〔註 127〕茅盾的這個觀點，同一般所說的兩種眞實統一觀並無明顯的差異，但考究他對此的詳細論述，似乎又有其側重點：他對於藝術虛構持特別愼重的態度，其立足點仍在不違反現實主義藝術創作規律。他指出歷史劇作中的藝術虛構，容易出現如下幾種偏向：一是把藝術虛構等同於「改寫歷史」，以爲既然是虛構，歷史就不妨爲我所用，就可隨意改動歷史人物的性格，如有的劇作把夫差寫成一個十足的濃包，既荒淫又糊塗，這就同一度稱霸的歷史人物差距太遠了。二是將歷史描寫「現代化」，漫無邊際地影射、諷喻，完全消融了歷史與現實的距離，使歷史劇簡直成了現實生活的翻版。三是「以意爲之」，捏造歷史，這是在缺乏史料的情況下常有的現象，以爲既可虛構，不妨來一段創造，結果往往弄得張冠李戴，使人啼笑皆非。茅盾認爲，上述現象，並不是眞正的藝術創造，因爲「藝術虛構不是向壁虛造，而是在充分掌握史料、並用歷史唯物主義和辯證唯物主義的觀點和方法分析史料、對歷史事實（包括人物）的本質有了明白認識以後，然後在這個基礎上進行虛構的」，離開了這個原則，既是背離現實主義的，也是「反歷史主義」的。〔註 128〕茅盾還從創作思維規律的角度論述了兩種眞實的統一。他認爲，歷史劇創作同現實題材創作有相同的一面，兩者都有一個形象思維同邏輯思維「交錯進行」的過程；所不同的是，史劇作家運用邏輯思維是在掌握史料、甄別史料、分析史料之後進行概括，──「到此爲止，作家是以歷史家身份做科學的歷史

〔註 127〕《關於歷史和歷史劇》，《茅盾文藝評論集》第 1006 頁、990 頁、994 頁、1012頁、1020 頁、1021 頁、1022 頁。

〔註 128〕《關於歷史和歷史劇》，《茅盾文藝評論集》第 1006 頁、990 頁、994 頁、1012頁、1020 頁、1021 頁、1022 頁。

研究工作，他要嚴格地探索歷史真實；此後，他又必須轉變其歷史家的身份為藝術家，在自己所探索得歷史真實的基礎上進行藝術構思」。〔註129〕這個思維規律的揭示，對於歷史劇創作是頗為重要的；如果劇作家真能是歷史家和藝術家的一身二任，真能在邏輯思維的同時又進行形象思維，那麼要達到歷史真實與藝術真實的統一也許是並不困難的。

再次，是關於歷史劇的文學語言問題。同歷史真實與藝術真實之統一相關聯，歷史劇的用語也是需劇作家多費斟酌的；倘若只考慮語言的形象化，說出了當時的古人不可能說出的話，就缺少了一種「歷史氣氛」，也不可能達到兩種真實的統一。茅盾指出，歷史劇的用語最容易犯的是「時代錯誤」。有些作者成語、典故、詩詞爛熟於胸，搖筆即來，卻常常搞錯了位置，讓春秋、兩漢人滿嘴元人俗語，而且還有蒙古話，讀來真「不是味兒」。有一個新編的「臥薪嘗膽」戲，文種上場道白居然是「俗語稱，國破山河在，城春草木深」，把杜甫的詩句移植到了春秋時代人身上，讀之不免令人噴飯。茅盾認為，「歷史劇（戲曲的和話劇的）的文學語言，當然比一般戲曲或話劇的文學語言又多一層限制，所以尤其難以見好。不過，這是我們不得不解決的一個問題」。〔註130〕然而，提出如此要求，也容易產生一種誤解：這是否意味著古人只能說古時的話，若是如此，則滿口「之乎者也」，何以面對今日的觀眾？有位讀者就寫信向茅盾發出了這一疑問。這實際上是混淆了用現代漢語表達與語言的意蘊不能超越時代這兩者之間的關係。茅盾答覆道：「我當然主張用現代漢語」，但「我依然認為一些現代語（儘管它們富有生命力）不宜出於古人之口，因為這些現代漢語所包涵的思想意識非古代人所有」。〔註131〕這裡的劃界顯然是分明的：茅盾所反對的只是語言「所包涵的思想意識」超越了時代，所主張的依然是歷史劇使用文學語言必須以尊重歷史、創造「歷史氣氛」為前提。

第四節 散文美學

在各種門類的文學創作中，茅盾對散文的論述恐怕是最少的。他沒有專

〔註129〕《關於歷史和歷史劇》,《茅盾文藝評論集》第 1006 頁、990 頁、994 頁、1012 頁、1020 頁、1021 頁、1022 頁。

〔註130〕《關於歷史和歷史劇》,《茅盾文藝評論集》第 1006 頁、990 頁、994 頁、1012 頁、1020 頁、1021 頁、1022 頁。

〔註131〕《〈關於歷史和歷史劇〉的後記》,《茅盾文藝評論集》第 1032 頁、1039 頁。

論散文美學品格的文章；在通常的文藝評論中，談及「創作」，主要是指小說，偶爾也涉及詩歌或戲劇，幾乎沒有提到作為一種獨立的文學體裁而存在的散文。這當然不是偶然的疏忽。廣義的散文概念，是包容了相當紛雜的文體的，其中包括議論成份頗多的雜感、評論、隨筆等，就文學的「純」度而言，就不及小說、詩歌與戲劇，因此倘以文學「創作」目之，彷彿就不大夠資格似的。朱自清在論述文學體裁時，就提出過散文的文學「純」度問題。他認為：「抒情的散文和純文學的詩，小說，戲劇相比，便可見出這種分別。我們可以說，前者是自由些，後者是謹嚴些：詩的字句，音節，小說的描寫，結構，戲劇的剪裁與對話，都有種種規律（廣義的，不限於古典派），必須精心結撰，方能有成。散文就不同了，選材與表現，比較可隨便些；所謂「閒話」，在一種意義裡，便是它的很好的詮釋。它不能算作純藝術品，與詩，小說，戲劇，有高下之別。……我以為真正的文學發展，還當從純文學下年，單有散文學是不夠的。」〔註132〕這話出之一位深得個中三昧的散文大師之可，說不上是對散文的小視罷，或許正是對散文的一種基本特質的揭示。值得注意的是，茅盾本人也有類似的看法，他在論及古代散文同「偶語韻詞」（詩歌、詞賦）的區別時說：「散文的領域內本少純文藝作品，故以文藝文為限於偶語韻詞，尚不失其時代的立足點。」（著重號為引者所加）〔註133〕由此看來，茅盾對散文美學價值的品衡顯然也不是把它放在同詩歌、小說、戲劇等所謂「純文藝作品」同一個價值層次上的，兩者相較，同樣也有「高下之別」。這裡實際上已經顯示了茅盾的一種散文美學觀。

然而，不管散文的文學「純」度如何，它畢竟也是一種文學樣式，也應有它自身獨具的美學品格——儘管在審美的意義和程度上同別的文學品種相比有很大的差異。茅盾對總體概念上的散文評述不多，某些觀點是散見在他的文藝論文和評論中的，把這些集中起來，倒也可以看出他散文美學的基本觀點；而他對於散文的諸多分支：諸如隨筆、雜文、小品文、報告文學等，是有不少論述的，由此可以窺見他對散文各細部的認識，對此作綜合考察，也將使他的散文美學觀念趨於完整。因此，本節闡述茅盾的散文美學觀，將在對他在總體散文觀念作一番概括敘述後，再分述其對諸種散文文體的美學把握。

〔註132〕朱自清《〈背影〉序》，載《背影》，開明書店1949年版。
〔註133〕《中國文學不能健全發展之原因》，《文學週報》第4卷第1期，1926年11月。

（一）

考察茅盾的總體散文美學觀，要而言之，表現在下述幾個方面。

其一，是確立同傳統散文觀念對立的現代散文意識。

我國素來被稱為散文大國，散文創作可謂源遠而流長。然而，由於封建的「載道」文學觀和擬古主義、形式主義之病對散文的侵襲，我國散文創作的路子愈走愈窄；至新文學初建，我國的舊體散文益發顯露出它的弱點，遂有先驅者們對「桐城謬種，選學妖孽」的猛烈痛擊。從某種意義上說，新文學是首先在散文領域裡向舊文學發難的。不獨當時主張「文學改良」、「文學革命」的胡適、陳獨秀等力陳舊文學之病，所指多為舊體散文；即使是確立新文學意識、從事新文學創作實踐首先取得成功的也必在散文方面。魯迅就指出過，現代散文「原是萌於『文學革命』以至『思想革命』的」，因此「五四」時期「散文小品的成功，幾乎在小說戲曲和詩歌之上」。〔註 134〕

茅盾也是對散文革命表現出極大熱忱的作家。作為新文學的一位熱情鼓吹者，他對於建設現代散文的關注，首先表現為用鮮明的新文學意識觀照散文革命，實現對於散文觀念的更新。具體言之：是他用現代眼光審視我國傳統散文時所顯現的清醒的現代散文意識，用「掃除貴族文學的面目，放出平民文學的精神」〔註 135〕的現代文學觀念，去看取現代散文建設，因而就能一針見血指出傳統散文的種種弊端。他列舉傳統散文之病，都是從它同現代文學觀念對立的意義上立論的：一是誤於「文以載道」之謬見，把作文看成只「替古哲聖賢宣傳大道」，其弊就在不知道文學要表現「人類的共同情感」；〔註 136〕二是使文章成為粉飾太平裝點門面的「附屬品」，或用以表現「疏狂脫略」的「名士風流」，不能「為平民立言」，「於全社會的健康分子」脫卻干係；〔註 137〕三是「師古」、「迷古」之風盛行，如東方朔作《答客難》，便有《答客戲》、《客譏》、《客傲》等大量仿作出現，枚乘作《七發》，更有《七辯》、《七釋》、《七說》等一批「七體」擬作蜂起，後起者「皆章摹句寫，使人讀未終篇」，究其原因，是不懂得作文貴在獨創，全然「蔑視了自己的創

〔註 134〕魯迅《南腔北調集‧小品文的危機》。
〔註 135〕《現在文學家的責任是什麼？》。
〔註 136〕《文學和人的關係及中國古來對於文學者身份的誤認》。
〔註 137〕《什麼是文學——我對於現文壇的感想》，《原載松江暑期演講會》《學術演講錄》第 2 期，1924 年出版。

造力」；〔註138〕四是陷在形式主義、「用典主義」的泥淖中不爲自拔，以爲舊體散文「所以能美」，就在「詞藻」漂亮，「可以用典」，殊不知「自從文學革命的第一槍放出之後」，「用典爲美」的「舊概念」早就打破了，應該樹立的新觀念便是：「從創造中得美」。〔註139〕凡此種種，茅盾都是在對傳統散文觀念的反撥中確立他的現代散文意識的。概括其意見，不難看出他所要求建設的現代新散文，必須是在「人的文學」觀念統率下的現代人的眞實情感的展露，必須是擴大了藝術涵量、提高了創作社會價值的藝術表現，必須是擺脫傳統習見、對作家藝術創造力的充分發揮，必須是提出較高審美要求的藝術審美創造。茅盾提出的這些觀點，對於散文的革新意義是顯而易見的；其理論闡說，正是在新文學先驅者們散文革命基礎上的一個突進。它的另一方面的意義，是體現了鮮明的現代文學意識。現代文學觀念強調文學要發現並表現「人」，改變傳統文學不知人、漠視人、扼殺人的偏見與陋習；同時也強調藝術創作要發揮創作者的主體創造精神，實現藝術對生活的審美把握。正是在這些基本觀念上，表明茅盾是從「現代」意義上實施著對散文的美學把握的。

其二，是構建有「獨立」文學意義的散文文體觀。

同散文的現代意識相關聯，茅盾還從文體意義上對散文提出美學要求，認爲被稱之爲文學的「散文」文體，必須有明確的界說，即須以有「獨立」的文學意義爲前提，不能將文學與非文學混雜，把散文的文體界限弄得漫無邊際。他指出我國傳統文學觀念不「健全」之重要表現，就是「文筆不分」，即把一般文學作品同稱之爲「筆」的應用文、學術文「一鍋煮」，籠統歸入「文學」範疇；這樣，文學的概念無限止地擴大了，散文文體就被弄得紛雜不清。所謂洋洋乎大觀的傳統散文，實際上是「本少純文藝作品」的——他認爲造成如此誤解的原因，就在於「沒有明確的文學觀與文學之不獨立」，〔註140〕因此確定界說是十分必要的。茅盾在《什麼是文學》一文中，對此作了更具體的闡說。他指出：「道義的文學界限，說得太狹隘了。它的弊病尤在把眞實的文學棄去，而把含有重義的非純文學當做文學作品；因此以前

〔註138〕《中國文學不能健全發展之原因》，《文學週報》第 4 卷第 1 期，1926 年 11 月。
〔註139〕《雜感——美不美》。
〔註140〕《中國文學不能健全發展之原因》，《文學週報》第 4 卷第 1 期，1926 年 11 月。

的文人往往把經史子集，都看做文學，這眞是把我們中國文學掩沒得暗無天日了。把文學的界說縮得小些，還沒有大礙，不過把文學的範圍縮小了一些，要是把文學的界說放大，將非文學都當做文學，那麼非但把眞正的文學埋沒了，還使人不懂文學的眞義，這才是貽害不少哩。」〔註141〕這裡，茅盾說的是整個中國文學現象，但就其例舉把經史子集之類「含有重義的非純文學」當作文學作品看待的狀況，顯然所指主要是散文。事實上，在我國傳統文學中，容易把「界說放大」的，主要也就是在「文」、「筆」不易分清的散文領域內。如此，茅盾的散文文體觀已經昭然；與其有「埋沒」文學的「眞義」之弊，倒不如將文體的「界說縮得小些」——他注重散文的文學涵量，強調散文的「獨立」文學意義，是不待論證的了。茅盾側重從「文學性」上界定散文，顯然是對散文提出了美學要求：它是對於生活的藝術把握而非單純的說教傳道。我國的傳統文學觀注重「傳道」，凡有「載道」的文字悉被視爲文學精粹，因而「一鍋煮」的所謂散文就被置於文學「正宗」的地位，而眞正是文學作品的小說、戲曲倒反被看成「邪宗」，難於登堂入室。這種文學觀念支配中國文學幾千年，直至「五四」新文學革命才被徹底打破，小說、戲劇的地位逐步提高，得以同詩歌、散文攜手同登文學殿堂。這裡所顯示的，正是文學觀念的巨大變革，促成人們重新審視各種文學體裁，建立新的文體意識。茅盾在新文學觀念的支配下，特別看重小說，把「歷來不爲文士所重視，只當是一種玩意兒」〔註142〕的小說提到很重要的地位，固然體現了一種新的文體意識；他要求提高散文的文學「純」度，把那種非屬文學範圍的載道文字革出散文體裁之外，同樣也是新的文體意識的反映。

　　需要指出的是，茅盾注重從「文學性」上界定散文文體，並不意味著他要求於散文的是絕對的文學之「純」，是不允許某些非文學因素（如偏重議論等）介入散文的；恰恰相反，隨著文體的革新，散文的體式漸趨多樣，「特殊的時代常常會產生特殊的文體」，〔註143〕因而在蘊有「文學性」的前提下，他對散文採取了較爲寬容的看法，對現代散文中的多種體式是採取了兼容並蓄態度的。別的不說，單就他評述自己的散文時就說過，他寫散文「素來喜歡

〔註141〕　《什麼是文學——我對於現文壇的感想》，《原載松江暑期演講會》《學術演講錄》第 2 期，1924 年出版。

〔註142〕　《中國文學不能健全發展之原因》，《文學週報》第 4 卷第 1 期，1926 年 11月。

〔註143〕　《〈速寫與隨筆〉前記》，原載《速寫與隨筆》，開明書店 1935 年 7 月初版。

發點議論」，他所寫的常常是「又像隨筆又像雜感——乃至有時簡直竟像評論」，而這樣的文字是一總歸入「散文集」中的。〔註144〕由是觀之，茅盾所說的「散文」的包容面仍然是很大的——自然，這一切都應以不失卻「獨立」的文學意義爲前提。

其三，是主張散文應有多種美學功能，尤強調散文的社會功利價值。

對於散文蘊有的美學功能，茅盾有多方面的理解。作爲同樣是「時間的記錄」的文學樣式，茅盾看重它對於展示生活眞象的意義，因爲它「雖屬一鱗一爪」，終究也記錄著「生活正在起著如何的變化」，〔註145〕自不可漠然視之。但散文展示生活的方式及其應實現的藝術要求又有別於別的文學樣式，應有不同的美學要求。茅盾是比較注重散文的抒情功能的，主張散文創作用情感渲染去感染人心。他提出，「……所謂散文，即是用優美、細緻的筆法記述平凡的事」，使作品「更增纏綿回蕩的氣氛」，〔註146〕給讀者以深切的藝術感受。在談到散文之一的小品文時，認爲小品文固可發「世道人心」的議論，但如果它「記遊山，記看花，只要情趣盎然，不像那《跋落葉樹》似的看來看去莫明其妙，也是很好」，〔註147〕同樣對散文提出了「情趣」要求。同時，茅盾也主張散文應是作者「個性」和「情緒」的記錄，比起別的創作來似乎是更偏重「主觀」一面的。比如他並不反對散文有「個人筆調」之說，「以爲『個人筆調』是有的，而且大概不能不有的」，這「個人筆調」便是「各個人的環境教養所形成，所產生」。〔註148〕說及自己的散文創作，就常常提到個人情緒在作品中留下的烙印。如談到他創作的《嚴霜下的夢》、《霧》一類象徵意味頗濃厚的作品時，指出寫這類散文是爲了「表示我對時局的看法，和我當時的情緒」。〔註149〕這一點仔細體味，自不難把握。有的研究者就曾準確地指出過，這類散文是作者「苦悶的象徵」，而且是「象徵了一個時代的苦悶」。〔註150〕總之，茅盾對散文的藝術蘊含、美學功能是有多樣理解的。誠如他在述及散文的一種體式——雜文的多種功能時所說的：「不要把雜文當作一朵

〔註144〕《〈速寫與隨筆〉前記》，原載《速寫與隨筆》，開明書店 1935 年 7 月初版。
〔註145〕《〈見聞雜記〉後記》，原載《見聞雜記》，文光書店 1943 年初版。
〔註146〕《我走過的道路（中）》，第 30、29 頁。
〔註147〕《小品文半月刊〈人世間〉》，《文學》月刊第 3 卷第 1 期，1934 年 7 月。
〔註148〕《〈速寫與隨筆〉前記》，原載《速寫與隨筆》，開明書店 1935 年 7 月初版。
〔註149〕《我走過的道路（中）》，第 30、29 頁。
〔註150〕阿英《茅盾小品序》，《現代六十家小品》。

花，要把它當作一種花」，「如果把雜文看作一種花，它就可以有好多朵花，有的色彩美麗，有的色彩不怎麼美麗，有的還帶有刺」；〔註151〕他所認識的散文功能就是這樣多種多樣：有審美價值，有認識價值，自然也還有體現了鮮明戰鬥色彩的社會功利價值。

　　然而，就茅盾的總體散文觀看，在諸種價值觀念中，他還是偏重在社會功利價值一面，即強調散文的社會意義和時代意義。對於「以閒適爲格調，以自我爲中心」、完全同時代和社會脫離的「言志」派散文，無論是雜感文還是小品文，茅盾曾在多種場合表述了他的反對意見。他尤其反對散文只表現「性靈」之說，自述「我向來不大懂得『性靈』這個微妙的東西」，並以嘲諷的口氣說：「其間我也曾嘗試找找『性靈』這個微妙的東西」，不幸『性靈』始終不肯和我打交道」，〔註152〕明顯表現出他對此說的鄙棄。談及他自己的散文創作，則毫不隱諱所重是在顯示社會意義一面。如談他於 1936 年出版的《印象・感想・回憶》時說，這「無非是平凡人生的速寫，更說不上有『玄妙』的意境，讀者倘若看看現在社會的一角，或許尙能隱約窺見少許」。〔註153〕1942年出版《見聞雜記》時說：這裡所錄並非「美好的風景」，也許「不值高雅人們的一顧」，但確有「一段生活的記錄」在，是「值得印出來」的。〔註154〕1945年出版近三年的散文結集時，更直截了當地把作品集題名爲《時間的記錄》，自述此乃「一個在『良心上有所不許』以及『良心上又有所不安』的作家」對於一段逝去的時間的忠實的「紀錄」。〔註155〕茅盾的這些表述，再清楚不過地說明了他重視的是散文的社會價值；而他的創作實踐，更是有力地證明了這一點。郁達夫在概括茅盾的散文創作特點時就曾作如此精闢的分析：「唯其閱世深了，所以行文每不忘社會。他的觀察的周到，分析的清楚，是現代散文中最有實用的一種寫法」；「中國若要社會進步，若要使文章和現實生活發生關係，則像茅盾那樣的散文作家，多一個好一個；否則清談誤國，辭章極盛，國勢未免要趨於衰頹」。〔註156〕這是對一個作家散文創作特點及其觀念的揭示與評價，也是對中國現代散文中一派散文特點及散文觀的概括與評價。

〔註151〕《在編輯工作座談會上的發言》，《作家通訊》1957 年第 1 期。
〔註152〕《〈速寫與隨筆〉前記》，原載《速寫與隨筆》，開明書店 1935 年 7 月初版。
〔註153〕原載《印象・感想・回憶》，文化生活出版社 1943 年版。
〔註154〕《〈見聞雜記〉後記》，原載《見聞雜記》，文光書店 1943 年初版。
〔註155〕原載《時間的紀錄》，良友圖書公司 1945 年版。
〔註156〕郁達夫《中國新文學大系・散文二集導論》。

作爲充分注意「文章和現實生活發生關係」的散文家茅盾，其散文理論與創作實踐在我國現代寫實派散文中的確是具有相當代表性的。

（二）

茅盾對散文的總體美學把握，已略如上述。但散文的種類很多，不同品種的散文就有不盡相同的美學品格，對其作細別分析是必要的。茅盾對散文的幾個分支，諸如隨筆、小品文、雜文、報告文學等，都是過具體的闡述，所表述的意見是他散文美學觀念的具體表現，茲分別簡要述評之。

1. 隨筆

在現代散文中，隨筆一體頗爲風行，作家觸景抒懷、感事託情，常常喜用這種短小活潑、表現形式靈活自由的文體。茅盾對隨筆概念的理解，大底採用傳統的說法。他把那一組寫於日本的緣物藉事抒情的散文（如《紅葉》、《櫻花》、《賣豆腐的哨子》等）稱之爲隨筆，而對於收在《茅盾散文集》和《話匣子》中部分偏重於議論的作品則認爲「實非通常所謂隨筆而是評論體的雜感」；〔註157〕又指出偏重於記事的那一組《故鄉雜記》亦非「正宗」隨筆，之所以將它們編入《茅盾散文集》，只是「爲湊湊熱鬧，便也編了進去」。〔註158〕可見，茅盾對隨筆體是有明確界定的。他認爲夾敘夾議，藉事、藉物、藉景抒情的文體中，隨筆應會偏重於抒情的一種，它同同樣也有抒情成分但明顯偏重於記事或議論的敘事散文和議論散文應有所區別。由此不難看出，茅盾對隨筆的情感涵量要求是高於其他散文文體的，在「文學性」成分上似也應更充沛一些。他寫出的那些稱之爲隨筆的散文，就滲透著自己強烈的主觀感受，且把情感融化在獨到的繪景狀物上，又多用象徵的手法表現，使全篇構成奇妙、複雜的意境。含義雋永，讀來耐人尋味。

不過，茅盾對隨筆文體的理解，並沒有太拘泥於傳統的看法，在這一點上同樣表現出他於文體意識的革新。從他把「實非通常所謂隨筆」的文章也收入散文集的例證看，他對於「通常」的隨筆概念是有意有所突破的，認爲現代散文中的隨筆在表現形式上不妨更靈活自由些。如果用一個不可移易的概念將作者死死框住，則勢將限止自由創造，因爲「一個作家有時既不能不

〔註157〕《〈速寫與隨筆〉前記》，原載《速寫與隨筆》，開明書店1935年7月初版。
〔註158〕《茅盾散文集·自序》，原載《茅盾散文集》，上海天馬書店1933年7月。

像一個廠家似的接受外邊的『定貨』，那他也就不能不照著『定單』去製造」，〔註159〕對於既定概念的突破是其勢不得不然。所謂隨筆，就是見之所至、聞之所至即情之所至、思之所至、筆之所至。這恐怕也就是他的隨筆散文取材較爲廣泛、形式較爲自由、品種趨於多樣的一個重要原因。

　　對隨筆體散文的藝術表現要求，茅盾的一個獨到見解是「大題小作」說。他指出：「從來有『小題大做』之一說。現在我們也常常看見近乎『小題大做』的文章。不過我以爲隨筆之類光景是倒過來『大題小做』的。」〔註160〕所謂「大題」，自然是指隨筆應表現時代、社會的大題目，要求其有充分的社會意義。所謂「小做」，顯係「大處著眼，小處落筆」之意。雖說隨筆是靈活自如，可隨興爲之的文體，但要從「小處」入手，把握好題材，寫出有眞體驗、眞感受、眞思想的文章，也委實不易，仍需有一番認眞的「做」的功夫。茅盾說：「就我自己的經驗而論，則隨筆產生的過程是第一得題難，第二做得恰好難。」這「做」的難，就在要把握火候，做得恰到好處難：「太尖銳，當然通不過；太含渾，就未免無聊；太嚴肅，就要流於呆板；而太幽默呢，又恐怕讀者以爲當眞是一椿笑話。」〔註161〕要掌握如此分寸，藝術上就需精心爲之：立意要顯豁，文字要靈動，筆調要輕鬆活潑又不流於笑談。這，恐怕就不是一種很低的藝術要求了。

2. 小品文

　　就文體的美學特徵而論，小品文與隨筆並沒有明確的界說，兩者都注重取材廣泛、表現形式自由、融敘事抒情議論於一體等，因此對被稱爲小品文或隨筆的作品很難作截然的區分。但考究自明、清以來盛行的小品文以至於現代小品，舉凡遊記、隨筆、筆記、尺牘、日記、序跋、題贈等均可納入小品文範疇之內，則小品包容的文體似更廣更雜。何況現代小品文中還有時事小品、諷刺小品、科學小品、歷史小品等，可見小品之取義當更爲寬泛。茅盾對小品文的理解，也是視爲包容面很廣的文體。他在《關於小品文》一文中，把遊記、Sketch（速寫）等也看成是「小品國」裡的「一個角落」，還認爲「我們應該把『五四』時代開始的『隨感錄』、『雜感』一類的文章作爲新小品文的基礎」，〔註162〕顯見取義也是很寬泛的。由於包容面廣而雜，包括了

〔註159〕《〈速寫與隨筆〉前記》，原載《速寫與隨筆》，開明書店 1935 年 7 月初版。
〔註160〕《茅盾散文集・自序》，原載《茅盾散文集》，上海天馬書店 1933 年 7 月。
〔註161〕《茅盾散文集・自序》，原載《茅盾散文集》，上海天馬書店 1933 年 7 月。
〔註162〕《關於小品文》，《文學》第 3 卷第 1 期，1934 年 7 月。

更多以論見長的文體，小品文的文學性涵量顯然要稍遜於那一類以抒情寫意爲重的隨筆。茅盾在《太白》上發表的 10 多篇小品文，就有《理論的基礎》、《說謊的技術》、《「自由」的推論》等針砭時弊的短論、隨感等，足可證明。

對小品文的審美情趣、美學功能的理解，茅盾用「言志」派散文作家是絕對對立的。「言志」派是強調以自我爲中心的，首倡現代小品散文的周作人就認爲小品文是「個人的文學的尖端」，「他集合敘事說理抒情的分子，都浸在自己的性情裡，用了適宜的手法調理起來」；〔註163〕後來推廣小品文極賣力的林語堂則主張「獨抒性靈」，發自我的「一股牢騷，一把幽情」。〔註164〕茅盾完全不同意這樣的看法，認爲這種散文主張只不過是舊名士派的翻版，在新時代裡是不應提倡的，「我們應該創造新的小品文，使得小品文擺脫名士氣味，成爲新時代的工具」；「小品文在『高人雅士』手裡是一種小玩意兒，但在『志士』手裡，未始不可以成爲『標槍』，爲『匕首』」。〔註165〕明確表示了他對於小品文的社會功利要求。從強烈的社會功利觀出發，茅盾認爲，小品文雖屬簡制短章，但同樣立意要高，要表現社會的「大題目」。針對林語堂的「宇宙之大，蒼蠅之微，皆可取材」之說，茅盾指出，這實在是很難做到的，「因爲一個不留神，就要弄到遺卻『宇宙之大』而惟有『蒼蠅之微』，僅僅是『吟風弄月』，而實際『流爲玩物喪志』了」。〔註166〕在茅盾看來，只要作家精心取材，則以小見大，小品文的自身負載並不會輕；有的作家把它當作「小擺設」、「小玩意兒」，「只說明了『小品文』有時被弄成了畸形，並不能證明『小品文』生來本是畸形或應該畸形」。〔註167〕

在藝術表現上，茅盾同魯迅一樣，是反對小品文「專講幽默」的。他以爲「『幽默』是可喜的，然而針鋒稍稍一歪，就會滑進了『低級趣味』的油腔」，「被『油腔』蒙混了去撞騙招搖」。〔註168〕這種藝術主張顯然也是同他的社會要求相一致的：唯恐在我國尚不成熟的幽默筆法的運用妨害了內容的表達，將小品文所應發表的嚴肅的議論僅僅化爲一種笑談。然而這也不意味著小品文的筆調就應當是呆板的，只能板起面孔發議論。茅盾認爲，不能把小品文

〔註163〕周作人《近代散文抄・序》。
〔註164〕林語堂《論小品文的筆調》，載《人間世》第 6 期，1934 年 6 月。
〔註165〕《關於小品文》，《文學》第 3 卷第 1 期，1934 年 7 月。
〔註166〕《小品文半月刊〈人世間〉》，《文學》月刊第 3 卷第 1 期，1934 年 7 月。
〔註167〕《小品文和氣運》，《小品文和漫畫》，生活書店 1935 年版。
〔註168〕《小品文半月刊〈人世間〉》，《文學》月刊第 3 卷第 1 期，1934 年 7 月。

「弄成了呆板板的『制藝體』」，〔註169〕「如果每篇『小品文』而一定要有關於『世道人心』的大議論，那就是給『小品文』帶上一副腳鐐」，〔註170〕可見他同樣要求小品文的表現形式應當是靈活自由的，並非每篇都非有議論不可。

3. 雜文

雜文原是一種更爲紛雜文體的通稱，但在現代文體概念中，通常所說的雜文，卻主要是指帶有文藝性而又以議論爲主的雜感文字，所以有人給它下的定義是「文藝性的政論」。正由於此，雜文同小品文中一部分注重針砭時事、注重說理的文字又無殊異。茅盾對雜文的見解，就有相當部分是包含在對現代小品文的論說中的。

然而，作爲源於「五四」文學革命與思想革命，又在30年代階級鬥爭尖銳化時期特別興盛的一種文體，現代雜文比起別的文體來是體現出更鮮明的戰鬥色彩的，也具有更顯著的社會功利價值。茅盾把它當作又一種獨特的散文文體加以認識，所看重的也正是這一點。他在剖析1934年文壇特別盛行雜文的現象時就指出過：「由於社會上的毒瘡太多，『文壇』上的飛天夜叉的不斷地出現，我們的早已發展成爲顯微鏡，成爲照妖鏡似的所謂『雜文』在這一年來是特別負了重大的責任。」〔註171〕那麼，雜文何以能擔起如此「重大的責任」呢？茅盾認爲，就在於它反映生活敏銳性和迅捷性的特徵。他指出，現代雜文是「中國新文學中的突擊隊」，這是「在尷尬的時代，從夾縫中突現的突擊隊。如神鷹一搏既剽疾而準確，還以少許勝多許」。〔註172〕雜文之具有政論性，恰在它以提煉精闢的思想爲重，作者常常感應著時代的脈搏，以其對生活的犀利認識切入生活，故能對時弊一擊而中，發揮重大的效益，取得爲其他長篇文學作品一時無法取得的藝術效果。茅盾指出雜文能「以少許勝多許」，就是對一種短小文字蘊有豐美學涵量的精闢揭示。

茅盾推崇魯迅的雜文是「嬉笑唾罵，既一鞭一血痕，亦且餘音悠然，耐人咀嚼」，〔註173〕體現了思想和藝術並重的看法。在他看來，雜文固以思想敏銳、具有極大擊殺量見長，但既然是一種文藝作品，也必須對它實行藝術把

〔註169〕《小品文半月刊〈人世間〉》，《文學》月刊第3卷第1期，1934年7月。
〔註170〕《小品文半月刊〈人世間〉》，《文學》月刊第3卷第1期，1934年7月。
〔註171〕《一年的回顧》，《文學》第3卷第6期，1934年12月。
〔註172〕《現實主義的道路》，《蜀報》副刊《蜀道》，1941年2月。
〔註173〕《魯迅——從革命民主主義到共產主義》，《文藝報》1956年第20期附冊。

握，使之取得「耐人咀嚼」的藝術效果。從他總結魯迅雜文的藝術經驗看，他對雜文的藝術要求主要有三個方面。一是雜文的形象性。他認為魯迅提出的「論時事不留面子，砭錮弊常取類型」，應成為雜文創作的「座右銘」，特別是其雜文塑造各種「類型」形象，尤值得後人學習。〔註 174〕二是雜文的情感性。他從魯迅雜文中看出了豐富的情感涵量：作者雖「在人生的航海裡飽嘗了憂患」，「然而他的胸中燃著少年之火，精神上，他是一個『老孩子』」，〔註175〕這是雜文之所以能征服人心的重要原因，可見情感滲透對於雜文創作是不可或缺的。三是藝術表現的多樣性。他稱讚魯迅多樣化的藝術表現是「回黃轉綠，掩映多姿」，其六百餘篇雜文，「包羅萬有，除了匕首、投槍，也還有發聲振聵的木鐸，有悠然發人深思的靜夜鐘聲，也有繁弦急管的縱情歡唱」。〔註 176〕對這種不拘成法的藝術樣式的推崇，正表明他要求於雜文創作的是一種藝術美感的多樣呈示，是一種充分發揮作者創造精神的藝術勞動。

4. 報告文學

茅盾對報告文學的劃界也很寬，因而在敘事類散文中，他談得最多的是報告文學，有時還把相關的文體也納入其內。例如他早年稱之為「速寫」（sketch）的短篇敘事散文，後來也認為「從它的性質和任務看來，大多數實在就是報告」。〔註177〕此種劃界依據，似是據國外報告文學理論。「報告文學」概念本是「舶來品」，茅盾讀過若干「來路貨」的報告文學，「覺得他們的形式範圍頗為寬闊；長至十萬字左右，簡直跟『小說』同其形式的，也被稱為「報告文學」，日記，印象記，書簡體，Sketch——等等形式的短篇，也是」，於是才有對報告文學文體的寬泛理解。然而，正如茅盾所說，對體裁的確認，應「不以體式為界，而以性質為重」，只要具備了報告文學文體特徵的，就不妨以此目之，倘一定要用某種「標本」去指示作家擠上一條「只此乃是官道」的狹路，勢必會限制報告文學文體的創造性發展。〔註 178〕

那麼，什麼是報告文學的文體特徵呢？茅盾從新聞性（即時性）和文學性（形象化）兩個特點加以概括，同通常人們對報告文學的看法是大致相同

〔註 174〕《研究・學習・並且發展他》，《大眾學習》新 23 期，1941 年 10 月。

〔註 175〕《魯迅論》，《小說月報》第 18 卷第 11 期，1927 年 11 月。

〔註 176〕《聯繫實際學習魯迅》，《文藝報》1961 年第 9 期。

〔註 177〕《關於「報告文學」》，《中流》第 1 卷第 11 期，1937 年 2 月。

〔註 178〕《關於「報告文學」》，《中流》第 1 卷第 11 期，1937 年 2 月。

的。但在具體闡述其特徵時，注重從「報告」和「小說」的聯繫與區別上揭示其獨特性，卻又顯示出他的獨到見解。他認為，「好的『報告』須要具備小說所有藝術上的條件，——人物的刻劃，環境的描寫，氛圍的渲染等等」。這就對報告文學提出了充足的文學要求：能夠具備小說那樣的「條件」，其文學性特徵當然是無可置疑的。而從區別上講，他除了指出「報告」須是「眞實的事件」而「小說」則「大都是虛構」以外，特別指出兩者在創作思維方式上的不同：前者僅據「某一事件」即時「報導」，是拒絕用綜合、概括等藝術手段塑造典型的；而後者則是作家「積聚下多少的生活體驗」，藉助於「創作想像之力而給以充分的形象化」，始能成功的藝術形象創造。〔註179〕這樣，具有新聞性特點的藝術創造同純粹藝術虛構的創造便有了明確的區分，報告文學自身的美學特徵也因此得以顯示。

　　値得指出的是，茅盾還對報告文學的美學價值給予了充分評估，這對於那種輕視報告文學的理論是一種有力的糾正。他曾作《不要誤解了報告文學》〔註180〕一文，指出了這樣兩種「誤解」的認識：一種以為報告在藝術上「理合」比小說「低些」，是因為作者尚缺乏「夠熟練」的寫小說技巧才來寫報告的；另一種以為作者沒有把握到「現實的全面」，還不可能從「光怪陸離的眾生相」中「找出典型」，所以「只好先來寫報告」。茅盾認為，產生這樣的「誤認」，既是對報告文學藝術價值的輕視，也反映出人們對報告文學駕馭生活的獨特藝術規律缺乏認識。作為文學的一種樣式，報告並非「只是一件曾經發生過的事實的披了藝術外衣的新聞記事」，它也是對於生活的藝術把握，同樣須用藝術典型化手段，作者須「把握到現實的全面」，「努力從他們所『報告』的事件中找出各個事象的聯繫」，「說明事件的因果」；因此在精選題材、提煉主題、塑造人物等方面同樣是花功甚多的。茅盾的這一闡述，糾正了報告文學創作中的簡單化傾向，並從它同樣也是一種須精心為之的藝術創造的高度認識提高了其藝術價值。茅盾指出：「偉大作品也可以是報告文學的傑作，正如偉大的作品可以有小說、詩歌、戲劇一樣，也將有報告文學。」這是對一種具有獨特美學價值的文學樣式的充分肯定。報告文學在當今的文學創作中已成為一種重要的文學樣式，且越來越顯示出它在各種文學門類中的重要地位，實踐證明茅盾的估價和預見是正確的。

〔註179〕《關於「報告文學」》，《中流》第1卷第11期，1937年2月。
〔註180〕《不要誤解了報告文學》，《文藝陣地》第1卷第8期，1938年8月。

後　記

　　茅盾的大量文藝理論著述，與他的文學創作一樣，深刻地影響了幾代人。但在相當長的一個時期裡，由於「左」的禁忌，茅盾在文藝理論方面的巨大成就卻受到不應有的冷遇。黨的十一屆三中全會以後，解除了「左」的束縛，而茅盾的逝世則更增強了人們全面瞭解這位文學大師的願望，於是對茅盾文藝思想的研究得到了迅速的發展。1986 年在紀念茅盾誕辰 90 週年、逝世 5 週年的時候，我們發現在這方面已經取得可喜的成就。也就在這時候，我們產生了一個想法：可否把茅盾的大量文藝理論著述作爲一個完整的體系進行美學概括，揭開其基本內涵和特徵呢？經過反覆的醞釀，我們終於在 1987 年春提出一個課題：「論茅盾的文藝美學思想體系」。蒙浙江省社會科學學會聯合會的關心，他們得知這一課題後，立即把它作爲省哲學社會科學「七五」規劃重點項目予以推薦，並且得到了確認。這是一種壓力，但同時也是動力和鞭策，，因爲列入了規劃，我們就只能認眞地去完成，而不能退縮。

　　然而，眞正動起手來，我們立即意識到這一課題的難度比我們原先預想的要大得多，不得不再坐下來進一步熟悉研究對象。經過反覆的思考，我們首先從總體上對茅盾的文藝理論特點形成了如下看法：

　　一、茅盾的文藝理論的確是自成體系的，但他不僅沒有純美學的論著，而且很少從抽象的美學原則出發來立論，而往往是根據我國的文藝現狀和文藝建設的需要來談問題的，具有鮮明的實踐性和功利性。

　　二、文藝理論當然不同於哲學，但是任何成體系的文藝理論總是以一定的哲學體系爲其基礎的，同時又總具有某種美學素質，因而作美學的「提純」不僅是可能的，而且是必要的。有人把美學定義爲藝術哲學，這從美學著眼

固然不夠全面，但從文藝學著眼卻是有道理的。茅盾的文藝理論雖多從實踐出發，而從總體看卻同時又頗有美學高度。從茅盾的論著看，西歐的經驗主義哲學、德國的思辨哲學和尼采的超人哲學，他都接觸過（這裡且不說中國的古代哲學），但他畢生崇奉的則是馬克思主義辯證唯物主義哲學。從美學看，茅盾從柏拉圖、亞里士多德、賀拉斯，到布瓦洛、伏爾泰、盧騷、萊辛、康德、黑格爾，到立普斯、克羅齊乃至當代西方的某些美學流派，都有所接觸（這裡且不說中國的古典美學），並且在論著中片言隻語地有所提及，也不能說對西方的美學思想毫無吸收，但他是堅定地以馬克思主義的美學思想作為自己的立論依據的。因此，我們只能以馬克思主義的哲學和美學思想為依據，對他的文藝理論進行美學概括。同時，茅盾作為共產主義的忠誠戰士，他的美學思想是與他的政治信念聯繫在一起的，其實踐性和功利性是與中國革命的實際、與我國現當代文藝建設事業、與他自己的創作實踐相聯繫的；正是在這裡，顯示了茅盾美學思想的獨特性，也因此而少有經院氣，而更富生動性和戰鬥性。這些，不僅為我們的概括提供了線索，而且也說明沒有必要牽強地用當代西方的一些美學概念甚至體系來附會茅盾的文藝理論。

　　三、茅盾在中國現當代文壇上馳騁了六十多年之久，其文藝思想有個發展過程，因而其前後言論不可能完全一致；這就需要把它當作一個動態的復合體看待，以發展的眼光對其言論進行美學的梳理。茅盾作為一個革命者，作為文化主將之一，是講策略的，即使是同一美學原則，在不同的革命階段在具體提法上又會有所不同，有時甚至借用了與自己的信念並不一致的口號；這就需要與具體的歷史條件結合起來進行闡發。此外，在他的大量文藝論述中，多數是經過深思熟慮、邏輯嚴密的論文或專著；也有一部分是隨感而發的急就章，瑕瑜並存，也不無蕪雜之弊，並非總是珠圓玉潤，字字珠璣，以至在同一時期的不同文章裡出現並不一致的言論；這就需要鑒別、鈎沉，也說明要堅持實事求是的原則，不必為賢者諱。

　　基於以上看法，我們擬出提綱，最後寫成目前的樣子。至於書名，把原先的「體系」改為「論稿」，是想表明我們不敢確信我們已充分把握了茅盾的文藝美學思想體系，更不敢妄斷茅盾的文藝美學思想體系就如我們所描述的模樣，我們的見解是不成熟的。

　　基於同樣的原因，在寫作過程中我們注意了這樣三條：（一）既要對茅盾的言論作美學概括，但又不能用時行的美學概念去作牽強附會的詮釋。決不

能爲了增強書稿的美學化而歪曲茅盾的原意，寧願爲了保持茅盾理論的原貌而文藝理論化一些。（二）爲了從研究對象的實際出發，必要的引錄是不可少的，但不能限於介紹，更不能只是材料的堆積；既要作美學探討，就不能隱蔽我們自己的觀點，而應該有所「論」。（三）力求使當代意識和歷史主義統一起來。當代人當然要根據當代的需要、當代的思想水平和眼光看事物；但研究的對象既是歷史上的人和事，就應當將之還原到看特定的歷史環境中去考察，根據特定的歷史條件論定是非高下。離開了當代意識，就會是就事論事；抽去了歷史具體性，就會是不著邊際的胡言亂語；兩者都不可能得到眞理。——這些，當然只是我們的願望，實際上做得如何，則有待讀者和專家來評定。

全書既然由四人合寫，執筆自然是有所分工，照常規應該說說哪章哪節由誰執筆，但我們卻不想在這裡作如此交待了。這是因爲我們合作得十分密切，從擬定提綱到最後定稿經過反反覆覆的討論，每章每節都是集中四人的意見寫成的，可以說每章每節都你中有我，我中有你，很難說是屬於某個個人的。最後則各部分都交由史瑤同志統稿。這的確是一次融洽、愉快的合作。

在這裡我們要向杭州大學出版社的同志表示深切的謝意。由於他們的關心，在出版社初建的困難情況下，優先將本書安排出版。他們對書稿審閱得相當細緻，態度又很誠懇，既充分肯定本書的優點，又具體地指出其中的不足，使我們有機會糾正某些弊病。

作者

1990 年 6 月 26 日於杭州